Les Éditions du Boréal
4447, rue Saint-Denis
Montréal (Québec) H2J 2L2
www.editionsboreal.qc.ca

LA GRANDE MAISON

DU MÊME AUTEUR
EN LANGUE FRANÇAISE

L'Histoire de l'amour, roman, Gallimard, 2006.

Nicole Krauss

LA GRANDE MAISON

roman

traduit de l'anglais (États-Unis)
par Paule Guivarch

Boréal

Je suis infiniment reconnaissante au Dorothy and Lewis B. Cullman Center for Scholars and Writers, de la New York Public Library, à la Rona Jaffe Foundation et à l'American Academy de Berlin de leur cordialité et de leur soutien ainsi que de m'avoir donné une pièce où travailler au calme quand j'en avais le plus besoin. L'histoire de Rafi qui regarde le no man's land de Jérusalem vient du projet L'Érouv de Sophie Calle. Quant à mon récit de Yochanan ben Zakkaï, je le dois à Israel is Real, de Rich Cohen.

N. K.

Diffusion au Canada : Dimedia

L'édition originale de cet ouvrage a été publiée en 2010 par W. W. Norton & Company sous le titre *Great House*.

Catalogage avant publication de Bibliothèque et Archives nationales du Québec et Bibliothèque et Archives Canada

Krauss, Nicole

   La grande maison

   Traduction de : Great house.

   Publ. en collab. avec Éditions de l'Olivier.

   ISBN 978-2-7646-2097-7

   I. Guivarch, Paule. II. Titre.

PS3611.R38G7314   2011   813'.6   C2011-940204-1

Pour Sasha et Cy

I

L'audience est ouverte

Parlez-lui.

Pendant l'hiver 1972, Votre Honneur, R et moi nous sommes quittés, ou, devrais-je dire, R m'a quittée. Ses raisons étaient vagues, mais la vérité, c'est qu'il avait un moi secret, un moi lâche, méprisable, qu'il n'avait jamais pu me montrer, et qu'il avait besoin de s'en aller comme une bête malade, en attendant de pouvoir améliorer ce moi et l'amener à un niveau qu'il jugerait digne de la compagnie des autres. J'avais discuté avec lui – j'étais sa petite amie depuis presque deux ans, ses secrets étaient les miens et s'il y avait quelque chose de lâche ou de cruel en lui, j'étais la mieux placée pour le savoir – mais rien n'y avait fait. Trois semaines après son départ, je reçus de lui une carte postale (sans son adresse) disant que, pour lui, notre décision, comme il l'appelait, aussi dure fût-elle, était la bonne, et je dus reconnaître que notre relation était bel et bien terminée.

Pendant un moment, les choses allèrent mal avant d'aller mieux. Sans entrer dans les détails, je dirais que je ne sortais plus, même pour rendre visite à ma grand-mère, et que je ne laissais personne venir me voir. Bizarrement, seul le temps très pluvieux m'aidait, je courais dans tout l'appartement avec le curieux petit tourne-à-gauche en cuivre conçu pour resserrer les écrous des antiques châssis de fenêtres ; lorsqu'ils prenaient du jeu, les jours de grand vent, celles-ci grinçaient horriblement. Il y avait six fenêtres, et à peine avais-je fini de resserrer les écrous de l'une qu'une autre se mettait à hurler, j'accourais alors avec le tourne-à-gauche, puis j'avais peut-être une demi-heure de silence, sur la seule chaise qui restait dans l'appartement. Pendant une certaine période, du moins, il me sembla que le monde n'était plus que cette pluie incessante et la nécessité de maintenir les écrous serrés. Quand le temps se leva enfin, je sortis me promener. Tout était inondé et une impression de calme émanait de cette eau immobile et miroitante. Je marchai longtemps, six ou sept heures au moins, dans des quartiers où je n'étais jamais allée auparavant et où je ne suis jamais retournée depuis. Je rentrai épuisée, mais avec le sentiment que je m'étais purgée de quelque chose.

Elle a nettoyé le sang que j'avais sur les mains et m'a donné un tee-shirt propre, le sien peut-être. Elle pensait que j'étais votre petite amie ou même, qui sait, votre femme. Personne n'est encore venu vous voir. Je resterai près de vous. *Parlez-lui.*

Un peu plus tard, le piano à queue de R descendit par l'énorme fenêtre du séjour, de la même façon qu'il y était entré. C'était la dernière de ses affaires personnelles qui s'en allait et tant qu'il avait été là, j'avais eu l'impression que R n'était pas vraiment parti. Pendant les semaines où je vécus en tête à tête avec le piano, avant qu'on l'emporte, il m'arrivait de le tapoter en passant, comme je le faisais autrefois avec R.

Quelques jours après, Paul Alpers, un vieil ami à moi, m'appela pour me raconter un rêve qu'il avait fait. Dans ce rêve, le grand poète César Vallejo et lui se trouvaient à la campagne, dans une maison qui appartenait depuis son enfance à la famille de Vallejo. Elle était vide et les murs, d'un blanc bleuté, créaient une grande sensation de paix, me dit Paul, et dans le rêve, il envoyait Vallejo de pouvoir travailler dans un endroit pareil. Cela ressemble à l'anti-chambre de l'au-delà, lui dit Paul. Vallejo ne l'avait pas entendu et il dut répéter. Finalement le poète, qui dans la vie réelle mourut à quarante-six ans sans un sou au cours d'un violent orage, exacte-ment comme il l'avait prédit, comprit et approuva d'un signe de tête. Avant d'entrer dans la maison, Vallejo avait raconté à Paul l'histoire de son oncle qui trempait souvent ses doigts dans la boue pour lui marquer le front – sans doute une référence au mercredi des Cendres. Puis (dit Paul), Vallejo me dit qu'il faisait quelque chose dont le sens lui avait toujours échappé. Pour illustrer son pro-pos, Vallejo trempa deux doigts dans la boue et dessina une mous-tache sur la lèvre supérieure de Paul. Ils se mirent à rire tous les deux. Pendant tout le rêve, me dit Paul, une extraordinaire com-plicité existait entre eux, comme s'ils se connaissaient depuis de longues années.

Naturellement, Paul avait pensé à moi en se réveillant parce que nous nous étions rencontrés à un séminaire sur les poètes d'avant-garde, pendant notre deuxième année à l'université. Nous étions devenus amis, car nous étions toujours d'accord en cours, alors que les autres s'opposaient à nous de façon de plus en plus véhémente au fil du semestre et, avec le temps, une alliance s'était formée entre Paul et moi, qu'après toutes ces années – cinq – nous pouvions encore déplier et gonfler instantanément. Il me demanda comment je me sentais, faisant allusion à la séparation dont quelqu'un avait dû lui parler. Je répondis que ça allait, excepté que j'avais l'impres-sion de perdre mes cheveux. Je lui dis aussi qu'en même temps que le piano, le canapé, les chaises, le lit et l'argenterie étaient partis avec R. Quand je l'avais rencontré, je ne possédais pratiquement qu'une valise, alors que lui trônait comme un bouddha au milieu des meubles hérités de sa mère. Paul dit qu'il connaissait peut-être quelqu'un, un poète, l'ami d'un ami, qui repartait pour le Chili et pourrait avoir besoin d'un havre pour ses meubles. Après avoir passé un coup de téléphone, Paul me confirma que le poète, Daniel

Varsky, avait certains objets dont il ne savait que faire. Il ne voulait pas les vendre, au cas où il changerait d'avis et déciderait de rentrer à New York. Paul me donna son numéro : Daniel attendait que je prenne contact avec lui. J'hésitai plusieurs jours à le faire, surtout parce que je trouvais gênant de réclamer ses meubles à un inconnu même si la voie avait été ouverte, et aussi parce que pendant le mois où R et toutes ses nombreuses affaires étaient partis, je m'étais habituée à ne rien posséder. Les problèmes surgissaient uniquement lorsque quelqu'un venait chez moi : je voyais alors sur le visage de mon visiteur que, de l'extérieur, les conditions dans lesquelles je vivais, ma condition, Votre Honneur, étaient pathétiques.

Lorsque je me décidai à appeler Daniel Varsky, il décrocha à la première sonnerie. Il y eut dans sa réponse, avant de savoir qui était au bout du fil, une réticence que j'associai plus tard à Daniel Varsky et aux Chiliens en général, encore que j'en connaisse très peu. Il lui fallut une minute pour comprendre qui j'étais, une minute pour que la lumière se fasse et qu'il me reconnaisse comme l'amie d'un ami et non une cinglée qui appelait – au sujet de ses meubles ? elle avait appris qu'il voulait s'en débarrasser ? ou bien juste les prêter ? – une minute pendant laquelle j'envisageai de m'excuser, de raccrocher et de continuer à vivre comme je le faisais, avec juste un matelas, des ustensiles de cuisine en plastique et l'unique chaise de l'appartement. Mais une fois qu'il comprit (Ah ! Bien sûr ! Désolé ! Ils n'attendent que vous), sa voix s'adoucit et monta simultanément, faisant place à une chaleur que je finis par associer à Daniel Varsky et, par extension, à toute personne originaire de ce pays, ce poignard pointé sur l'Antarctique, comme l'a un jour appelé Henry Kissinger.

Il habitait loin, dans un quartier résidentiel, au coin de la 101ᵉ Rue et de Central Park West. En chemin, je m'arrêtai pour rendre visite à ma grand-mère qui vivait dans une maison de retraite sur West End Avenue. Elle ne me reconnaissait plus, mais une fois habituée, je me sentais bien avec elle. Assises, nous parlions généralement du temps, sous tous les angles possibles, avant de passer à mon grand-père qui, dix ans après sa mort, la fascinait toujours, comme si, avec chaque année d'absence, sa vie, ou plutôt leur vie commune, devenait de plus en plus une énigme à ses yeux. Elle aimait s'asseoir sur le canapé d'où elle regardait avec émerveillement le hall d'entrée, parée de tous ses bijoux. Tout ça m'appartient ? demandait-elle périodiquement, avec un geste large qui englobait l'ensemble des lieux. À chacune de mes visites, je lui apportais un babka au chocolat de chez Zabar. Elle en mangeait un peu par politesse, puis le gâteau s'émiettait sur ses genoux et restait collé à ses lèvres ; après mon départ, elle donnait le reste aux infirmières.

Lorsque j'arrivai à la 101ᵉ Rue, Daniel Varsky m'ouvrit la porte en actionnant l'interphone. Tout en attendant l'ascenseur dans l'entrée miteuse, je me dis soudain que je n'aimerais peut-être pas ses meubles, qu'ils étaient peut-être sombres, ou écrasants d'une autre manière, et qu'il serait trop tard pour me rétracter avec élégance. Mais au contraire, dès qu'il ouvrit la porte, j'éprouvai une impression de lumière, au point que je dus plisser les yeux et que je ne vis pas tout de suite son visage qui se découpait en ombre chinoise. Il y avait également l'odeur de quelque chose qui cuisait, un plat d'aubergines qu'il avait appris à faire en Israël, me dit-il plus tard. Une fois accoutumée à la pénombre, je découvris avec surprise que Daniel Varsky était jeune. Je m'attendais à rencontrer quelqu'un de plus âgé, puisque Paul m'avait dit que son ami était poète et, tout en écrivant ou en essayant d'écrire tous les deux de la poésie, nous prenions soin de ne jamais nous décrire comme des poètes, terme réservé à ceux dont le travail avait été jugé digne d'être publié, pas seulement dans une ou deux obscures revues, mais dans de vrais livres que l'on pouvait acheter en librairie. Avec le recul, il s'avère que c'était là une définition terriblement naïve et conventionnelle du poète, et si Paul et moi, tout comme ceux que nous connaissions, nous flattions de notre raffinement en matière de littérature, nous nous baladions avec une ambition intacte qui souvent nous aveuglait.

Daniel avait vingt-trois ans, un an de moins que moi, et bien qu'il n'eût encore publié aucun recueil de poèmes, il semblait avoir mieux occupé son temps, de façon plus imaginative, ou disons qu'il ressentait un besoin de se déplacer, de rencontrer des gens et de faire des expériences qui m'a toujours rendue envieuse. Il avait passé les quatre dernières années à voyager, résidant dans différentes villes, dormant à même le sol chez des gens qu'il rencontrait en chemin et parfois dans des appartements qu'il louait, lorsqu'il réussissait à convaincre sa mère – ou sa grand-mère – de lui expédier de l'argent. Mais à présent, il rentrait enfin chez lui, prendre sa place parmi ses amis d'enfance qui se battaient pour la liberté, la révolution, ou du moins le socialisme, au Chili.

Les aubergines étaient cuites, et pendant que Daniel mettait la table, il m'invita à regarder les meubles. L'appartement était petit mais une grande fenêtre, au sud, laissait entrer toute la lumière. Le plus frappant, dans la pièce, c'était le désordre : le sol était jonché de papiers, de tasses en polystyrène tachées de café, de calepins, de sacs en plastique, de chaussures en caoutchouc bon marché, de disques séparés de leurs pochettes. N'importe qui d'autre se serait senti obligé de dire, Excusez le désordre, ou de préciser en plaisantant qu'un troupeau de bêtes sauvages avait traversé l'appartement, mais Daniel n'en fit rien. La seule surface plus ou moins vide était celle des murs, nus à l'exception de quelques cartes, punaisées, des villes où il avait habité : Jérusalem, Berlin, Londres, Barcelone ; et, sur certains coins de rue, certaines avenues et places, il avait gribouillé des indications que je ne compris pas tout de suite parce qu'elles étaient en espagnol. Il m'aurait semblé grossier de m'approcher pour les déchiffrer tandis que mon hôte et bienfaiteur disposait les couverts sur la table. Aussi portai-je mon attention sur les meubles, ou ce que j'en apercevais sous le fouillis : un canapé, un gros bureau en bois pourvu d'un tas de tiroirs, des grands et des petits, deux étagères chargées d'ouvrages en espagnol, en français et en anglais, et le plus joli objet, une espèce de coffre ou de malle ornée de ferrures en métal, qu'on aurait pu croire récupérée sur un navire englouti, et qui lui servait de table basse. Daniel avait dû acquérir chaque chose de seconde main, rien n'avait l'air neuf, mais ces objets paraissaient s'entendre, et les voir étouffés sous des papiers et des livres les rendait plus séduisants. Je me sentis tout à coup inondée de gratitude envers leur propriétaire, comme s'il me transmettait non seulement du bois et du cuir, mais la chance d'une nouvelle vie – à moi de m'en montrer digne. J'avoue avec gêne que mes yeux se remplirent de larmes, Votre Honneur, encore que, comme c'est si souvent le cas, elles jaillissaient de regrets plus anciens, plus obscurs, sur lesquels j'avais tardé à me pencher et que le don, ou le prêt, des meubles d'un inconnu avait d'une certaine façon remués.

Nous avons dû parler au moins sept ou huit heures. Peut-être plus. Nous adorions tous les deux Rilke. Nous aimions également Auden – moi, surtout –, aucun de nous n'appréciait beaucoup Yeats, et nous en avions secrètement honte, comme si c'était le signe d'une espèce d'insuffisance personnelle au niveau où vit et compte la poésie. L'unique moment de désaccord survint quand je mentionnai Neruda, le seul poète chilien que je connaissais, ce qui déclencha chez Daniel un brusque mouvement de colère. Pourquoi faut-il que, dans quelque endroit du monde qu'aille un Chilien, Neruda et ses foutus coquillages soient déjà passés par là et y aient établi un monopole ? demanda-t-il. Il soutint mon regard, attendant que je le contre, et j'eus alors l'impression que dans son pays, il était courant de parler comme nous le faisions, de discuter poésie jusqu'à la violence et, l'espace d'un instant, un sentiment de solitude m'effleura. Un instant seulement, puis je m'empressai de m'excuser et promis, juré craché, de lire la liste abrégée des grands poètes chiliens qu'il avait griffonnée au dos d'un sac en papier (tout en haut, en lettres majuscules éclipsant tout le reste, y figurait Nicanor Parra), ainsi que de ne plus jamais prononcer le nom de Neruda, ni en sa présence, ni en celle de personne d'autre.

Nous avons parlé ensuite de poésie polonaise, de poésie russe, de poésie turque, grecque et argentine, de Sappho et des carnets perdus de Pasternak, de la mort d'Ungaretti, du suicide de Weldon Kees et de la disparition d'Arthur Cravan (Daniel affirmait d'ailleurs qu'il vivait encore, choyé par les putains de Mexico). Mais parfois, dans le creux ou le vide entre une phrase décousue et la suivante, une ombre passait sur son visage, hésitait un instant comme si elle allait rester, puis s'éclipsait pour se dissoudre à la lisière de la pièce et j'étais alors tentée de me détourner, car si nous discutions beaucoup de poésie, nous n'avions pratiquement pas parlé de nous.

À un certain moment, Daniel bondit de sa chaise et se mit à fouiller dans le bureau aux nombreux tiroirs, en ouvrant certains et en fermant d'autres, à la recherche d'un cycle de poèmes qu'il avait écrit. Celui-ci s'intitulait *Oublie tout ce que j'ai dit*, ou quelque chose d'approchant, et il l'avait traduit lui-même. Il s'éclaircit la voix et se mit à lire d'un ton légèrement frémissant qui, chez quiconque, aurait pu paraître affecté, voire comique, mais qui, venant de Daniel, semblait parfaitement naturel. Il ne s'excusa ni ne se cacha derrière les pages. Bien au contraire. Il se redressa de toute sa taille, comme s'il puisait son énergie dans le poème, et relevait souvent les yeux, si souvent que je le soupçonnai d'avoir appris par cœur ce qu'il avait écrit. C'est à l'un de ces instants, tandis que nos regards se rencontraient sur un mot, que je me rendis compte qu'il était très beau. Il avait un grand nez, un grand nez judéo-chilien, de grandes mains aux doigts maigres et de grands pieds, mais il y avait aussi en lui quelque chose de délicat, dû sans doute à ses longs cils ou à son ossature. Le poème était bon, pas génial, mais très bon, peut-être plus que ça, il m'était difficile de juger sans pouvoir le lire moi-même. Apparemment, il s'agissait d'une femme qui lui avait brisé le cœur, encore qu'il aurait pu tout aussi bien s'agir d'un chien. À la moitié du poème, je perdis le fil et me mis à penser à R, qui lavait toujours ses pieds minces avant de se coucher parce que le sol de notre appartement était sale. Il ne me disait jamais de laver les miens, c'était sous-entendu, car si je ne l'avais pas fait, j'aurais sali les draps, rendant sa démarche inutile. Je n'aimais pas m'asseoir sur le rebord de la baignoire ou me tenir devant le lavabo avec le genou à hauteur de l'oreille, regardant la crasse noire tourbillonner dans la porcelaine blanche, mais c'était l'une de ces innombrables contraintes que l'on accepte pour éviter les disputes, et maintenant ce souvenir me donnait envie de rire, ou de suffoquer.

L'appartement de Daniel Varsky s'était assombri et baignait dans une lumière aquatique, car le soleil avait disparu derrière un immeuble et les ombres qui s'étaient tenues cachées commençaient à inonder l'appartement. Je me rappelle qu'il y avait plusieurs gros livres sur son étagère, de beaux livres avec de grands dos en toile. Je ne me souviens d'aucun de leurs titres, peut-être faisaient-ils partie d'une série, mais ils paraissaient de connivence avec la fin du jour. On avait l'impression que les murs de son appartement étaient soudain moquettés comme les murs d'un cinéma, afin d'empêcher certains sons de s'échapper ou d'autres de pénétrer et qu'à l'intérieur de ce caisson, Votre Honneur, dans le peu de lumière qui restait, nous étions à la fois le public et le film. Ou c'était comme si nous seuls avions été détachés de l'île et dérivions dans des eaux inexplorées, des eaux noires d'une profondeur insondable. Je passais pour jolie, à l'époque, certains me trouvaient même belle, bien que ma peau laissât à désirer, et c'est précisément ce que je remarquais quand je me regardais dans la glace, cela, et un air un peu inquiet, un léger plissement du front dont j'avais été jusque-là inconsciente. Cependant, avant de vivre avec R et pendant notre vie commune, nombre d'hommes avaient clairement manifesté l'envie de rentrer à la maison avec moi, pour une nuit ou pour plus longtemps, et tandis que Daniel et moi nous levions et nous dirigions vers la salle de séjour, je me demandai ce qu'il pensait de moi.

C'est alors qu'il me dit que le bureau avait brièvement appartenu à Lorca. J'ignorais s'il plaisantait ou non, mais il me semblait très improbable que ce voyageur venu du Chili, plus jeune que moi, ait pu mettre la main sur un objet aussi précieux ; je décidai toutefois de le prendre au sérieux, de peur d'offenser quelqu'un qui ne m'avait manifesté que de la gentillesse. Lorsque je lui demandai comment il était entré en sa possession, il haussa les épaules et dit qu'il l'avait acheté, mais ne s'étendit pas. Je m'attendais à une déclaration du genre, Et maintenant je vous le donne, mais il n'en fit rien, se contentant de lui décocher un petit coup de pied, pas violent, très doux au contraire, plein de respect, et poursuivit son chemin. C'est alors, ou plus tard, que nous nous sommes embrassés.

Elle a injecté une nouvelle dose de morphine dans votre goutte-à-goutte et a fixé sur votre poitrine une électrode qui s'était détachée. De l'autre côté de la fenêtre, l'aube se déployait sur Jérusalem. Pendant un court instant, elle et moi avons regardé la lueur verte de votre ECG monter et descendre. Puis elle a tiré le rideau et nous a laissés seuls.

Notre baiser se révéla dégrisant. Non qu'il fût médiocre, mais c'était un simple signe de ponctuation dans notre longue conversation, une remarque entre parenthèses destinée à nous assurer tous les deux d'un profond accord, d'une offre mutuelle d'amitié, chose tellement plus rare que l'attirance sexuelle, ou même l'amour. Les lèvres de Daniel étaient plus grosses que je ne m'y attendais, pas grosses dans son visage, mais grosses lorsque je fermai les yeux et qu'elles touchèrent les miennes et, une seconde, j'eus l'impression qu'elles m'étouffaient. En réalité, j'étais habituée à celles de R, des lèvres fines, non sémites, qui bleuissaient souvent dans le froid. D'une main, Daniel Varsky me pressa la cuisse et je touchai ses cheveux qui avaient une odeur de rivière boueuse. Je crois qu'à ce moment-là, nous étions arrivés ou étions sur le point d'arriver au cloaque de la politique et, d'abord sur le ton de la colère, puis presque au bord des larmes, Daniel Varsky s'emporta contre Nixon et Kissinger, contre leurs sanctions et leurs cruelles machinations qui essayaient, dit-il, d'étrangler tout ce qui était neuf, jeune et magnifique au Chili, l'espoir qui avait porté le Dr Allende jusqu'au palais de la Moneda. Les salaires des travailleurs augmentés de cinquante pour cent, dit-il, et tout ce qui intéresse ces porcs, c'est leur cuivre et leurs multinationales ! À la seule idée d'un président marxiste élu démocratiquement, ils chient dans leur froc ! Pourquoi ne nous foutent-ils pas la paix et ne nous laissent-ils pas vivre comme nous l'entendons et, pendant une minute, son regard se fit presque suppliant, implorant, comme si je tenais sous ma domination les personnages louches à la barre du sombre vaisseau de mon pays. Il avait une pomme d'Adam très proéminente qui, chaque fois qu'il déglutissait, dansait dans sa gorge, et maintenant elle paraissait danser sans arrêt comme une pomme ballottée par les vagues. Je ne savais pas grand-chose de ce qui se passait au Chili, du moins pas à l'époque, pas encore. Un an et demi plus tard, quand Paul Alpers me dit que Daniel Varsky avait été emmené en pleine nuit par la police secrète de Manuel Contrera, je sus. Mais à l'hiver 1972, assise dans l'appartement de la 101ᵉ Rue, dans les dernières lueurs du jour, alors que le général Augusto Pinochet Ugarte n'était encore qu'un chef d'état-major modeste et servile s'efforçant de convaincre les enfants de ses amis de l'appeler Tata, je ne savais pas grand-chose.

Ce qui est étrange, c'est que je ne me rappelle pas la façon dont la nuit (déjà, alors, une énorme nuit new-yorkaise) se termina. De toute évidence, on dut se dire au revoir, après quoi je quittai l'appartement, ou peut-être le quitta-t-on ensemble et il me reconduisit jusqu'au métro ou m'appela un taxi car, en ce temps-là, le quartier, ou même la ville entière, n'étaient pas sûrs. Je n'en ai vraiment aucun souvenir. Deux semaines plus tard, un camion de déménagement arriva chez moi et les ouvriers déchargèrent les meubles. À ce moment-là, Daniel Varsky était déjà rentré au Chili.

Deux ans passèrent. Au début, je reçus souvent des cartes postales. Les premières étaient chaleureuses et enjouées. Tout va bien. J'envisage d'adhérer à la Société chilienne de spéléologie, mais ne t'inquiète pas, ça n'interférera pas avec ma poésie, au fond, les deux activités sont complémentaires. Il se peut, avec un peu de chance, que j'assiste à une conférence de mathématiques donnée par Parra. La situation politique tourne à la catastrophe et si je n'adhère pas à la Société de spéléologie, je m'engagerai au MIR. Prends bien soin du bureau de Lorca, je reviendrai un jour le chercher. Besos. D.V. Après le coup d'État, les cartes devinrent sombres, puis cryptiques, et environ six mois avant la nouvelle de sa disparition, elles cessèrent d'arriver. Je les gardais dans l'un des tiroirs de son bureau. Je ne répondais pas parce qu'elles ne portaient pas d'adresse. À l'époque, j'écrivais encore de la poésie et je composai quelques poèmes adressés, ou dédiés, à Daniel Varsky. Ma grand-mère mourut et fut enterrée trop loin en banlieue pour que quiconque vînt aux obsèques. J'eus quelques aventures, je déménageai deux fois et rédigeai mon premier roman sur le bureau de Daniel Varsky. J'oubliais parfois Daniel pendant des mois. Je me demande si je connaissais alors les événements de la Villa Grimaldi, il est presque certain, en tout cas, que je ne savais rien du 38 Calle Londres, de Cuatro Alamos ou de la Discoteca, aussi appelée Venda Sexy à cause des atrocités sexuelles qui s'y perpétraient et de la musique tonitruante qu'affectionnaient les tortionnaires, mais j'en savais assez pour qu'à d'autres moments, m'étant endormie sur le canapé de Daniel comme cela m'arrivait souvent, je fasse des cauchemars sur ce qu'il subissait. En regardant ses meubles – le canapé, le bureau, la table basse, les chaises – tantôt j'étais remplie d'un énorme désespoir, tantôt simplement d'une vague tristesse, ou encore, contemplant tout cela, j'étais convaincue que je me trouvais devant une énigme, une énigme qu'il m'avait laissée et que j'étais censée élucider.

Il m'est arrivé de rencontrer des gens, en majorité des Chiliens, qui connaissaient ou avaient entendu parler de Daniel Varsky. Pendant une brève période après sa mort, sa réputation grandit et on le compta parmi les poètes martyrs réduits au silence par Pinochet. Bien sûr, ceux qui torturèrent et assassinèrent Daniel n'avaient pas lu sa poésie, peut-être même ne savaient-ils pas qu'il en écrivait. Quelques années après sa disparition, avec l'aide de Paul Alpers, je m'adressai aux amis de Daniel en leur demandant s'ils avaient des poèmes de lui qu'ils pourraient m'envoyer. Je pensais réussir à les faire publier quelque part, en une sorte d'hommage. Je ne reçus qu'une lettre en retour, une courte réponse d'un vieil ami d'école primaire me disant qu'il ne détenait rien. J'avais dû mentionner le bureau, sinon le post-scriptum eût été trop bizarre. À propos, disait-il, je doute que Lorca ait jamais possédé ce bureau. C'était tout. Je rangeai la lettre dans le tiroir contenant les cartes postales de Daniel. Pendant un temps, j'envisageai d'écrire à sa mère, mais finalement je ne le fis pas.

Bien des années ont passé depuis. J'ai été mariée un moment, maintenant je vis de nouveau seule et je n'en souffre pas. Il arrive qu'une espèce de clarté vous envahisse, on voit alors soudain à travers les murs et on perçoit une dimension qu'on avait oubliée ou choisi d'ignorer pour pouvoir continuer à vivre avec les différentes illusions qui rendent la vie possible, particulièrement la vie avec d'autres. Et j'en étais là, Votre Honneur. Sans les événements que je m'apprête à décrire, j'aurais pu continuer à ne pas penser à Daniel Varsky, ou rarement, même si j'étais encore en possession de ses étagères, de son bureau et de la malle de galion espagnol ou du vestige d'un accident en haute mer, utilisée de façon pittoresque comme table basse. Le canapé commença à se délabrer, je ne me rappelle pas exactement quand, et je dus le mettre au rebut. J'avais parfois envie de me débarrasser de tout le reste, car il me rappelait, quand j'étais d'une certaine humeur, des choses que j'aurais préféré oublier. Il arrive, par exemple, qu'un journaliste désireux de m'interviewer me demande pourquoi j'ai cessé d'écrire de la poésie. Je dis alors que ce que j'écrivais ne valait rien, que c'était peut-être nul, ou bien qu'un poème a un potentiel de perfection et que cette possibilité m'a réduite au silence. D'autres fois, je réponds que je me sentais piégée par les poèmes que j'essayais d'écrire, ce qui revient à dire que l'on se sent piégé par l'univers, ou par l'inéluctabilité de la mort, mais en fait, la raison pour laquelle j'ai cessé d'écrire de la poésie n'a rien à voir avec cela, pas vraiment, pas exactement, la vérité, c'est que si je pouvais expliquer pourquoi j'ai cessé d'écrire de la poésie, je pourrais alors me remettre à en écrire. En réalité, le bureau de Daniel Varsky, qui devint le mien pendant plus de vingt-cinq ans, me rappelait tout cela. Je m'étais toujours considérée comme sa gardienne temporaire et supposais qu'un jour viendrait où, bien qu'avec des sentiments mitigés, je serais déchargée de la responsabilité de vivre avec les meubles de mon ami, le poète assassiné Daniel Varsky, et de veiller dessus, et que désormais je serais libre de me déplacer à ma guise, ou même de partir à l'étranger. Ce n'est pas vraiment que les meubles m'aient retenue à New York, mais si l'on insiste, j'admets que c'était le prétexte que j'avais utilisé pour ne pas bouger pendant toutes ces années, longtemps après qu'il fut devenu évident que la ville n'avait plus rien à m'offrir. Et pourtant, quand ce jour arriva, il bouleversa ma vie, enfin devenue solitaire et sereine.

C'était en 1999, à la fin mars. Je travaillais à mon bureau lorsque le téléphone sonna. Je ne reconnus pas la voix qui parlait à l'autre bout du fil. Posément, je demandai qui m'appelait. Au fil du temps, j'ai appris à sauvegarder mon intimité, non pas que beaucoup de gens aient tenté de l'envahir (certains l'ont fait) mais parce que l'écriture exige que l'on se protège farouchement dans tant de domaines qu'une certaine réticence instinctive à rendre service déborde sur des situations où elle est superflue. La jeune femme me dit que nous

24

ne nous étions jamais rencontrées. Je lui demandai la raison de son appel. Je crois que vous avez connu mon père, Daniel Varsky, répondit-elle.

Au son de ce nom, un froid me pénétra, causé non seulement par la nouvelle que Daniel avait une fille ou par la soudaine expansion de la tragédie au bord de laquelle je vivais suspendue depuis si long-temps, ou par la conviction que mon long gardiennage touchait à son terme, mais aussi parce que cela faisait des années qu'une partie de moi attendait ce genre d'appel et qu'à présent, malgré l'heure tardive, il était arrivé.

Je lui demandai comment elle m'avait trouvée. J'ai décidé de chercher, dit-elle. Et par quel moyen avez-vous su comment *me* chercher ? J'ai rencontré votre père une seule fois, il y a bien long-temps de cela. Ma mère, dit-elle. Je ne savais pas à qui elle faisait allusion. Vous lui avez un jour écrit une lettre, dit-elle, lui deman-dant si elle possédait l'un des poèmes de mon père. Enfin, c'est une longue histoire. Je pourrai vous la raconter quand je vous ver-rai. (Il allait de soi que nous nous verrions. Elle savait parfaitement que ce qu'elle s'apprêtait à me demander, je ne pouvais le lui refu-ser. Malgré tout, son assurance me désarçonna.) Dans la lettre, vous écriviez que vous aviez son bureau, dit-elle. Vous l'avez tou-jours ?

Je regardai, à l'autre bout de la pièce, le bureau en bois sur lequel j'avais rédigé sept romans et où, dans le cône de lumière formé par la lampe, reposait la pile de pages et de notes préparatoires à un hui-tième. Un tiroir était légèrement entrouvert, l'un des dix-neuf, cer-tains grands, d'autres petits, dont le nombre impair et l'étrange agencement, je m'en rendais compte au moment où ils allaient m'être soudain enlevés, avaient fini par prendre dans ma vie une espèce de sens, comme un mystérieux ordre directeur, un ordre qui, lorsque mon travail marchait bien, revêtait une qualité quasi mys-tique. Dix-neuf tiroirs de diverses tailles, certains sous le plateau du bureau, et d'autres au-dessus, dont la fonction utilitaire (ici des timbres, là des trombones) dissimulait un dessein beaucoup plus complexe, l'ozalid de l'esprit formé au cours de dizaines de milliers de jours passés à réfléchir, les yeux fixés sur eux, comme s'ils détenaient l'agencement final d'une phrase rebelle, l'expression sublime, la rupture radicale avec tout ce que j'avais écrit jusque-là, qui conduirait enfin au livre que j'avais toujours voulu et jamais pu écrire. Ces tiroirs représentaient une étrange logique profondément enchâssée, une forme de conscience qui ne pouvait s'articuler autrement que selon leur propre nombre et leur propre agencement. Ou est-ce leur attribuer trop d'importance ?

Ma chaise, légèrement tournée vers l'extérieur, attendait que je revienne la faire pivoter en position studieuse. Un soir comme celui-là, j'aurais fort bien pu passer la moitié de la nuit à travailler, à écrire et à contempler les ténèbres de l'Hudson, tant qu'il me restait suffisamment d'énergie et de clarté d'esprit. Personne n'était là pour m'attirer au lit, personne pour exiger que le rythme de ma vie fonctionne en duo, personne à qui me soumettre. Si celle qui m'avait appelée avait été n'importe qui d'autre, ou presque, après avoir raccroché je me serais rassise au bureau autour duquel, pendant deux décennies et demie, mon corps s'était peu à peu façonné, mon attitude modelée par toutes ces années où, penchée au-dessus de lui, j'avais fini par m'y adapter.

L'espace d'un instant, j'eus envie de dire que je l'avais donné ou mis au rebut. Ou simplement de raconter à ma correspondante qu'elle faisait erreur. Je n'avais jamais été en possession du bureau de son père. Son espoir était fragile, elle m'avait ménagé une porte de sortie – *Vous l'avez toujours ?* Elle aurait été déçue, mais je ne lui aurais rien dérobé, du moins rien qu'elle eût un jour possédé. Et j'aurais pu continuer à travailler à ce bureau pendant encore vingt-cinq ou trente ans, tant que j'aurais gardé l'esprit agile et que le besoin pressant d'écrire n'aurait pas disparu.

Au lieu de cela, sans prendre le temps de considérer les répercussions possibles, je lui dis que, oui, je l'avais. En y repensant, je me suis demandé pourquoi j'avais prononcé si vite ces paroles qui, presque immédiatement, firent dérailler ma vie. Et bien que, de toute évidence, ce fût là le geste charitable qui s'imposait, Votre Honneur, je savais que ce n'était pas la raison pour laquelle j'avais dit ça. J'ai fait, au nom de mon travail, beaucoup plus de mal que cela à des gens que j'aimais, et la personne qui me réclamait à présent quelque chose était une totale inconnue. Non, en réalité, j'acceptai pour la même raison que je l'aurais écrit dans une histoire : parce que dire oui me semblait inévitable.

J'aimerais l'avoir, dit-elle. Bien sûr, répondis-je, et sans me donner la possibilité de changer d'avis, je lui demandai quel jour elle souhaitait venir le récupérer. Je reste encore une semaine à New York, dit-elle. Est-ce que samedi vous irait ? Je calculai que cela me laissait le bureau encore cinq jours. Parfait, répondis-je, alors qu'il ne pouvait y avoir de plus grand décalage entre mon ton de voix enjoué et le sentiment d'angoisse qui me saisit tandis que je parlais. J'ai quelques autres meubles qui appartenaient à votre père. Vous pouvez les prendre tous.

Avant qu'elle raccroche, je lui demandai son nom. Leah, dit-elle. Leah Varsky ? Non, dit-elle, Weisz. Puis, d'un ton détaché, elle m'expliqua que sa mère, qui était israélienne, avait vécu à Santiago au début des années soixante-dix. Elle avait eu une courte liaison avec Daniel à l'époque du coup d'État militaire et avait quitté le pays peu après. Découvrant qu'elle était enceinte, elle avait écrit à Daniel mais n'avait pas reçu de réponse ; il avait déjà été arrêté.

Quand, dans le silence qui s'ensuivit, il devint clair que nous avions épuisé toutes les bribes de conversation possibles, n'omettant que les morceaux trop lourds pour un tel coup de téléphone, je lui dis que, oui, j'avais gardé très longtemps le bureau. J'avais toujours pensé que quelqu'un viendrait le récupérer un jour et j'aurais naturellement essayé de le rendre plus tôt si j'avais su.

Après cela, j'allai à la cuisine me chercher un verre d'eau. Lorsque je revins dans la pièce – une salle de séjour que j'utilisais comme cabinet de travail parce que je n'avais pas besoin d'une salle de séjour – j'allai m'asseoir au bureau comme si rien n'avait changé. Mais bien sûr, quelque chose avait changé et lorsque je regardai, sur l'écran de l'ordinateur, la phrase que j'avais abandonnée au moment où le téléphone avait sonné, je sus qu'il me serait impossible de continuer ce soir-là.

Je me levai et allai m'asseoir sur ma chaise de lecture. Je pris le livre qui était sur la desserte, seulement je sentis, ce qui ne me ressemblait guère, que mon esprit vagabondait. Je regardai le bureau, à l'autre bout de la pièce, comme je l'avais regardé tous ces soirs où j'étais dans une impasse, mais pas prête à capituler. Non, je ne nourris pas d'idées mystiques concernant l'écriture, Votre Honneur, c'est un métier comme un autre ; j'ai toujours pensé que le pouvoir de la littérature repose sur le degré de volonté entrant dans sa fabrication. Je n'ai jamais gobé l'idée selon laquelle l'écrivain a besoin d'un certain rituel pour écrire. En cas de nécessité, je serais capable de travailler pratiquement n'importe où, aussi bien dans un ashram que dans un café bondé, c'est du moins ce que j'affirme toujours lorsqu'on me demande si je travaille au stylo ou à l'ordinateur, le matin ou le soir, seule ou au milieu des gens, assise sur une selle comme Goethe ou debout comme Hemingway, allongée comme Mark Twain etc., comme s'il y avait, suspendu en chacun de nous, un secret capable de faire sauter le verrou du coffre-fort qui abrite le roman, tout formé et prêt pour la publication. Non, ce qui m'angoissait, c'était la perte de mes conditions de travail habituelles : pur sentimentalisme et rien d'autre.

C'était un revers. Une certaine mélancolie collait à toute cette affaire, une mélancolie qui avait commencé avec l'histoire de Daniel Varsky et qui, à présent, me concernait. Mais le problème n'avait rien d'irréversible. Demain matin, me dis-je, j'irai m'acheter un bureau.

Il était plus de minuit quand je m'endormis et comme toujours quand je me couche empêtrée dans une difficulté, mon sommeil fut agité et mes rêves intenses. Pourtant, le matin venu, malgré l'impression fugitive d'avoir été entraînée dans une aventure épique, je ne m'en rappelais qu'un fragment : un homme, debout devant mon immeuble, mort de froid dans le vent glacial qui descend du Canada, de l'Arctique lui-même, le long du couloir de l'Hudson, me demanda, au moment où je passais, de tirer un fil rouge qui lui pendait de la bouche. Je m'exécutai, poussée par un élan charitable mais, tandis que je tirais, le fil s'entassait sans cesse à mes pieds. Lorsque mes bras se fatiguèrent, l'homme me cria de continuer, puis, au bout d'un certain temps, comprimé comme peut l'être le temps dans les rêves, lui et moi nous rejoignîmes dans la conviction que quelque chose de crucial se trouvait à l'extrémité de ce fil, ou peut-être était-ce seulement moi qui pouvais me permettre de croire ou pas, alors que pour lui c'était une question de vie ou de mort.

Le lendemain, je n'allai pas m'acheter un bureau, ni le surlendemain. Quand je m'asseyais pour travailler, non seulement j'étais incapable de me concentrer mais, parcourant les pages que j'avais écrites, je trouvais qu'elles n'étaient que des mots superflus dénués de vie et d'authenticité, sans aucun fondement convaincant. Ce que j'avais espéré être l'artifice subtil employé par les meilleures fictions m'apparaissait à présent comme un simple artifice banal, un artifice destiné à détourner l'attention de ce qui est, en fin de compte, superficiel, plutôt qu'à révéler les effrayantes profondeurs qui sous-tendent la surface des choses. Ce que je considérais comme une prose plus simple, plus pure, plus fulgurante parce que dépouillée de tout ornement perturbateur, était en réalité une masse ennuyeuse et lourde, dépourvue de tension ou d'énergie, ne s'opposant à rien, ne bouleversant rien, ne proclamant rien. Si je me battais depuis quelque temps avec le mécanisme du livre, incapable de comprendre comment les différentes parties s'intégraient les unes aux autres, je n'avais, en revanche, pas cessé de croire qu'il y avait là un élément, un schéma qui, si j'arrivais à le déloger et à le séparer du reste, s'avérerait posséder toute la délicatesse et l'irréductibilité d'un concept qui exige, pour l'exprimer, un roman écrit d'une seule et unique manière. Je voyais à présent que je m'étais trompée.

Je quittai l'appartement et partis faire une longue promenade à travers Riverside Park et dans Broadway, afin de me changer les idées. Je m'arrêtai chez Zabar pour m'acheter à manger, saluant d'un signe de la main le préposé au rayon fromages qui était là depuis l'époque où je rendais visite à ma grand-mère, me faufilant devant les vieilles bossues lourdement poudrées qui poussaient un bocal de cornichons dans un caddie, faisant la queue derrière une femme affligée d'un hochement de tête perpétuel et involontaire – oui, oui, oui, oui – le oui exubérant de la jeune fille qu'elle était autrefois, alors qu'elle voulait dire non, non, assez, non.

Mais une fois rentrée chez moi, ce fut pareil. Le lendemain fut encore pire. Mon jugement de ce que j'avais écrit l'année précédente et encore avant revêtait une écœurante certitude. Les jours suivants, tout ce que je réussis à faire, ce fut emballer mon manuscrit et mes notes et vider les tiroirs du bureau de leur contenu. Il y avait là de vieilles lettres, des bouts de papier sur lesquels j'avais noté des choses à présent incompréhensibles, tout un bric-à-brac, les vestiges d'objets jetés depuis longtemps à la poubelle, un assortiment de transformateurs électriques, du papier à lettres imprimé à l'adresse où j'avais habité avec S, mon ex-mari... un ramassis de choses pour la plupart inutiles et, sous de vieux carnets de notes, les cartes postales de Daniel. Tout au fond d'un tiroir, je découvris un livre de poche jauni que Daniel avait dû y oublier, des siècles auparavant – un recueil de nouvelles d'une certaine Lotte Berg, dédicacé par l'auteur en 1970. Je remplis un grand sac de tout ce que je voulais jeter et, le reste, je le mis dans une boîte, excepté le livre et les cartes postales. Celles-ci, je les plaçai, sans les lire, dans une enveloppe en papier kraft. Je vidai les nombreux tiroirs, certains tout petits, comme je l'ai déjà dit, d'autres de taille moyenne, sauf celui muni d'une minuscule serrure en cuivre. Si vous vous asseyiez au bureau, la serrure se situait juste au-dessus de votre genou droit. Aussi loin que remonte mon souvenir, le tiroir avait toujours été verrouillé, et malgré mes recherches, je n'avais jamais réussi à trouver la clef. Un jour, dans un accès de curiosité ou peut-être d'ennui, j'essayai de forcer la serrure à l'aide d'un tournevis et ne réussis qu'à m'égratigner les doigts. J'avais souvent souhaité que ce soit un autre tiroir qui fût fermé à clef, car celui situé en haut à droite était le plus pratique, et chaque fois que je cherchais quelque chose dans les nombreux tiroirs, je tendais instinctivement la main vers celui-là, ce qui déclenchait en moi une frustration passagère, une espèce de sentiment orphelin qui, je le savais, n'avait rien à voir avec le tiroir mais qui s'était, d'une certaine manière, incrusté là. Je ne sais pourquoi, j'ai toujours supposé que le tiroir contenait les lettres de la jeune fille du poème que Daniel Varsky m'avait lu un jour ou, sinon elle, du moins quelqu'un comme elle.

Le samedi suivant, à midi, Leah Weisz sonna à ma porte. En voyant la silhouette qui se tenait sur le seuil, je retins mon souffle : c'était Daniel Varsky, en dépit des vingt-sept années écoulées, exactement comme je me le rappelais, cet après-midi d'hiver où j'avais sonné chez lui et où il m'avait ouvert sa porte ; seulement maintenant tout était inversé comme dans un miroir, ou comme si le temps s'était soudain arrêté, puis avait commencé à reculer au galop, défaisant tout ce qu'il avait fait. La même minceur, le même nez, et malgré cela, la même délicatesse sous-jacente. L'écho de Daniel Varsky me tendit la main. Elle était froide, alors qu'il faisait chaud dehors. Elle portait un blazer en velours bleu râpé aux coudes et, autour du cou, un foulard de lin rouge dont les pans étaient rejetés sur les épaules à la manière désinvolte d'une étudiante traversant en plein vent une cour d'université, courbée sous le poids de sa première rencontre avec Kierkegaard ou Sartre. Elle avait l'air aussi jeune que cela, dix-huit ou dix-neuf ans, mais quand je fis le calcul, je m'aperçus que Leah devait avoir vingt-quatre ou vingt-cinq ans, à peu près l'âge que nous avions, Daniel et moi, lors de

notre rencontre. Et, à la différence d'une étudiante au visage juvé-
nile, il y avait quelque chose de sinistre dans la façon dont ses cheveux lui retombaient dans les yeux et dans les yeux eux-mêmes,
sombres, presque noirs.

Cependant, à l'intérieur, je vis qu'elle n'était pas le portrait de
son père. Elle était plus petite, plus compacte, espiègle. Ses cheveux
étaient auburn et non noirs, comme ceux de Daniel. Sous les
lumières de mon entrée, les traits de Daniel s'effacèrent au point
que si j'avais rencontré Leah dans la rue, je n'aurais peut-être rien
remarqué chez elle de particulier.

Elle vit tout de suite le bureau et se dirigea lentement vers lui.
Arrivée devant la masse imposante qui lui était, j'imagine, plus présente que son père avait jamais pu l'être, elle porta la main à son
front et s'assit sur la chaise. Je crus un instant qu'elle allait se mettre
à pleurer. En fait, elle plaça ses mains sur la surface, les promena en
tous sens et commença à jouer avec les tiroirs. Je réprimai mon agacement devant cette indiscrétion et celles qui suivirent, car non
contente d'ouvrir un tiroir et de regarder dedans, elle entreprit d'en
inspecter trois ou quatre autres avant de paraître assurée qu'ils
étaient tous vides. L'espace d'une seconde, je me sentis au bord des
larmes.

Par politesse et pour éviter une autre inspection des meubles, je
lui offris une tasse de thé. Elle se leva alors et, se retournant,
embrassa la pièce du regard. Vous vivez seule ? fit-elle. Son ton, ou
l'expression de son visage tandis qu'elle jetait un coup d'œil à la pile
de livres dressée en position instable à côté de mon fauteuil couvert
de taches et aux chopes sales alignées sur le rebord de la fenêtre, me
rappela l'air apitoyé avec lequel certains de mes amis me considéraient parfois lorsqu'ils venaient me voir, dans les mois qui précé-
dèrent ma rencontre avec son père, alors que je vivais seule dans
l'appartement débarrassé des affaires de R. Oui, répondis-je. Comment voulez-vous votre thé ? Vous ne vous êtes jamais mariée ?
demanda-t-elle et, peut-être déconcertée par la brutalité de la ques-

tion, sans réfléchir, je répondis, Non. Moi non plus, je n'en ai pas l'intention, dit-elle. Non ? demandai-je. Pourquoi pas ? Regardez-vous, reprit-elle. Vous êtes libre d'aller où vous voulez, de vivre comme bon vous semble. Elle ramena ses cheveux derrière ses oreilles et embrassa de nouveau la pièce d'un large coup d'œil, comme si c'était l'appartement entier, ou la vie elle-même, qui devait être transférés en son nom, et pas seulement un bureau.

Il aurait été impossible, du moins pour le moment, de lui poser toutes les questions que je voulais sur les circonstances de l'arrestation de Daniel : à quel endroit il avait été détenu et si l'on savait quoi que ce soit sur sa mort. Au lieu de cela, j'appris, dans la demi-heure qui suivit, que Leah avait passé deux ans à New York à étudier le piano chez Juilliard avant de décider un jour qu'elle en avait assez de jouer sur le gigantesque instrument auquel elle était enchaînée depuis l'âge de cinq ans et que, quelques semaines plus tard, elle était rentrée chez elle, à Jérusalem. Elle y vivait depuis l'année précédente en essayant de savoir ce qu'elle avait envie de faire. Elle était revenue à New York seulement pour récupérer certaines choses qu'elle avait laissées chez des amis et qu'elle projetait d'expédier, en même temps que le bureau, à Jérusalem.

Certains détails m'échappèrent peut-être, car tandis qu'elle parlait, je luttais pour accepter l'idée que je m'apprêtais à transmettre le seul objet qui eût un sens dans ma vie d'écrivain, l'unique représentation physique de tout ce qui, autrement, était léger, intangible, à cet être errant qui s'assoirait peut-être devant de temps en temps, comme devant un autel domestique. Et pourtant, Votre Honneur, que pouvais-je faire d'autre ? Rendez-vous fut pris pour le lendemain matin : elle reviendrait avec un camion de déménagement qui transporterait les meubles directement jusqu'à un conteneur maritime, à Newark. Comme je ne pouvais supporter l'idée de voir emporter le bureau, je lui dis que je serais absente mais que je veillerais à ce que Vlad, le concierge roumain bougon, soit là pour la faire entrer.

Le lendemain matin, de bonne heure, je posai l'enveloppe kraft contenant les cartes postales de Daniel sur le bureau vide et partis en voiture à Norfolk, dans le Connecticut, où S et moi avions loué une maison pendant neuf ou dix étés et dans laquelle je n'avais pas remis les pieds depuis notre séparation. Cependant, une fois garée près de la bibliothèque et descendue de voiture pour me dégourdir les jambes, non loin du terrain communal, je compris que quelle que fût la raison pour laquelle j'étais là, je ne devais pas l'exploiter ; et je voulais à tout prix éviter de tomber sur une quelconque connaissance. Je remontai donc en voiture et, pendant cinq ou six heures, je roulai sans but sur des routes de campagne, de New Marlborough à Great Barrington puis encore au-delà, jusqu'à Lenox, suivant des trajets que S et moi avions empruntés des centaines de fois avant d'ouvrir les yeux et de nous apercevoir que notre mariage avait rendu l'âme.

Tout en conduisant, je me mis à penser au jour où S et moi avions été invités à une soirée chez un danseur allemand qui vivait alors à New York. Nous étions mariés depuis quatre ou cinq ans à l'époque, S travaillait dans un théâtre, aujourd'hui fermé, où le danseur exécutait un solo. L'appartement était petit et rempli des étranges possessions du danseur, des choses qu'il avait trouvées dans la rue ou au cours de ses innombrables voyages, ou bien qu'on lui avait données, toutes disposées avec le sens de l'espace, des proportions, du rythme et de la grâce qui faisaient de lui un enchantement sur scène. Du coup, je trouvai étrange et presque frustrant de voir le danseur en vêtements de ville et en chaussons marron, se déplaçant de façon ordinaire dans l'appartement, sans le moindre signe de l'immense talent physique qui sommeillait en lui, et je me mis à rêver d'une fissure dans cette façade pragmatique, d'un bond, d'une pirouette, bref, d'une explosion de sa véritable énergie. Cependant, une fois habituée à cela et absorbée dans la contemplation de ses nombreuses petites collections, j'éprouvai le sentiment exaltant, chimérique, qui me saisit quelquefois en entrant dans la vie d'autrui, lorsque changer un instant mes habitudes banales et vivre comme *ça* me semble parfaitement possible, sentiment qui se dissout toujours le lendemain matin quand je me réveille au milieu des formes familières, immuables de ma propre existence. À un certain moment, je me levai de table pour aller aux toilettes et, dans le couloir, passai devant la porte ouverte de la chambre du danseur. Austère, elle ne contenait qu'un lit, une chaise en bois et un petit autel avec des bougies, installé dans un coin. Il y avait une grande fenêtre exposée au sud. De l'autre côté, Lower Manhattan flottait, suspendu dans l'obscurité. Les autres murs étaient nus à l'exception d'une peinture fixée à l'aide de punaises, une image pleine de vie dont les nombreux coups de pinceau éclatants et nerveux laissaient émerger, ici et là, comme d'un marécage, des visages de temps en temps coiffés d'un chapeau. Les visages situés dans la moitié supérieure étaient à l'envers, comme si l'artiste avait retourné la feuille ou avait tourné autour, sur les genoux, tout en peignant, afin de l'atteindre plus aisément. C'était une œuvre étrange, d'un style différent des autres objets collectionnés par le danseur, et je l'observai une minute ou deux avant de poursuivre mon chemin vers les toilettes.

Dans le salon, le feu était presque éteint, la nuit avançait. À la fin, au moment de nous habiller, je m'entendis avec étonnement demander à notre hôte qui avait fait cette peinture. Il répondit que c'était son meilleur ami qui l'avait réalisée, à l'âge de neuf ans. Lui et sa sœur aînée, dit-il, mais je crois que c'est elle qui en exécuta la plus grande partie. Puis ils me l'ont donnée. Le danseur m'aida à enfiler mon manteau. Cette peinture a une bien triste histoire, savez-vous, ajouta-t-il un instant plus tard, presque incidemment.

Un après-midi, la mère versa un somnifère dans le thé des enfants. Le garçon avait neuf ans et sa sœur onze. Elle emporta leurs corps endormis dans la voiture et partit dans la forêt. La nuit commençait à tomber. Elle arrosa la voiture d'essence et craqua une allumette. Ils moururent tous les trois carbonisés. Chose étrange, dit le danseur, j'étais jaloux de ce qui se passait chez mon ami. Cette année-là, ils avaient gardé le sapin de Noël jusqu'en avril. Il jaunissait et ses aiguilles tombaient, mais je harcelai ma mère pour savoir pourquoi nous ne gardions pas notre sapin aussi longtemps que chez Jörn.

Dans le silence qui suivit cette histoire racontée de la façon la plus directe qui soit, le danseur sourit. Peut-être était-ce parce que j'avais déjà mon manteau sur le dos et que l'appartement avait été chauffé par un feu de cheminée, toujours est-il que je me sentis soudain tout étourdie. Il y avait beaucoup d'autres questions que j'aurais aimé poser au sujet des enfants et de son amitié pour eux, mais je craignais de m'évanouir, aussi, après une plaisanterie d'un autre invité sur cette fin de soirée morbide, on remercia le danseur pour le repas et on prit congé. Dans l'ascenseur, je m'efforçai de me reprendre, mais S, apparemment inconscient de ce qui se passait, chantonnait tranquillement.

À cette époque, S et moi songions à avoir un enfant. Au début, nous imaginions tous les deux que cela se ferait. Seulement il y avait sans cesse des problèmes que nous pensions devoir d'abord régler dans notre vie, ensemble et séparément, puis le temps passa sans apporter aucune résolution, sans une conscience plus claire de ce que nous devions faire pour être quelque chose de plus que ce que nous avions déjà du mal à être. Et bien que, plus jeune, j'aie cru vouloir un enfant, je ne fus pas surprise, à trente-cinq ans, puis à quarante, de me retrouver sans. Cela peut ressembler à de l'ambivalence, Votre Honneur, et je suppose qu'en partie ça l'était, mais c'était également autre chose, un sentiment que j'ai toujours eu, malgré des preuves de plus en plus manifestes du contraire, qu'il me reste – qu'il me restera toujours – assez de temps. Les années se succédaient, mon visage changeait dans le miroir, mon corps n'était plus ce qu'il était autrefois, mais je n'arrivais toujours pas à croire que la possibilité d'avoir un enfant risquait de disparaître sans mon accord explicite.

Dans le taxi qui nous ramenait chez nous, ce soir-là, je continuai à penser à cette mère et à ses enfants. La voiture roulant sur le moelleux tapis d'aiguilles de pin, le moteur coupé dans une clairière, le visage blafard des jeunes peintres endormis sur le siège arrière, avec de la saleté sous les ongles. Comment a-t-elle pu ? dis-je tout fort à S. Ce n'était pas vraiment la question que je voulais poser, cependant j'étais incapable de faire mieux à ce moment-là. Elle a perdu la tête, répondit-il simplement, comme s'il n'y avait pas à chercher plus loin.

Peu de temps après, j'écrivis une nouvelle sur l'ami d'enfance du danseur, mort dans son sommeil, dans la voiture de sa mère, au cœur de la forêt allemande. Je ne changeai aucun détail, j'en ajoutai simplement d'autres. La maison qu'ils habitaient, l'odeur vivifiante de certaines nuits de printemps pénétrant par les fenêtres, les arbres du jardin qu'ils avaient plantés eux-mêmes, tout cela, je le visualisais facilement. Les enfants chantant des chansons que leur avait apprises leur mère, celle-ci leur lisant la Bible à haute voix, leur collection d'œufs d'oiseaux alignée sur le rebord de la fenêtre, le garçon grimpant dans le lit de sa sœur, les nuits d'orage. La nouvelle fut acceptée par un magazine de renom. Je n'appelai pas le danseur avant la publication, ni ne lui envoyai un exemplaire de l'œuvre. Il avait vécu cette histoire, je l'avais utilisée en l'embellissant comme bon me semblait. Vu sous un certain angle, c'est le genre de travail que je fais, Votre Honneur. Lorsque je reçus un exemplaire de la revue, je me demandai un instant si le danseur le verrait et comment il réagirait. Mais je ne m'appesantis guère sur cette idée, me délectant surtout de voir mon travail imprimé dans la prestigieuse fonte du magazine. Je restai quelque temps sans le rencontrer et sans me demander ce que je dirais si je tombais sur lui. En outre, après la publication de l'histoire, je cessai de penser à la mère et à ses enfants, morts carbonisés dans leur voiture, comme si, en l'écrivant, je les avais fait disparaître.

Je continuai à écrire. J'écrivis un autre roman sur le bureau de Daniel Varsky, puis un autre, basé en grande partie sur mon père, décédé l'année précédente. C'était un roman que je n'aurais pas pu écrire de son vivant. S'il avait eu la possibilité de le lire, je suis à peu près sûre qu'il se serait senti trahi. À la fin de sa vie, il avait perdu le contrôle de son corps et sa dignité l'avait abandonné, ce dont il resta douloureusement conscient jusqu'à la fin. Dans les pages du roman, je racontais ces humiliations dans le plus grand détail, même la fois où il déféqua dans son pantalon et où je dus le nettoyer, incident qu'il trouva si humiliant que, pendant plusieurs jours, il fut incapable de me regarder en face. Cela va sans dire, s'il avait réussi à mentionner cet épisode, il m'aurait suppliée de n'en parler à personne. Mais je ne m'arrêtais pas à ces scènes douloureuses et intimes dans lesquelles mon père, en admettant qu'il ait réussi à faire taire momentanément son sentiment de honte, aurait reconnu qu'elles portaient moins sur lui que sur la tragédie universelle de la vieillesse et du face-à-face avec sa propre mort, non, je ne m'arrêtais pas là, et faisais de sa maladie, de ses souffrances – avec tous leurs détails piquants – et finalement de sa mort, l'occasion de décrire sa vie et, plus spécifiquement, ses travers en tant qu'individu, en tant que père, des travers dont les détails abondants et précis ne pouvaient être attribués qu'à lui seul. Dans les pages de ce livre, je faisais défiler, à peine voilés (surtout par le biais de l'exagération), ses manquements et mes doutes, le grand drame de ma jeunesse à ses côtés. Je donnais des descriptions impitoyables de ses fautes telles que je les voyais, puis je lui pardonnais. Et pourtant, même si, en fin de compte, tout cela relevait d'une compassion chèrement acquise, même si le livre se terminait sur une note d'amour triomphant et de chagrin de l'avoir perdu, je fus parfois saisie, au cours des semaines et des mois précédant la publication, d'un sentiment de dégoût qui déposait en moi sa noirceur avant de poursuivre son chemin. Dans les interviews, je tenais à souligner que l'ouvrage était une pure fiction et me proclamai irritée par les journalistes et les lecteurs qui tenaient à ne voir dans un roman que la biographie de leur auteur, comme si l'imagination de l'écrivain n'existait pas, comme si la tâche de l'écrivain consistait simplement à rapporter docilement les faits et non à inventer passionnément. Je prêchais la liberté de l'écrivain – celle de créer, de modifier et de corriger, de réduire et d'agrandir, d'attribuer du sens, de concevoir, d'exécuter, de feindre, de choisir une vie, de faire des expériences etc., etc. – citant Henry James et son « énorme inflation » de liberté, une « révélation », comme il l'appelle, dont tous ceux qui ont effectué un véritable effort artistique ne peuvent s'empêcher d'être conscients. Oui, avec le roman basé sur mon père qui, s'il ne s'envolait pas, du moins émigrait des rayons des diverses librairies du pays, je célébrais la liberté sans égale de l'écrivain, la liberté de ne rendre des comptes à rien ni à personne, sauf à ses propres instincts et à sa propre vision. Sans le dire exactement, je suggérais sans aucun doute que l'écrivain accomplit une tâche supérieure, ce que l'on appelle, dans le domaine de l'art et de la religion, une vocation, et qu'il ne peut se soucier exagérément des sentiments de ceux dont il s'inspire.

Oui, je croyais – je le crois peut-être d'ailleurs encore – qu'un écrivain ne doit pas être entravé par les conséquences de son travail. Il n'a aucune obligation d'exactitude ni de vraisemblance matérielle, ce n'est pas un comptable et on ne lui demande pas de remplir le rôle ridicule et absurde de boussole morale. Dans son travail, l'écrivain est dégagé de toute loi. Mais dans la vie, Votre Honneur, il ne l'est pas.

Quelques mois après la parution du livre sur mon père, je passai en me promenant devant une librairie proche de Washington Square Park. Par habitude, je ralentis le pas à hauteur de la vitrine pour voir s'il y était exposé. À cet instant, je reconnus, à l'intérieur, le danseur à la caisse ; il m'aperçut, et nos regards se croisèrent. Immédiatement, j'envisageai de poursuivre rapidement mon chemin, sans me rappeler ce qui me mettait alors si mal à l'aise. J'en fus toutefois empêchée, car le danseur m'adressa un signe de la main et tout ce que je pouvais faire, c'était attendre qu'il récupère sa monnaie et sorte me dire bonjour.

Il portait un magnifique pardessus en lainage et un foulard de soie autour du cou. Au soleil, je constatai qu'il avait vieilli. Pas beaucoup, mais suffisamment pour ne plus être considéré comme jeune. Je lui demandai des nouvelles de sa santé et il me parla du décès d'un ami à lui qui, ainsi que tant d'autres, ces années-là, était mort du sida. Il évoqua sa récente rupture avec un compagnon de longue date, quelqu'un qu'il ne connaissait pas encore la dernière fois que je l'avais vu, puis la représentation prochaine d'un ballet dont il avait créé la chorégraphie. Bien que cinq ou six années se soient écoulées, S et moi étions encore mariés à l'époque et habitions toujours l'appartement de West Side. En surface, peu de choses avaient changé, aussi, quand ce fut à mon tour de lui donner des nouvelles, je dis simplement que tout allait bien et que je continuais à écrire. Le danseur inclina la tête. Peut-être même sourit-il avec sa franchise habituelle, une franchise qui me rend toujours, avec mon éternelle timidité, légèrement nerveuse et confuse si je la rencontre chez autrui, consciente que je ne pourrai jamais être aussi détendue, affable, diserte. Je le sais, dit-il. Je lis tout ce que vous écrivez. Vraiment ? fis-je, étonnée et soudain troublée. Mais il sourit de nouveau et il me sembla que le danger était passé, qu'il ne serait pas question de la nouvelle.

Nous remontâmes quelques immeubles en direction de Union Square, jusqu'à ce que nos chemins divergent. Au moment de nous quitter, le danseur se pencha et enleva une peluche sur le col de mon manteau. Un instant de tendresse, presque d'intimité. Je l'ai descendue du mur, vous savez, chuchota-t-il. Quoi ? demandai-je. Après avoir lu votre nouvelle, j'ai descendu la peinture du mur. Je me suis aperçu que je ne pouvais plus la regarder. Vous avez fait ça ? dis-je, prise au dépourvu. Pourquoi ? Au début, je me le suis demandé, fit-il. Elle m'avait suivi d'appartement en appartement, de ville en ville, pendant pratiquement vingt ans. Au bout d'un certain temps, cependant, j'ai compris ce que votre nouvelle avait élucidé pour moi. Quoi donc ? eus-je envie de lui demander sans oser le faire. Alors le danseur qui, bien que plus âgé, était toujours aussi langoureux et gracieux, tendit la main, me tapota la joue avec deux doigts, tourna les talons et s'éloigna.

Sur le chemin du retour, ce geste, d'abord, me dérouta, puis m'irrita. En surface, on aurait pu le prendre pour de la tendresse, mais plus j'y repensais, plus je lui trouvais quelque chose de condescendant, je dirais même de délibérément humiliant. Dans mon esprit, le sourire du danseur devenait de moins en moins franc et je me pris à imaginer qu'il avait chorégraphié le geste depuis des années, le repassant dans son esprit dans l'attente du jour où nous nous rencontrerions par hasard. Et puis, était-ce mérité ? N'avait-il pas raconté l'histoire sans ambages, non seulement à moi, mais à tous les autres invités de la soirée ? Si je l'avais découverte par des moyens détournés – en lisant ses journaux intimes ou ses lettres, choses que je n'aurais pas pu faire, le connaissant aussi peu – tout aurait été différent. Ou s'il m'avait raconté l'histoire en confidence, encore plein d'une douloureuse émotion. Or, ce n'était pas cela. Il l'avait offerte avec le même sourire et le même enjouement qu'il nous avait offert un verre de grappa, après dîner.

Tout en marchant, je passai devant une cour de récréation. L'après-midi était déjà avancé mais le petit espace clôturé résonnait de l'activité criarde des enfants. Des nombreux appartements que j'ai habités, l'un donnait sur une cour de récréation et j'ai toujours remarqué que dans la dernière demi-heure précédant le crépuscule, les voix des enfants paraissaient plus aiguës. Je n'ai jamais su si c'était parce que, dans la lumière déclinante, la ville enfin apaisée perdait un décibel ou parce que les enfants devenaient plus bruyants, sachant que leur temps en ce lieu touchait à sa fin. Certains mots ou éclats de rire se détachaient du reste et, en les entendant, je me levais parfois pour les observer, tout en bas de chez moi. Cette fois, je ne m'arrêtai pas. Tourmentée par mon accrochage avec le danseur, j'y prêtai à peine attention, quand soudain un cri retentit, douloureux et terrifié, un cri déchirant qui me transperça, comme un appel à moi seule destiné. Je me figeai sur place et me retournai d'un bond, persuadée que j'allais trouver un enfant affreusement mutilé, tombé d'une hauteur épouvantable. Il n'y avait rien, seulement les petits s'affairant à leurs rondes et à leurs jeux, et aucun signe de l'endroit d'où avait jailli le cri. Mon cœur battait la chamade, l'adrénaline bouillonnait dans mes veines, tout mon être était prêt à bondir pour sauver celui ou celle qui avait poussé cet affreux hurlement. Cependant, les enfants continuaient à jouer tranquillement. Je scrutai les immeubles, pensant que le cri provenait peut-être d'une fenêtre ouverte, mais on était en novembre et il faisait assez froid pour que l'on ait besoin de chaleur. Je demeurai là un certain temps, les mains accrochées au grillage.

Quand j'arrivai à la maison, S n'était pas encore rentré. Je mis le quatuor à cordes en *la* mineur opus 132 de Beethoven, un morceau que j'avais toujours adoré depuis qu'un de mes petits amis me l'avait fait découvrir dans sa chambre de la résidence universitaire. Je revois encore ses vertèbres proéminentes au moment où il se pencha sur le tourne-disque et abaissa lentement le saphir. Le troisième mouvement est l'un des plus émouvants passages jamais écrits et je l'ai toujours écouté avec l'impression que j'étais, moi seule, soulevée sur les épaules de quelque gigantesque créature parcourant le paysage calciné des émotions humaines. Comme pour la plupart des musiques qui m'affectent profondément, je n'accepterais jamais de l'écouter en présence d'autrui, de la même façon que je ne passerais pas à quelqu'un un livre que j'ai particulièrement aimé. Je suis gênée de l'admettre, sachant que cela révèle, dans ma nature, un manque ou un égoïsme fondamentaux, et je suis consciente que cela va à l'encontre de l'instinct de la plupart des gens : la passion pour quelque chose les pousse au partage, pour faire jaillir chez les autres une passion semblable et, sans ce type d'enthousiasme, je serais restée dans l'ignorance de beaucoup des livres et d'une grande partie de la musique que j'aime le plus, sans parler du troisième mouvement de l'opus 132 qui me transporta, un soir du printemps 1967. Mais plutôt qu'un accroissement, j'ai toujours éprouvé une diminution de mon propre plaisir quand il m'est arrivé d'inviter quelqu'un à le partager avec moi, une rupture de mon intimité avec l'œuvre, une invasion de ma vie privée. Le pire, c'est lorsque l'autre se saisit de l'exemplaire d'un livre qui m'a emballée et se met à en feuilleter distraitement les premières pages. Le simple fait de lire en présence d'autrui ne m'est pas venu naturellement et je crois que je ne m'y suis jamais vraiment habituée, même après plusieurs années de mariage. Mais à cette époque, S avait été engagé comme organisateur de spectacles au Lincoln Center et sa fonction l'occupait davantage, l'envoyant parfois à Berlin, Londres ou Tokyo pendant plusieurs jours d'affilée. Seule, je me laissais glisser dans une espèce d'immobilité, dans un lieu pareil au marécage que ces enfants avaient un jour dessiné, où des visages émergent des éléments et où tout est calme, comme l'instant précédant l'arrivée d'une idée, dans une immobilité et une paix que je n'ai ressenties que seule. Lorsque enfin S franchissait le seuil, cela me dérangeait. Mais avec le temps, il réussit à le comprendre et à l'accepter ; il prit le parti d'entrer dans les pièces où je n'étais pas – la cuisine, si j'étais dans le séjour, le séjour si j'étais dans la chambre – et de s'occuper pendant quelques minutes à vider ses poches ou à ranger ses pièces de monnaie étrangères dans des boîtes à pellicules photo noires, avant d'arriver peu à peu là où je me trouvais et, devant ce petit geste, ma rancœur se fondait immanquablement en gratitude.

À la fin du mouvement, j'éteignis la stéréo sans écouter le reste et partis préparer une soupe dans la cuisine. Pendant que je coupais les légumes, le couteau dérapa, m'entaillant profondément le pouce et en même temps que mon hurlement j'entendis, en écho de mon cri, celui d'un enfant. Il paraissait provenir de l'autre côté du mur, de l'appartement voisin. Je fus submergée par un sentiment de regret, si aigu que je l'éprouvai comme une sorte de douleur dans le ventre et dus m'asseoir. J'avoue que je me mis à pleurer, sanglotant jusqu'à ce que le sang de mon doigt commence à goutter sur mon chemisier. Je repris mes esprits et enveloppai la coupure dans une serviette en papier, puis j'allai frapper chez ma voisine, Mrs. Becker, une femme âgée qui vivait seule. Je l'entendis arriver à la porte de son pas lent et traînant et, après que je me fus annoncée, tirer patiemment de nombreux verrous. Elle me regarda à travers d'énormes lunettes noires, des lunettes qui la faisaient ressembler à un petit animal fouisseur. Oui, oui, ma chère, entrez, ravie de vous voir. L'odeur de vieille nourriture était envahissante, des années et des années d'odeurs de cuisine imprégnaient les tapis et les tissus d'ameublement, des milliers de marmites de soupe qui lui permettaient de survivre. J'ai cru entendre un cri qui venait d'ici, il y a un instant. Un cri ? demanda Mrs. Becker. Comme un cri d'enfant, dis-je en plongeant les yeux dans les sombres recoins de son appartement encombré de meubles à pieds de griffon qui ne partiraient, avec la plus grande difficulté, qu'au moment de sa mort. Je regarde quelquefois la télévision, mais, non, je ne crois pas qu'elle était allumée, j'étais assise là, avec un livre. Il venait peut-être du rez-de-chaussée. Je vais bien, chère petite, merci de votre sollicitude.

Je ne racontai à personne ce que j'avais entendu, même pas au Dr Lichtman, ma psy de longue date. Et pendant un certain temps, je n'entendis plus l'enfant. Seulement, les cris me hantaient. Il m'arrivait de les entendre intérieurement tout à coup, tandis que j'écrivais, ce qui interrompait le fil de mes pensées ou me perturbait. Je commençai à y détecter quelque chose de moqueur, une résonance sourde que je n'avais pas perçue au début. D'autres fois, j'entendais un cri juste en me réveillant, à l'instant où je passais à l'état de veille ou sortais du sommeil et, ces matins-là, je me levais avec l'impression d'une charge suspendue à mon cou. Un poids invisible semblait s'attacher aux objets les plus simples, une tasse à thé, un bouton de porte, un verre, à peine perceptible au début, en dehors de la sensation que chaque mouvement exigeait une plus grande dépense d'énergie, et le temps que je me fraie un passage jusqu'à mon bureau, une partie de mes réserves intérieures était déjà épuisée ou envolée. Les pauses entre les mots se faisaient plus longues quand, l'espace d'un instant, l'élan nécessaire pour passer de l'idée au langage faiblissait et que s'épanouissait une tache d'indifférence. Je crois que c'est ce que j'ai le plus souvent combattu dans ma vie d'écrivain, une espèce d'entropie de la vigilance, d'alanguissement de la volonté, si souvent, en réalité, que j'y prêtais à peine attention – une incitation à m'abandonner à un secret désir de mutisme. Mais à présent, je restais souvent suspendue dans l'une de ces failles qui s'allongeaient et s'élargissaient, au point de m'empêcher parfois d'apercevoir l'autre rive. Lorsque je l'atteignais enfin et qu'un mot finissait par arriver comme un canot de sauvetage, puis un autre et encore un autre, je les accueillais avec un léger scepticisme, une méfiance qui s'enracinait et ne se limitait pas à mon travail. Or, il est impossible de se méfier de son travail sans éveiller une méfiance encore plus profonde à l'égard de soi-même.

À peu près à cette époque, une plante d'intérieur que j'avais depuis de nombreuses années, un gros ficus qui avait poussé avec bonheur dans le coin le plus ensoleillé de notre appartement, tomba brusquement malade et commença à perdre ses feuilles. Je mis celles-ci dans un sac et me rendis dans une jardinerie pour demander comment le soigner, mais personne ne fut capable de me dire ce qu'il avait. Je devins obsédée du désir de le sauver et exposais sans cesse à S les diverses méthodes que j'utilisais pour tenter de le guérir. Malheureusement, rien ne vint à bout de la maladie et le ficus finit par mourir. Je dus le jeter sur le trottoir et pendant toute une journée, jusqu'au moment où la benne à ordures vint le ramasser, je le vis du haut de ma fenêtre, nu et ravagé. Même après que les éboueurs l'eurent emporté, je continuai à consulter des ouvrages sur les plantes d'appartement, à étudier des images d'aleurodes, de rouille et de chancre, jusqu'au soir où S, s'approchant de moi parderrière, ferma le livre, posa ses deux mains sur mes épaules et les y maintint fermement en me regardant droit dans les yeux, comme s'il avait badigeonné mes semelles de colle et qu'il devait me tenir en place par une pression continue afin qu'elle sèche.

Ce fut la fin du ficus, mais pas la fin de mon agitation. On pourrait plutôt dire que c'en fut le début. Un après-midi, j'étais seule à la maison. S était au travail et je revenais d'une exposition de tableaux de R.B. Kitaj. Je me fis à déjeuner et, au moment de m'asseoir, j'entendis le rire aigu d'un enfant. Le son, sa proximité et quelque chose d'autre, quelque chose de sombre et de troublant derrière ce petit trille, fit que mon sandwich me tomba des mains, et je me levai si brusquement que ma chaise bascula en arrière. Je me précipitai dans la salle de séjour, puis dans la chambre. Je ne sais ce que je m'attendais à y trouver, les deux étaient vides. Toutefois, la fenêtre à côté du lit était ouverte et, en me penchant, je vis un garçonnet de six ou sept ans au plus qui tournait au coin de l'immeuble en tirant un petit chariot vert derrière lui.

Je me souviens maintenant que c'est au cours de ce printemps-là que le canapé de Daniel Varsky commença à pourrir. Un après-midi, j'oubliai de fermer la fenêtre avant de sortir et un orage se leva, qui détrempa le canapé. Quelques jours plus tard, il se mit à dégager une horrible puanteur, une odeur de moisi mais autre chose aussi, un relent aigre de suppuration, comme si la pluie avait libéré une substance fétide cachée dans ses entrailles. Le concierge vint l'enlever en fronçant le nez à cause de l'odeur, le canapé sur lequel Daniel Varsky et moi nous étions un soir embrassés, il y avait bien longtemps de cela, et lui aussi resta tristement sur le trottoir dans l'attente des éboueurs.

Quelques nuits plus tard, je m'éveillai brusquement après un rêve sinistre qui se situait dans une vieille salle de bal. Pendant un court instant, me demandant où j'étais, je me tournai et vis S endormi à côté de moi. Sur le moment je fus rassurée mais, en y regardant de plus près, je m'aperçus qu'au lieu de peau humaine, il paraissait recouvert d'une espèce de gros cuir gris semblable à celui d'un rhinocéros. Je le vis si nettement qu'aujourd'hui encore je me rappelle l'exacte apparence de cette grosse peau écailleuse. Ni bien éveillée ni vraiment endormie, je fus prise de frayeur. J'avais envie de le toucher pour être certaine de ce que je voyais, tout en craignant de réveiller la bête allongée près de moi. Je fermai donc les yeux et finis par me rendormir. La peur de la peau de S devint alors un rêve dans lequel je découvrais le corps de mon père échoué sur le rivage, comme celui d'une baleine morte, mais au lieu d'une baleine, c'était un rhinocéros en décomposition, et afin de pouvoir le déplacer j'étais obligée de le frapper assez profondément pour que mon harpon s'y enfonce et me permette de traîner le corps derrière moi. Quelle que fût la force avec laquelle je plongeais le harpon dans le flanc du rhinocéros, je n'arrivais jamais à l'enfoncer assez loin. Pour finir, le cadavre en décomposition atterrit sur le trottoir devant l'appartement, là où le ficus malade et le canapé pourrissant avaient eux aussi échoué ; mais il s'était de nouveau transformé et lorsque je l'observai du haut de notre cinquième étage, je me rendis compte que ce que je prenais pour un rhinocéros était en fait le cadavre en décomposition de Daniel Varsky, le poète disparu. Le lendemain, rencontrant le concierge dans le hall d'entrée, il me sembla entendre, Dites, la mort, vous en faites bon usage. Je m'arrêtai et me retournai vivement. Qu'avez-vous dit ? demandai-je. Il me dévisagea calmement et je crus voir flotter sur ses lèvres l'ombre d'un sourire narquois. Le dix, les Taylor déménagent, dit-il. Ça va faire du bruit, ajouta-t-il en claquant la grille de l'ascenseur de service.

Je travaillais toujours aussi mal, j'écrivais de plus en plus lentement et continuais d'essayer de critiquer ce que j'avais écrit, incapable d'échapper au sentiment que tout ce que j'avais composé dans le passé était mauvais, erroné, une sorte d'énorme bévue. Je commençai à soupçonner qu'au lieu de dévoiler la profondeur cachée des choses, comme j'avais toujours eu l'impression de le faire, le contraire était peut-être vrai, je m'étais en réalité cachée derrière ce que j'écrivais, l'utilisant pour camoufler une secrète lacune, un manque que j'avais dissimulé aux autres toute ma vie et qu'en écrivant je me dissimulais à moi-même. Un manque qui grossissait avec les années et devenait plus dur à masquer, ce qui rendait ma tâche de plus en plus difficile. Quelle sorte de manque ? Je suppose qu'on pourrait appeler ça un manque de caractère. De force, de vitalité, de compassion et, du coup, soudé à lui, un manque d'effet. Tant que j'écrivais, j'avais l'illusion de tout cela. Ce n'est pas parce que je n'en constatais pas l'effet qu'il n'existait pas. Je tenais à répondre à la question que me posaient fréquemment les journalistes : Pensez-vous que les livres puissent changer la vie des gens ? (ce qui signifiait, en vérité, Pensez-vous réellement que ce que vous écrivez puisse avoir le moindre sens pour quiconque ?) par un petit test psychologique irréfutable dans lequel je demandais à l'intervieweur d'imaginer quelle sorte d'individu il serait si toute la littérature qu'il avait lue dans sa vie était, d'une certaine façon, retranchée de son esprit, de son esprit et de son âme, et tandis que le journaliste contemplait cet hiver nucléaire, je me taisais avec un sourire satisfait, dispensée, une fois de plus, de considérer la vérité en face.

Oui, un manque d'effet, causé par un manque de caractère. Je ne peux pas mieux le décrire, Votre Honneur. Et si j'avais réussi à le cacher pendant des années, réfutant l'apparence d'une certaine anémie dans ma vie en invoquant un autre niveau d'existence plus profond dans mon travail, brusquement je m'aperçus que cela ne m'était plus possible.

Je n'en discutai pas avec S. Je n'en parlai même pas au Dr Lichtman, que je voyais régulièrement durant mon mariage. J'en avais l'intention, mais dès que j'arrivais dans son cabinet, le silence m'étouffait et le manque, caché sous des centaines de milliers de mots et un million de petits gestes, restait bien à l'abri jusqu'à la semaine suivante. Parce que reconnaître le problème, l'exposer à haute voix aurait ébranlé le rocher sur lequel reposait tout le reste, déclenchant un signal d'alarme, puis des mois interminables, voire des années, de ce que le Dr Lichtman appelait « notre travail » et qui n'était en réalité qu'un insoutenable affouillement de mon moi à l'aide d'une panoplie d'instruments émoussés, pendant qu'assise dans un fauteuil de cuir avachi, les pieds sur l'ottomane, elle notait de temps à autre quelque chose dans le calepin perché en équilibre sur ses genoux, dans l'attente des instants où j'émergeais péniblement du trou, le visage noirci, les mains égratignées, agrippant une minuscule pépite de connaissance de moi-même.

Alors je choisis de continuer comme avant, enfin, pas comme avant, parce que j'éprouvais désormais envers moi-même une honte et un dégoût latents. En présence des autres – surtout de S dont j'étais évidemment la plus proche – ce sentiment était encore plus aigu, alors que, seule, j'arrivais à l'oublier un peu, ou tout au moins à faire comme s'il n'existait pas. La nuit, je me repliais à l'extrême bord du lit et parfois, quand S et moi nous croisions dans le couloir, je n'arrivais pas à rencontrer son regard ; quand il m'appelait d'une autre pièce, je devais déployer une certaine énergie, exercer une forte pression sur moi-même, me faire violence pour lui répondre. S'il m'attaquait de front, je haussais les épaules, lui disant que c'était à cause de mon travail, et lorsqu'il ne me poussait pas dans mes retranchements, laissant tomber le sujet comme il en avait l'habitude, comme je lui avais appris à le faire, et me tenant toujours plus à distance, j'étais secrètement furieuse contre lui, frustrée qu'il n'accorde pas plus d'attention à cette horrible situation, à l'état épouvantable dans lequel je me trouvais, furieuse et peut-être même dégoûtée. Oui, dégoûtée, Votre Honneur – je ne réservais pas cela à moi seule – qu'il n'ait pas remarqué que, pendant toutes ces années, il avait vécu avec quelqu'un qui consacrait sa vie à la duplicité. Tout en lui commença à m'irriter. Sa façon de siffloter dans la salle de bains, de remuer les lèvres en lisant le journal, de gâcher tout instant agréable en en soulignant l'agrément. Quand je n'étais pas agacée par lui, j'étais furieuse contre moi, furieuse et honteuse de rendre si malheureux cet homme doué pour le bonheur, ou tout au moins pour la gaieté, qui avait l'art de mettre les inconnus à l'aise et de les attirer de son côté, si bien que les gens avaient à cœur de lui rendre service. Son talon d'Achille était le manque de jugement, la preuve en étant qu'il s'était délibérément enchaîné à moi, un individu qui avançait toujours en terrain miné, qui produisait sur les autres l'effet inverse, qui leur hérissait immédiatement le poil, comme s'ils sentaient qu'ils risquaient de recevoir des coups de pied dans les tibias.

Et puis, un soir, il rentra très tard. Dehors, il pleuvait. Il était trempé, ses cheveux étaient collés sur son crâne. Il entra dans la cuisine, encore vêtu de son pardessus dégoulinant et de ses chaussures couvertes de la boue du parc. Je lisais le journal, comme je le fais tous les soirs, et il vint se placer au-dessus de moi, aspergeant les pages de gouttelettes d'eau. Il avait une expression terrible sur le visage et je crus d'abord qu'il lui était arrivé une chose affreuse, qu'il avait failli perdre la vie ou avait vu quelqu'un de mort sur les rails du métro. Il me dit, Tu te souviens de la plante ? Je n'avais aucune idée d'où il voulait en venir, trempé comme ça, les yeux brillants. Le ficus ? dis-je. Oui, dit-il, le ficus. Tu t'es davantage intéressée à la santé de cette plante que tu ne t'intéresses à moi depuis des années. Je restai interdite. Il renifla et s'essuya le visage d'une main. Je ne me rappelle pas la dernière fois que tu m'as demandé mon opinion sur quelque chose, sur quoi que ce soit d'éventuellement important. D'instinct, je tendis le bras vers lui, mais il s'écarta. Tu es perdue dans ton monde, Nadia, dans ce qui arrive là-bas, et tu as fermé toutes les portes à clef. Quelquefois, je te regarde dormir. Je me réveille, je te regarde, et je me sens plus proche de toi quand tu es comme ça, sans défense, que lorsque tu es éveillée. Quand tu es éveillée, on dirait que tu as les yeux fermés et que tu vois un film derrière tes paupières. Je ne peux plus t'atteindre. Avant j'y arrivais, mais c'est fini, depuis longtemps. Et je pense que tu te fiches bien de m'atteindre. Je me sens plus seul avec toi qu'avec quiconque, plus seul que quand je marche dans la rue. Tu peux imaginer ce que ça fait ?

Il continua ainsi un moment. Je l'écoutais en silence, parce que je savais qu'il avait raison, et comme deux personnes qui se sont aimées, fût-ce de façon imparfaite, qui ont tenté de faire leur vie ensemble, fût-ce de façon imparfaite, qui ont vécu côte à côte et regardé les rides se former lentement au coin des yeux de l'autre, regardé une petite goutte de gris, comme versée d'une cruche, tomber sur la peau de l'autre et s'étaler uniformément, tout en écoutant les quintes de toux, les éternuements et tous les petits marmonnements quotidiens, comme deux personnes, qui, parties d'une idée commune, avaient permis peu à peu à cette idée d'être remplacée par deux idées séparées, moins prometteuses, moins ambitieuses, nous parlâmes très tard dans la nuit, puis le jour suivant et le soir suivant. Pendant quarante jours et quarante nuits, ai-je envie de dire, mais en réalité, il ne nous en fallut que trois. L'un de nous avait aimé l'autre plus parfaitement, avait observé l'autre plus attentivement, l'un de nous avait écouté et l'autre pas, et l'un de nous s'était accroché plus longtemps que de raison au désir de l'idée unique, alors que l'autre, passant un soir devant une poubelle, l'y avait jetée sans cérémonie.

Et tandis que nous parlions, une image de moi émergea et s'amplifia, réagissant à la blessure de S comme un Polaroid réagit à la chaleur, une image de moi à suspendre au mur, à côté de celle avec laquelle je vivais déjà depuis des mois, celle de quelqu'un qui utilisait la douleur des autres à ses propres fins, qui, pendant que les autres souffraient, mouraient de faim, subissaient la torture, se mettait prudemment à l'abri, s'enorgueillissant de sa perspicacité et de sa sensibilité à la symétrie enfouie sous la surface des choses, quelqu'un qui n'avait pas besoin de beaucoup d'encouragements pour se convaincre que son projet présomptueux servait le bien commun, alors qu'il était en réalité sans rapport avec quoi que ce soit, totalement hors de propos et, pire encore, une tricherie cachant une pauvreté de caractère sous une montagne de mots. Oui, à côté de cette jolie image, j'en suspendais à présent une autre, celle d'une femme si égoïste, si narcissique qu'elle avait été trop indifférente aux sentiments de son mari pour lui accorder ne fût-ce qu'une fraction de l'attention et du soin qu'elle prenait à imaginer la vie affective des êtres qu'elle créait sur le papier, à meubler leur vie intime, prenant la peine de régler la lumière qui éclairait leurs visages ou de relever un cheveu qui leur tombait dans les yeux. Accaparée par tout cela, ne souhaitant pas être dérangée, je n'avais jamais pris le temps de penser à ce que S pouvait éprouver, par exemple, quand, franchissant le seuil de notre appartement, il trouvait son épouse silencieuse, le dos tourné et la tête rentrée dans les épaules pour mieux défendre son petit royaume, ce qu'il éprouvait quand il retirait ses chaussures, parcourait le courrier, rangeait ses pièces de monnaie étrangères dans leurs petites boîtes en se demandant quel serait mon degré de froideur lorsqu'il tenterait enfin de m'approcher, de l'autre côté du pont branlant. Je m'étais à peine arrêtée pour le considérer vraiment.

Après avoir parlé pendant trois nuits comme nous ne l'avions plus fait depuis longtemps, nous arrivâmes à l'inévitable conclusion. Petit à petit, telle une grosse montgolfière qui dérive avant d'atterrir brutalement dans l'herbe, notre mariage de dix ans avait expiré. Toutefois, cela nous prit du temps de nous séparer. Il fallut vendre l'appartement, partager les livres, inutile d'en dire plus, Votre Honneur, ce serait trop long et je sens que je n'ai pas beaucoup de temps à passer avec vous. Je n'insisterai donc pas sur la souffrance de deux êtres occupés à ouvrir de force leur vie en deux, centimètre par centimètre, sur la soudaine vulnérabilité de la situation, la tristesse, les regrets, la colère, la culpabilité et le dégoût de soi, la peur et la solitude étouffante, mais en même temps le soulagement, incomparable. Je me contenterai de dire que lorsque tout fut terminé, je me retrouvai seule dans un nouvel appartement, au milieu de mes possessions et de ce qui restait des meubles de Daniel Varsky qui m'avaient suivie comme une meute de chiens galeux.

Je suppose, Votre Honneur, que vous imaginez facilement le reste. Dans votre métier, vous devez la voir tout le temps, cette façon dont les gens répètent inlassablement une histoire, la leur, chargée des vieilles erreurs. On penserait que quelqu'un comme moi, doté de suffisamment de perspicacité psychologique pour soi-disant dévoiler le délicat petit squelette qui sous-tend la conduite des autres, serait capable de tirer profit des pénibles leçons de l'introspection et de se corriger un peu, de se sortir du jeu circulaire et affolant dans lequel nous ne cessons de nous mordre la queue. Eh bien non, Votre Honneur. Les mois passant, je ne tardai pas à retourner ces images de moi contre le mur et à m'absorber dans la rédaction d'un nouveau livre.

Quand je revins de Norfolk, la nuit était tombée. Je garai ma voiture, puis parcourus Broadway de haut en bas en m'inventant diverses courses à faire pour retarder au maximum le moment où je me retrouverais face à l'absence du bureau. Lorsque j'arrivai enfin chez moi, il y avait un mot sur la table de l'entrée. Merci, disait-il, d'une écriture étonnamment petite. J'espère que nous nous reverrons un jour. Et sous sa signature, Leah avait inscrit son adresse, rue Ha'Oren, à Jérusalem.

Je n'étais là que depuis un quart d'heure, vingt minutes – assez pour jeter un coup d'œil au vide béant laissé par le bureau, me préparer un sandwich et, pleine de détermination, aller chercher la boîte contenant les sections préparatoires de mon nouveau livre – quand je subis la première crise. Elle me submergea brusquement, presque sans prévenir. Je me mis à manquer d'air. Tout semblait se refermer autour de moi, comme si j'étais tombée dans un trou du sol, étroit et profond. Les battements de mon cœur devinrent si rapides que je me demandai si je n'allais pas faire un arrêt cardiaque. Mon anxiété était épouvantable, j'avais l'impression d'avoir été abandonnée sur un rivage sombre, tandis que tous les gens et toutes les choses que j'avais connus dans ma vie étaient partis sur un grand navire illuminé. M'étreignant le cœur à deux mains et parlant à voix haute pour tenter de me calmer, j'arpentai l'ancienne salle de séjour devenue aussi, à présent, un ancien cabinet de travail, et ce ne fut que lorsque j'allumai la télévision et vis le visage du présentateur que cette impression commença à décroître, même si mes mains continuèrent à trembler pendant dix bonnes minutes.

La semaine suivante, je subis quotidiennement des attaques similaires, quelquefois deux par jour. Aux symptômes originels s'ajoutaient à présent de terribles douleurs abdominales, de violentes nausées et de multiples terreurs cachées dans les plus petites choses, bien plus que j'aurais jamais pu l'imaginer. Si, au début, les crises étaient déclenchées par un simple coup d'œil à mon travail ou le souvenir de celui-ci, elles se propagèrent bientôt dans toutes les directions, menaçant de tout contaminer. La seule idée de sortir de l'appartement et d'essayer d'effectuer quelque tâche minuscule et sans intérêt qui, du temps de ma belle santé, ne m'aurait posé aucun problème, m'emplissait maintenant d'effroi. Je restais toute tremblante derrière la porte en tentant, par la force de la pensée, de m'imaginer de l'autre côté. Vingt minutes plus tard, je me retrouvais plantée là et ce qui avait changé, c'était que j'étais trempée de sueur.

Tout cela était dénué de sens. Pendant la moitié de mon existence, j'avais écrit et publié au rythme d'un livre environ tous les quatre ans. Les difficultés émotionnelles du métier étaient légion et j'avais trébuché et chuté de nombreuses fois. Les crises qui avaient commencé avec le danseur et le cri d'enfant furent les pires, mais il y en avait eu d'autres par le passé. Parfois une dépression, résultat de la guerre que l'écriture mène contre sa propre confiance en soi et sa propre détermination, me bloquait presque complètement. Cela s'était souvent produit entre deux livres quand, habituée à voir mon travail me renvoyer mon image, je devais tout à coup me contenter de plonger le regard dans un néant opaque. Pourtant, quel que fût son degré de détérioration, ma capacité à écrire, aussi hésitante et médiocre fût-elle, ne m'avait jamais abandonnée. J'avais toujours ressenti en moi la fougue du combattant et réussi à battre le rappel de l'opposition, à transformer le néant en quelque chose contre quoi m'arc-bouter, encore et encore, jusqu'au moment où j'atteignais l'autre rive, pleine d'énergie. Mais ceci – ceci était quelque chose de totalement différent. Qui avait court-circuité toutes mes défenses, contourné discrètement le siège de la raison, tel un supervirus devenu résistant à tout et qui, une fois enraciné au plus profond de moi, avait redressé sa tête effrayante.

Cinq jours après le début des attaques, j'appelai le Dr Lichtman. Quand mon mariage s'était dissous, j'avais cessé d'aller la voir, ayant peu à peu abandonné l'idée d'entreprendre de vastes travaux de rénovation sur les fondations de ma personnalité, destinés à mieux m'adapter à la vie sociale. J'avais accepté les conséquences de mes tendances naturelles et rendu, avec un certain soulagement, leur liberté à mes habitudes. Depuis lors, je ne l'avais revue que rarement, lorsque je n'arrivais pas à sortir d'un état d'abattement persistant. Le plus souvent, comme elle habitait mon quartier, je la rencontrais dans la rue et, telles deux personnes autrefois proches et qui ne le sont plus, nous nous saluions d'un signe de la main, marquions une pause comme si nous allions nous arrêter, puis poursuivions notre route.

C'est au prix d'un effort gigantesque que je me déplaçai de mon appartement à son cabinet, cinq rues plus loin. À intervalles réguliers, je devais m'accrocher à un poteau ou une grille pour leur emprunter un sentiment de permanence. Le temps que j'arrive et que je m'assoie dans la salle d'attente du Dr Lichtman remplie d'ouvrages évocateurs à l'odeur de moisi, ma chemise était trempée de sueur aux aisselles, et lorsque la porte s'ouvrit et qu'elle apparut, la lumière ruisselant dans ses fins cheveux dorés qu'elle portait depuis vingt ans en coque sur le sommet de la tête dans un style que je n'ai jamais vu sur aucune autre femme, comme si elle avait eu soudain besoin de cacher quelque chose et l'avait mis là, je me jetai quasiment sur elle. Lovée dans le canapé familier en lainage gris, entourée de nouveau par les objets que j'avais si souvent fixés du regard dans le passé qu'ils m'apparaissaient à présent comme des repères sur la carte de ma psyché, je lui décrivis les deux semaines précédentes. Au cours de l'heure et demie (elle avait réussi à me réserver une double séance), une sensation de calme commença lentement, timidement, à revenir pour la première fois depuis plusieurs jours. Tout en disant combien j'étais paralysée par la panique, en évoquant mon impression d'être prisonnière d'un monstre apparemment surgi de nulle part qui me rendait étrangère à moi-même, dispensée, à un autre niveau de conscience, de réfléchir à ce qu'écoutait le Dr Lichtman, je me saisis peu à peu d'une idée complètement absurde, Votre Honneur, en dehors du fait qu'elle m'offrait un moyen d'évasion. La vie que j'avais choisie, largement éloignée de mes semblables, en tout cas vidée des liens qui maintiennent la plupart des gens empêtrés les uns dans les autres, cette vie n'avait de sens que lorsque j'effectuais réellement le type de travail pour lequel je m'étais séquestrée. Il serait faux de dire que ces conditions de vie particulières m'avaient été pénibles. Quelque chose en moi, naturellement, avait tendance à fuir la bagarre, préférant la signifiance voulue de la fiction à l'insaisissable réalité, préférant une liberté informe à la rude tâche d'accorder mes pensées à la logique et aux méandres de celles d'un autre. Quand j'avais essayé sérieusement, d'abord dans diverses relations, puis dans mon mariage avec S, j'avais échoué. En y repensant, la seule raison, peut-être, pour laquelle j'avais été heureuse un moment avec R, c'est qu'il était aussi absent que moi, sinon plus. Nous étions deux individus enfermés dans nos combinaisons spatiales qui, par un pur hasard, gravitions autour des vieux meubles de sa mère. Mais il avait dérivé peu à peu, par une fente de notre appartement, vers une partie du cosmos inaccessible. Après cela, il y eut une série de liaisons vouées à l'échec, puis mon mariage, et une fois séparée de

S, je me promis que ce serait là ma dernière tentative. Dans les cinq ou six années qui suivirent, je n'eus que de brèves histoires et lorsque mes partenaires tentaient d'en faire autre chose, je refusais, mettais sans tarder un point final et revenais seule à ma vie.

Et alors, Votre Honneur ? Et ma vie ? Voyez-vous, je pensais… On doit sacrifier quelque chose. J'avais choisi la liberté des longs après-midi imprévus dans lesquels rien ne se passe, hormis une infime saute d'humeur, captée dans un point-virgule. Oui, le travail, c'était ça pour moi, la pratique de l'irresponsabilité, en toute indépendance. Et si je négligeais ou ignorais volontairement le reste, c'est parce que je croyais que le reste conspirait à grignoter cette liberté, à interférer et à lui imposer un compromis. Aussitôt les premiers mots sortis de ma bouche, le matin, à l'adresse de S, commençaient les contraintes, la fausse politesse. Des habitudes se forment. De mansuétude surtout, de réceptivité, de patientes manifestations d'intérêt. Il faut également se montrer divertissante et amusante. C'est une tâche épuisante, dans le sens où il est épuisant de tenter de maintenir trois ou quatre mensonges sur le feu en même temps. Et cela se répète, le lendemain et le surlendemain. On entend un bruit et c'est la vérité qui se retourne dans sa tombe. L'imagination, elle, met plus de temps à mourir, par suffocation. On essaie d'élever des murs, d'interdire l'accès au petit bout de terrain où l'on s'échine, de l'isoler comme quelque chose de particulier, doté d'un climat différent et de règles différentes. Les habitudes s'infiltrent malgré tout, telle une nappe phréatique corrompue, et tout ce que l'on essayait d'y faire pousser étouffe et se fane. Ce que j'essaie de dire c'est qu'il faut choisir, me semble-t-il. Aussi ai-je fait un sacrifice et lâché prise.

L'idée que je commençai à caresser au cours de cette première séance prit si bien qu'après avoir vu une dizaine de fois le Dr Lichtman et avoir réussi, à l'aide de Xanax, à réduire la panique, d'un cauchemar à une menace, je lui annonçai que j'avais décidé, en l'espace d'une semaine, de partir en voyage. Elle fut surprise, évidemment, et me demanda où j'avais l'intention de me rendre. Plusieurs réponses possibles me traversèrent l'esprit. En des lieux d'où j'avais reçu des invitations, peut-être renouvelables. Rome, Berlin, Istanbul. Je finis par dire ce que je savais depuis le début que j'allais dire. Jérusalem. Elle leva les sourcils. Je n'y vais pas pour essayer de récupérer le bureau, si c'est à cela que vous pensez, lui dis-je. Alors pourquoi ? me demanda-t-elle, la lumière du dehors réduisant sa chevelure, la vague qui s'élevait au-dessus de son crâne, à quelque chose de presque transparent – presque, mais pas tout à fait, si bien qu'il me paraissait, hypothèse fort improbable, que le secret du bien-être s'y cachait sans doute encore. Cependant la séance était terminée, ce qui m'évita d'avoir à lui répondre. À la porte, nous nous serrâmes la main, geste qui m'avait toujours paru aussi curieusement déplacé que si, tous mes organes étalés sur la table d'opération et le temps imparti dans le bloc pour ainsi dire écoulé, le chirurgien enveloppait chacun d'eux dans du plastique avant de les réintroduire à l'intérieur de mon corps et de me recoudre à la hâte. Le vendredi suivant, ayant donné à Vlad la consigne de veiller sur mon appartement pendant mon absence, avalé un comprimé de Xanax afin de supporter les contrôles de sécurité et un autre pendant la course folle de l'avion avant le décollage, je me retrouvai sur un vol de nuit à destination de l'aéroport Ben Gourion.

La vraie bonté

Je ne suis pas d'accord avec ton projet, ai-je dit. Pourquoi ? as-tu demandé, les yeux plissés par la colère. Qu'écriras-tu ? ai-je demandé. Tu m'as raconté alors une histoire compliquée. Il y a quatre, six ou huit personnes allongées dans des pièces reliées par un système d'électrodes et de fils électriques à un grand requin blanc. Toute la nuit, le requin flotte dans un aquarium illuminé, rêvant les rêves de ces gens. Non, pas les rêves, les cauchemars, les choses trop difficiles à supporter. Donc ils dorment et, par les fils, ces choses terrifiantes les quittent et se répandent à l'intérieur de l'imposant poisson à la peau balafrée capable de supporter toute cette accumulation de malheur. Quand tu as eu terminé, j'ai laissé passer un certain temps avant de parler. Qui sont ces gens ? ai-je demandé. Des gens, as-tu répondu. J'ai mangé une poignée de cacahuètes tout en observant ton visage. Je ne sais pas par où commencer avec les problèmes de cette petite histoire, ai-je dit. Les problèmes ? as-tu fait, d'une voix qui montait, puis s'étranglait. Dans l'abîme de tes yeux, ta mère voyait les souffrances d'un enfant élevé par un despote mais, finalement, le fait que tu ne sois pas devenu écrivain n'avait rien à voir avec moi.

Alors ? Par où commencer ? Après tout ce qui s'est passé, après les millions de mots, les interminables conversations, les incessantes rengaines sur le sujet, les coups de téléphone, les explications, le harcèlement, les déclarations énergiques, les malentendus et les éclaircissements, puis le silence de toutes ces années… Par où commencer ?

L'aube est presque là. Assis à la table de la cuisine, j'aperçois la grille du jardin et, d'une minute à l'autre, tu vas revenir de tes vagabondages nocturnes. Je te verrai apparaître, vêtu de ton vieux coupe-vent bleu, celui que tu as exhumé de ton placard, tu te pencheras pour soulever le loquet rouillé et entrer. Tu ouvriras la porte, tu enlèveras tes baskets trempées, avec des traînées de boue sur le pourtour et des brins d'herbe sous les semelles, et tu arriveras dans la cuisine où tu me trouveras en train de t'attendre.

Lorsque Uri et toi étiez enfants, votre mère vivait dans la peur de mourir et de vous laisser seuls. Seuls avec moi, lui avais-je fait remarquer. Elle regardait trois, quatre fois avant de traverser une rue. Chaque fois qu'elle rentrait à la maison saine et sauve, elle avait remporté une menue victoire sur la mort. Elle vous prenait, ton frère et toi, dans ses bras et c'était toujours toi qui t'accrochais le plus longtemps à elle, ton petit nez humide enfoui dans son cou, comme si tu devinais les risques encourus. Une fois, elle m'a réveillé en pleine nuit. C'était peu de temps après la guerre du Sinaï dans laquelle j'avais combattu, comme j'avais combattu en 1948, comme combattaient tous les hommes capables de tenir un fusil ou de lancer une grenade. Je veux que nous partions, a-t-elle dit. Qu'est-ce que tu racontes ? ai-je demandé. Je refuse de les envoyer à la guerre, a-t-elle répondu. Eve, il est tard. Non, a-t-elle dit en s'asseyant dans le lit, je ne veux pas que ça arrive. Pourquoi te tourmenter, ce sont encore des bébés. Le temps qu'ils grandissent, il n'y aura plus de combats. Allez, dors. Trois semaines plus tôt, alors qu'un gars de mon bataillon marchait devant notre tente, il avait été atteint par un obus et pulvérisé. Réduit en miettes. Le lendemain, un chien que chacun nourrissait avec des restes avait rapporté sa main et s'était mis à la grignoter au soleil de midi. C'est moi qui avais dû arracher la main coupée à l'animal affamé. Je l'avais enveloppée dans un chiffon et l'avais gardée sous mon lit en attendant que quelqu'un l'expédie à sa famille. Plus tard, j'ai appris que l'on ne renvoyait pas d'aussi petits fragments. Je ne me suis pas demandé ce qu'il en adviendrait. J'ai remis la main aux autorités qui en ont fait ce qu'elles ont jugé bon. Est-ce que j'ai eu des cauchemars après ça ? Est-ce que j'ai hurlé au milieu de la nuit ? Peu importe. À quoi bon s'attarder sur ce genre de chose ? N'y pense pas, ai-je dit à votre mère et je me suis tourné sur le côté pour dormir. J'y ai déjà pensé. Nous déménagerons à Londres. Et de quoi vivrons-nous ? ai-je demandé, me retournant d'un bond et lui saisissant les poignets. Elle est restée silencieuse un instant, prenant une inspiration. Tu trouveras bien un moyen, a-t-elle dit calmement.

Nous n'avons pas déménagé, je n'ai pas trouvé de moyen. Étant arrivé en Israël à l'âge de cinq ans, presque tous les événements de ma vie se sont déroulés ici. Je n'avais donc pas envie de partir. Je voulais que mes fils grandissent au soleil d'Israël en mangeant des fruits d'Israël, en jouant sous des arbres d'Israël, avec la terre de leurs ancêtres sous les ongles et en se battant, si nécessaire. Votre mère savait cela dès le début. En plein jour, à la lumière de mon obstination, elle est sortie dans la rue, un foulard sur la tête, s'en est allée braver la mort puis est rentrée victorieuse.

Lorsqu'elle est morte, j'ai appelé Uri en premier. Interprète-le comme tu voudras. Toutes ces années-là, c'est Uri qui venait lorsque la porte du garage était coincée, Uri, quand le stupide lecteur de DVD était en panne, Uri, quand ce connard de GPS, parfaitement inutile dans un pays grand comme un timbre-poste, se mettait à gueuler sans arrêt : Au prochain feu, tournez à gauche ! À gauche, à gauche, à gauche ! Va te faire voir, enfoiré, je vais à droite. Oui, Uri, qui arrivait et appuyait sur le bouton adéquat pour le faire taire, me permettant de poursuivre ma route en paix. Lorsque ta mère est tombée malade, c'est Uri qui la conduisait à la chimio, deux fois par semaine. Et toi, mon fils ? Où étais-tu pendant ce temps-là ? Alors, dis-moi, pourquoi diable t'aurais-je appelé en premier ?

Va à la maison, lui ai-je dit, et prends le tailleur rouge de ta mère. Papa, a-t-il dit, d'une voix qui se défaisait comme un ruban tombé d'un toit. Le rouge, Uri, avec les boutons noirs. Pas les boutons blancs, c'est important. Il faut que ce soient les noirs. Pourquoi ? Parce que les précisions sont d'un grand réconfort. Un silence, puis : Mais Papa, on ne l'enterrera pas habillée. Uri et moi sommes restés près de son corps toute la nuit. Tandis que tu attendais un avion à Heathrow, nous veillions le cadavre de la femme qui t'a mis au monde, qui avait peur de mourir et de te laisser seul avec moi.

Explique-moi encore une fois, ai-je dit. Parce que je voudrais comprendre. Tu écris et tu effaces. Et tu appelles ça un métier ? Et toi, dans ta sagesse infinie, Non, un style de vie. Je t'ai éclaté de rire au nez. Au nez, mon petit ! Un style de vie ! Puis le rire est tombé de mes lèvres. Pour qui te prends-tu ? ai-je demandé. Le héros de ta propre existence ? Tu t'es contracté. Tu as rentré la tête dans les épaules comme une petite tortue. Raconte-moi, ai-je dit, j'aimerais vraiment savoir. C'est quoi, être toi ?

Deux nuits avant la mort de ta mère, je me suis assis pour lui écrire une lettre. Moi, qui déteste écrire, qui préfère décrocher le téléphone pour dire ce que j'ai à dire. Une lettre n'a pas d'épaisseur, et je suis un homme qui se fie à l'épaisseur pour se faire comprendre. D'accord, aucune ligne téléphonique ne pouvait atteindre ta mère ou, si la ligne existait encore, il n'y avait pas d'appareil à l'autre bout. Ou juste une sonnerie sans fin, et personne pour répondre. Mais assez de putains de métaphores, mon garçon. Je me suis donc assis à la cafétéria de l'hôpital pour lui écrire, parce que j'avais encore des choses à lui dire. Je ne suis pas homme à nourrir des idées romantiques sur le prolongement de l'esprit, quand le corps abdique, c'est terminé, fini, rideau, kaput. J'ai décidé malgré tout d'enterrer la lettre avec elle. J'ai emprunté un stylo à l'infirmière obèse et je me suis assis sous les affiches du Machu Picchu, de la Grande Muraille de Chine et des ruines d'Éphèse, comme si j'étais là pour envoyer ta mère quelque part très loin, au lieu de nulle part. Un brancard est passé en ferraillant, transportant un presque mort, chauve et décharné, un petit sac d'os qui a ouvert un œil dans lequel se concentrait toute la sensibilité du monde, et m'a fixé du regard tandis qu'on l'emmenait. Je suis retourné à la page que j'avais devant moi. *Ma chère Eve.* Après cela, rien. Il m'est devenu soudain impossible d'écrire un mot de plus. Je ne sais pas ce qui était le pire, la supplication de ce pathétique petit œil ou le reproche de la page blanche. Quand je pense que tu voulais autre-fois construire ta vie sur des mots ! Dieu merci, je t'ai sorti de là. Si tu es un gros macher[1], maintenant, c'est grâce à moi.

Ma chère Eve, puis plus rien. Les mots se desséchaient comme des feuilles et s'envolaient. Pendant toutes ces heures passées à son chevet tandis qu'elle gisait inconsciente, c'était si clair dans ma tête, ce que j'avais encore besoin de lui dire. J'avais discouru, palabré sans fin, tout ça dans ma tête. Mais à présent, chacun des mots que je remontais du tréfonds me semblait sans vie, faux. Juste au moment où j'étais prêt à abandonner et à mettre la feuille de papier en boule, je me suis rappelé ce que m'avait dit un jour Segal. Tu te souviens d'Avner Segal, mon vieil ami, traduit dans une foule de langues obscures et jamais en anglais, si bien qu'il est toujours resté pauvre ? Il y a quelques années, nous avons déjeuné tous les deux à Rehavia. J'avais été surpris de voir combien il avait vieilli depuis notre dernière rencontre, peu d'années auparavant. Il pensait sans doute la même chose de moi. Nous avions jadis travaillé côte à côte

1. Mot yiddish désignant un « gros bonnet ». *(Toutes les notes sont de la traductrice.)*

63

parmi les poulets, pleins d'idéaux de solidarité. Les anciens du kibboutz avaient décidé que le meilleur moyen d'utiliser notre jeune talent était de nous envoyer inoculer un troupeau de volatiles, puis de nettoyer leur merde dans le foin. Et maintenant nous étions là, assis en face l'un de l'autre, le procureur à la retraite et l'écrivain vieillissant, avec du poil plein les oreilles. Il était tout voûté. Il m'a avoué que malgré le prix remporté par son dernier livre (je n'en avais pas entendu parler), il était dans une très mauvaise passe. Il ne pouvait écrire un paragraphe sans le condamner à la corbeille à papier. Alors, que fais-tu ? ai-je demandé. Tu veux le savoir ? a-t-il dit. Absolument. D'accord, je vais te le dire, entre nous. Se penchant au-dessus de la table, il avait chuchoté deux mots : Mrs. Kleindorf. Quoi ? ai-je répondu. Simplement ce que je viens de te dire, Mrs. Kleindorf. Je ne te suis pas, ai-je dit. Je fais semblant d'écrire à Mrs. Kleindorf, mon professeur de cinquième, au collège. Je sais que personne ne le lira, seulement elle. Peu importe qu'elle soit morte depuis vingt-cinq ans. Je revois ses bons yeux et les petits visages rigolards qu'elle dessinait en rouge sur mes copies et je commence à me détendre. Du coup, je peux écrire un peu.

Je suis revenu à la page devant moi. J'ai écrit, *Chère...*, puis je me suis arrêté de nouveau, parce que j'étais incapable de me rappeler le nom de mon professeur de cinquième. Ni de sixième, ni de septième, ni de huitième. L'odeur d'encaustique mélangée à celle de peau mal lavée, ça je me la rappelais, ainsi que l'air desséché par la poussière de craie et la puanteur de colle et d'urine. Mais les noms de mes enseignants étaient complètement sortis de ma mémoire.

Chère Mrs. Kleindorf, ai-je écrit, là-haut, ma femme agonise. Pendant cinquante et un ans, nous avons partagé le même lit. Depuis un mois, elle gît sur un lit d'hôpital et chaque soir, en rentrant chez moi, je dors tout seul dans notre lit. Je n'ai pas lavé les draps depuis son départ. J'ai peur, si je le fais, de ne pas pouvoir dormir. L'autre jour, en entrant dans la salle de bains, j'ai vu la femme de ménage qui enle-

vait les cheveux de la brosse d'Eve. Que faites-vous ? lui ai-je demandé. Je nettoie la brosse à cheveux, m'a-t-elle répondu. Ne touchez plus à cette brosse, lui ai-je dit. Comprenez-vous ce que j'essaie d'exprimer, Mrs. Kleindorf ? Et pendant que nous parlons de vous, laissez-moi vous poser une question. Pourquoi y a-t-il toujours eu des cours d'histoire, de mathématiques, de science et de Dieu sait quelles autres disciplines inutiles et sans aucun intérêt que vous inculquiez à ces élèves de cinquième, année après année, et jamais aucun cours sur la mort ? Pas d'exercices, pas de manuels, pas d'examens sur la seule matière qui importe ?

Tu aimes ça, mon garçon ? Je m'en doutais. La souffrance, c'est ton rayon.

Enfin, bref, je ne suis pas allé plus loin. J'ai fourré mon début de lettre dans ma poche et je suis retourné dans la chambre où ta mère gisait parmi les fils, les tubes, les bips et les perfusions. Au mur, il y avait une aquarelle représentant un paysage : une vallée bucolique, quelques collines lointaines. J'en connaissais chaque centimètre. C'était une peinture plate et grossière, affreuse, en fait, comme sortie d'un de ces kits de peinture par les nombres, l'un de ces paysages prêts-à-peindre que l'on vend dans les boutiques de souvenirs mais, soudain, j'ai décidé qu'à l'instant de quitter cette chambre pour la dernière fois, je l'enlèverais du mur et l'emporterais, elle et son cadre à quatre sous. Je l'avais contemplée pendant tant d'heures et de jours que, curieusement, cette peinture merdique avait pris une certaine signification. Je l'avais suppliée, raisonnée, affrontée, maudite, j'avais pénétré en elle, je m'étais foré un chemin dans cette vallée maladroite et, peu à peu, elle avait pris pour moi un sens. Aussi ai-je décidé, alors que ta mère s'accrochait encore à l'atroce dernier lambeau de vie qui lui était accordé, que quand tout serait fini, je la descendrais du mur, je la planquerais sous ma veste et je me tirerais avec. J'ai fermé les yeux et je me suis assoupi.

À mon réveil, les infirmières étaient agglutinées en un petit caillot, autour du lit. Il y a eu un déchaînement d'activité, puis elles sont parties et ta mère n'a plus bougé. Elle avait quitté ce monde, selon l'expression consacrée, Dova'leh, comme s'il y en avait un autre. Le tableau était cloué dans le mur. C'est la vie, mon garçon, si tu te crois original, tu te trompes.

J'ai accompagné son corps à la morgue. C'est moi qui l'ai regardé pour la dernière fois. Qui ai tiré le drap sur son visage. Comment est-ce possible ? me disais-je sans cesse. Comment puis-je faire ça ? Voici ma main, elle se tend, elle saisit le tissu, comment ? Je vois pour la dernière fois ce visage que j'ai étudié pendant toute une vie. Allons, passons. J'ai mis la main dans ma poche à la recherche d'un Kleenex et, à la place, j'ai sorti la lettre adressée au professeur de cinquième d'Avner Segal. Sans réfléchir, je l'ai défroissée, pliée et glissée auprès d'elle. Je l'ai placée près de son coude. Je pense qu'elle aurait compris. On l'a descendue en terre. Mes genoux se sont dérobés sous moi. Qui avait creusé la tombe ? Soudain, j'avais besoin de le savoir. Il devait y avoir passé la nuit. En m'approchant du trou abyssal, une idée absurde m'a traversé l'esprit : il fallait que je le retrouve pour lui donner un pourboire.

Au milieu de tout cela, tu es arrivé. Je ne sais pas quand. Je me suis retourné et tu étais là, en imperméable foncé. Tu es devenu vieux. Mais tu es resté mince, parce que tu as les gènes de ta mère. Tu étais là, dans le cimetière, seul porteur vivant de ces gènes, parce qu'Uri, je n'ai pas besoin de te le dire, Uri m'a toujours ressemblé. Tu étais là, le crac du barreau anglais, la main tendue, attendant ton tour pour prendre la pelle. Et sais-tu ce que j'ai eu envie de faire, mon fils ? J'ai eu envie de te gifler. Là, en cet instant, j'aurais voulu te gifler au visage et te dire de te trouver une pelle. Toutefois, par respect pour ta mère qui détestait les scènes, je te l'ai tendue. J'ai eu toutes les peines du monde à me retenir, mais je te l'ai tendue et je t'ai regardé te pencher, enfoncer la pelle dans le tas de terre meuble et, avec l'ombre d'un tremblement dans les mains, t'approcher du trou.

Ensuite, tout le monde s'est rassemblé chez Uri. Je sentais que c'était le maximum de ce que je pouvais supporter – pas chez moi, pas sept jours – mais même cela, c'était trop. Les enfants étaient parqués dans le bureau, devant la télévision. J'ai regardé les gens autour de moi et, tout à coup, il m'a paru impossible de rester une minute de plus parmi eux. Impossible de supporter la légèreté de leur chagrin, ou sa profondeur. Lequel d'entre eux avait vraiment conscience de ce que nous avions perdu ? Impossible de supporter leurs consolations jésuitiques, les stupides justifications des croyants, l'empathie des vieilles amies d'Eve, des filles de ces amies, la main attentionnée sur mon épaule, les lèvres pincées et les sourcils froncés qui leur venaient naturellement après avoir élevé pendant des années leurs enfants, les avoir envoyés à l'armée et guidé leurs maris dans la sombre vallée de la cinquantaine. Sans un mot, j'ai reposé intacte l'assiette que l'on m'avait remplie, une assiette débordante qui n'aurait pu contenir une miette de plus et dont l'insignifiance, vue sous l'angle du rapport de la nourriture au chagrin, me dégoûta. Je suis parti aux W.-C., j'ai fermé la porte à clef et me suis assis sur le siège.

J'ai entendu bientôt quelqu'un qui m'appelait. Peu après, d'autres se sont joints aux recherches. Je t'ai vu traverser le jardin, déformé par la vitre, tu m'appelais. Toi ! Tu m'appelais ! Ça m'a donné presque envie de rire. Brusquement, je t'ai revu à l'âge de dix ans, sur la piste du cratère Ramon, marchant comme un fou, hors d'haleine, ta petite bouche grande ouverte, le visage dégoulinant de sueur, ton chapeau de soleil ridicule tombant en corolle autour de ta tête, telle une fleur fanée. M'appelant à perdre haleine parce que tu te croyais perdu. Tu sais quoi, mon garçon, j'étais là depuis le début ! Accroupi derrière un rocher, à quelques mètres de hauteur sur la paroi. Oui, tout le temps que tu m'appelais, que tu hurlais mon nom, te croyant abandonné dans le désert, j'étais caché derrière un rocher, t'observant tranquillement, comme le bélier qui sauva Isaac. J'étais à la fois Abraham *et* le bélier. Pendant combien de minutes je t'ai laissé chier dans ton froc, petit gamin de dix ans, face à sa petitesse, son impuissance, le cauchemar de sa totale solitude, je ne sais plus. Ce n'est que lorsque j'ai décidé que tu avais appris ta leçon, que tu avais compris combien tu avais besoin de moi, que je suis sorti brusquement de derrière mon rocher pour descendre sans me presser sur le chemin. Calme-toi, t'avais-je dit, qu'est-ce que tu as à hurler ? Je ne faisais que pisser.

Oui, c'est ce dont je me suis soudain souvenu en te regardant à travers la fenêtre de la salle de bains, trente-sept ans plus tard. On dit à tort que la puissance émotive de la jeunesse s'atténue avec le temps. Faux. On apprend à la contrôler et à l'étouffer. Mais elle ne s'affaiblit pas. Elle se cache et se concentre simplement en des endroits plus discrets. Lorsqu'on tombe par accident dans l'un de ces gouffres, la douleur est ahurissante. Et ces mini-gouffres, j'en trouve partout, à présent.

Tu as continué à m'appeler pendant vingt minutes. Les enfants s'en sont mêlés, détournés de la télévision par un mystère bien réel – avec un peu de chance, qui sait, un drame. J'ai vu le plus jeune, par la fenêtre, qui traînait mon pull-over dans l'herbe. Peut-être pour que les chiens reniflent mon odeur. Ils sont tous tellement instruits, les petits-neveux et nièces. Mises en commun, leurs connaissances pourraient gouverner un petit pays terrifiant. Ils parlent avec assurance, ils détiennent les clefs du château. J'étais l'afikomen qu'ils recherchaient. Après quelques minutes de ce jeu, j'ai entendu la meute qui grattait à la porte. On sait que tu es là, m'ont-ils crié. Ouvre, a dit une petite voix enrouée, puis le reste a fait chorus, tandis que leurs poings menus tambourinaient. J'ai tâté un bleu géant sur un genou que je ne me rappelais pas m'être fait. Je suis à un âge où les bleus sont dus à des anomalies internes plutôt qu'à des accidents externes. Uri est arrivé et a fait partir la horde. Papa ? a-t-il dit à travers la porte. Qu'est-ce que tu fais là-dedans ? Ça va ? Bien des façons de répondre à cette question, aucune adéquate. Tu n'as pas de papier ? L'un des gosses s'est mis à rire. Pause, des pas qui s'éloignent puis reviennent. Le bruit de la poignée qui résiste, et avant que j'aie eu le temps de me préparer, la porte a frémi puis s'est ouverte d'un seul coup. La troupe m'a examiné avec curiosité. Parmi les enfants, il y a eu des rires étouffés et quelques applaudissements. La plus jeune, ma petite Cordelia, s'est approchée et a touché mon genou meurtri. Les autres, comme il se doit, ont reculé. Sur le visage d'Uri, il y avait une expression apeurée que je n'avais jamais vue auparavant. Calme-toi, mon fils, je ne faisais que pisser.

Non, je ne suis pas homme à nourrir des idées romantiques sur le prolongement de l'esprit. C'est une chose que, j'aimerais le croire, j'ai inculquée à mes fils : partager le monde physique tant qu'il est à portée de la main, parce que c'est l'un des sens de la vie que personne ne peut contester. Goûter, toucher, respirer, manger et s'empiffrer – tout le reste, tout ce qui se passe dans le cœur et dans l'esprit vit dans l'ombre de l'incertitude. Tu as eu du mal à apprendre cette leçon et, en fin de compte, tu ne l'as pas acceptée. Tu t'es tiré une balle dans le pied, puis tu as passé des années à essayer de comprendre pourquoi tu avais mal. C'est Uri qui a accepté mes leçons sur l'appétit physique. Tu peux frapper à la porte d'Uri à n'importe quelle heure du jour ou de la nuit, et il viendra te répondre, la bouche pleine.

Ce soir-là, après le départ des convives qui laissaient derrière eux les raviers d'houmous couverts de croûte, la salade aux œufs, le poisson malodorant et la pita qui séchait à vue d'œil, je vous ai vus, Uri et toi, debout l'un près de l'autre, dans la cuisine. C'est lui qui avait assumé la responsabilité de tes parents vieillissants, et c'est lui qui nous conduisait ici et là en voiture, patientait avec nous de longues heures dans des salles d'attente, se trimballait à la maison pour se pencher sur un problème, enquêter sur une plainte, mettre la main sur la paire de lunettes introuvable, clarifier un point ou un autre dans les formulaires de l'assurance-vie, convoquer un couvreur pour réparer une fuite ou, sans un mot à quiconque, installer un monte-escalier après s'être aperçu que je dormais depuis un mois sur le canapé du rez-de-chaussée parce que je n'étais plus capable de gravir les marches. Imagine, Dovik, un *monte-escalier*, si bien que je peux, quand je le désire, monter et descendre à toute vitesse, tel un skieur alpin. Et comme si cela ne suffisait pas, il nous appelait chaque matin pour savoir si la nuit s'était bien passée, et chaque soir pour savoir si la journée s'était bien passée. Tout cela, il le faisait sans se plaindre, sans amertume, alors qu'il avait toutes les raisons du monde de t'en vouloir. J'ai regardé dans la cuisine et vous étiez là tous les deux, tête contre tête, deux adultes s'entretenant à voix basse, ainsi que vous le faisiez étant gamins, lorsque vous discutiez intensément, selon votre habitude, de filles, sans doute, de leurs longs cheveux brillants, de leurs culs et de leurs seins. Seulement, cette fois, je savais que c'était de moi que vous parliez. Essayant de décider que faire de moi à présent, de votre vieux, sans en avoir la moindre idée, exactement comme jadis vous n'aviez pas la moindre idée de ce que l'on pouvait faire avec une paire de nichons. Si ça avait été Uri qui cherchait une solution, j'aurais été satisfait, j'y étais déjà habitué, il s'y prenait d'une façon qui n'attentait pas à ma dignité. Et si, par malheur, je ne suis plus capable, un jour, de tenir ma queue pour pisser, Uri trouvera un moyen de le faire qui me permettra de rester digne, avec la plaisanterie appropriée et une anecdote amusante sur ce qui lui est arrivé, la veille, au supermarché. Ça, c'est Uri. Mais le fait que, soudain, tu t'impliques, après avoir si longtemps vécu là-bas, en silence, pendant que ta mère et moi nous enfoncions peu à peu dans la vieillesse, que, soudain, tu décides d'intervenir superbement pour nous faire bénéficier de ta grandeur d'âme, de jouer les parties prenantes avec, sur le visage, cet air de sollicitude répugnant, c'était plus que je n'en pouvais supporter. Qu'est-ce qui se passe ici, putain ? ai-je dit. Tu t'es tourné vers moi et dans tes yeux, derrière toute cette magnanimité, il m'a semblé capter un éclair de l'ancienne fureur, celle que tu tenais sur le feu, que tu touillais sans cesse à mon intention, à l'âge de dix-sept, dix-neuf, vingt ans. Et j'ai été heureux, mon garçon, heureux de la retrouver, comme on l'est de retrouver un parent depuis longtemps perdu de vue.

Rien, tu as répondu. Tu n'as jamais su mentir. On ne sait pas quoi faire de toute cette nourriture. Je n'ai pas relevé. Je voudrais rentrer maintenant, Uri. Papa, tu ne veux pas dormir ici ? Ronit peut faire le lit dans la chambre d'amis, le matelas est tout neuf et très confortable. J'ai été obligé de l'essayer plusieurs fois, et il m'a fait un de ses grands sourires, parce qu'il est capable d'autodérision. Ça ne lui coûte rien. Au contraire, plus il plaisante sur lui-même, plus il incite à se moquer de lui, plus il est heureux. Ça te déconcerte, Dov ? Qu'un homme puisse accepter, puisse *encourager* les moqueries des autres ? Toi, tu avais toujours tellement peur du ridicule. Si quelqu'un osait rire de toi, tu devenais acerbe et tu lui réservais secrètement une vengeance que tu consignais dans ton petit livre de comptes. Toi tout craché. Et regarde-toi aujourd'hui : juge itinérant. Un jour, si tout va bien, on te demandera de siéger au tribunal de grande instance d'Angleterre. De siéger pour juger les délits graves, les plus graves de tous. Mais il y a longtemps que tu as commencé à t'entraîner. Siéger au-dessus du commun des mortels, juger, condamner – tout ça t'est venu naturellement.

Merci, ai-je dit, mais je préfère rentrer chez moi. Uri a haussé les épaules, il a appelé Ronit pour qu'elle me fasse un paquet de nourriture puis il est parti chercher ses clefs de voiture. Gilad, que je voyais pour la première fois depuis des siècles sans une paire d'énormes écouteurs sur les oreilles, est entré dans la pièce avec un air déterminé et a foncé droit sur moi. J'ai jeté un coup d'œil par-dessus mon épaule, pensant qu'il visait quelque chose derrière moi et quand je me suis retourné, nous nous sommes heurtés. Le garçon, qui n'était plus vraiment un garçon, davantage un homme-enfant de quinze ans, m'administrait quelque chose, une espèce de bourrade, de pression, qui s'est révélée être une embrassade, une étreinte. Dovik, mon petit-fils qui, depuis des années, n'avait pas répondu à une seule de mes questions autrement que par monosyllabes, s'accrochait à présent à moi, les yeux fermés, grimaçant, la bouche ouverte. Retenant apparemment ses larmes. Je lui ai donné de grandes tapes dans le dos. Allons, allons, lui ai-je dit, Grand-mère t'aimait beaucoup. Il n'en a pas fallu plus pour qu'il se mette à crachouiller, à m'asperger de salive et à s'effondrer en pleurant comme un veau. Parce que personne ne lui a jamais rien appris, même dans ce pays où la mort empiète sur la vie, et qu'aujourd'hui, il la rencontre pour la première fois. Mais ce n'est pas sur elle qu'il pleure, sur sa grand-mère, il pleure sur son propre sort, sur le fait que lui aussi mourra un jour. Et avant cela, ses amis mourront, et les amis de ses amis et, le temps passant, les enfants de ses amis et, si le sort est réellement cruel, ses propres enfants. Donc il est là, en pleurs. Et tandis que j'essaie de le consoler sans dire un mot (j'ai l'impression que, même dans cet état de vulnérabilité, de conscience accrue, l'homme-enfant est sourd à toute parole, sauf à celles qui l'atteignent à travers les énormes portails pelucheux de ses écouteurs), Uri revient en faisant tinter ses clefs. Et là, inopinément, tu tends le bras pour l'arrêter. Toi, qui ne connaissais absolument rien de ce qui me concernait. Je m'occupe de lui, as-tu dit. Lui ? ai-je presque crié. *Lui* ? Comme si j'étais un enfant qu'on doit emmener à une leçon de danse. Uri m'a regardé pour jauger ma réaction. Uri qui a le bip de ma porte de garage fixé au pare-soleil de sa voiture, à côté de son propre bip, ce qui montre combien il l'utilise. Mais que pouvais-je faire ? Gilad était toujours accroché à moi. Tu me mettais dans une situation impossible. Comment pouvais-je te dire ce que je pensais réellement de ton offre, avec ce grand enfant pendu à mon cou, en quête de soutien et de réconfort au moment où il comprenait avec horreur que tout cela, nous tous, ce qu'il avait toujours connu, est transitoire ?

Donc, cinq minutes plus tard, contre mon gré, je me suis retrouvé avec toi dans la voiture de location et, sur les genoux, le sac de Ronit rempli de petites boîtes de plastique pleines de nourriture. L'intérieur était en cuir noir. Qu'est-ce que c'est ? ai-je demandé. Une BMW, as-tu dit. Une voiture allemande ? Tu me reconduis chez moi dans une voiture allemande ? Tu es devenu tellement important que tu ne peux pas te contenter d'une Hyundai, comme tout le monde ? Ce n'est pas assez bien pour toi ? Tu préfères payer un supplément pour une voiture fabriquée par les fils des nazis ? Des gardiens des camps de la mort ? On n'en a pas déjà eu assez, de cuir noir ? Laisse-moi sortir de là, ai-je dit. Papa, tu as fait d'un ton implorant et j'ai entendu quelque chose dans ta voix que je n'ai pas reconnu. Quelque chose qui se cachait là, dans le registre supérieur. S'il te plaît. Ne me force pas à te supplier. La journée a été longue. Tu n'avais pas tort, alors j'ai détourné la tête et j'ai regardé par la vitre d'un air furieux.

Quand tu étais petit, je t'emmenais avec moi au souk, tous les vendredis matins. Tu te rappelles, Dova'leh ? Je connaissais tous les vendeurs et eux aussi me connaissaient. Ils avaient toujours ceci ou cela à me faire goûter. Va chercher des dattes, te disais-je, pendant que je me chamaillais avec Zegury, le marchand de fruits et légumes, au sujet de la politique. Lorsque, cinq minutes plus tard, je te jetais un coup d'œil, tu les choisissais une par une entre deux doigts, étudiant chacune d'elles d'un air à la fois détaché et curieux. Je me saisissais alors de la poche contenant le misérable petit tas. Tu vas nous faire mourir de faim, disais-je, et je prenais deux, trois grosses poignées de fruits que je laissais tomber dans le sac. Je ne t'ai jamais vu en manger une seule. Tu disais qu'elles ressemblaient à des cafards. Au souk, il y avait un vieil Arabe qui découpait des profils dans du papier noir. Le client prenait place sur un cageot et l'Arabe faisait jouer ses ciseaux sans le quitter des yeux. Tu souffrais, craignant que l'Arabe ne se coupe, ce qui n'arrivait jamais. Il travaillait fébrilement, puis tendait à son modèle la quintessence papier de son visage. À tes yeux, c'était un génie de l'envergure de Picasso. Sa présence te rendait muet. Si personne ne venait poser, l'Arabe aiguisait ses ciseaux sur une pierre en fredonnant une longue mélodie alambiquée. Un jour, Uri et toi étiez avec moi et en arrivant à hauteur de l'Arabe, plein d'orgueil ou de magnanimité, j'ai demandé, Qui veut se faire faire son portrait, les garçons ? Uri a bondi sur le cageot. Il a concentré sa gravité enfantine et a pris la pose. Les yeux à moitié fermés, l'Arabe l'a regardé, puis il a découpé, et le fier profil de mon Uri est apparu. Toute la gloire d'une existence virile se lisait déjà dans le nez aquilin. Il a sauté du cageot et a saisi son portrait, absolument ravi. Que savait-il du désenchantement et de la mort ? Rien, comme le montrait le portrait de l'Arabe. Tu as pris place avec appréhension sur le cageot où tant de gens avant toi avaient été jaugés et réduits à une simple ligne continue par l'extraordinaire artiste. L'Arabe a commencé à découper. Tu ne bougeais pas. Soudain j'ai vu vaciller ton regard qui est tombé sur le sol où s'amoncelaient les découpes, les bouts de papier noir. Tu as relevé les yeux vers le visage de l'Arabe, tu as ouvert la bouche et tu t'es mis à hurler. À hurler et à sangloter sans vouloir t'arrêter. Tu te rends compte que tu te conduis comme un fou ? t'ai-je dit en te secouant par les épaules, mais tu continuais. Tu as marché en pleurant jusqu'à la maison, à trois pas derrière nous. Uri, lui, serrait son profil sur son cœur et se retournait de temps à autre en te jetant des coups d'œil inquiets. Plus tard, votre mère l'a encadré. Je ne sais pas ce qu'est devenu le tien. Peut-être l'Arabe l'a-t-il jeté à la poubelle. Ou peut-être l'a-t-il gardé, au cas où je reviendrais le chercher puisque je l'avais payé. Je n'y suis pas retourné. Après cela, tu n'es plus venu avec moi au souk. Tu vois, mon garçon ? Tu vois à quoi je me heurtais ?

Tu m'as ramené à notre maison, celle de ta mère et la mienne, seulement, maintenant, ce n'était plus la sienne. Elle passait sa première nuit sous terre. Encore aujourd'hui, je ne supporte pas d'y penser. Mrs. Kleindorf, ça me donne des haut-le-cœur de songer au corps sans vie de ma femme, sous deux mètres de terre. Mais je ne me ferme pas les yeux. Je ne me rassure pas en imaginant qu'elle est éparpillée autour de moi dans l'atmosphère ou revenue sous la forme de la corneille qui est arrivée dans le jardin, quelques jours après sa mort, et depuis y est restée, curieusement, sans son compagnon. Je ne dévalorise pas sa mort à coups de petites histoires inventées de toutes pièces. Le gravier a crissé sous les roues de ta voiture allemande, nous nous sommes arrêtés en douceur et tu as coupé le contact. Dans les dernières lueurs du jour, le ciel, au-dessus des collines, était d'un indigo profond, alors que la maison, elle, était déjà plongée dans le noir. Et tout en écoutant les derniers cliquetis du moteur dans le silence enfin revenu, je me suis brusquement souvenu du jour où nous avions déménagé de Beit Hakerem ici. Tu te rappelles ? Tu avais passé la matinée, enfermé dans ta chambre, à transférer les poissons de ton aquarium dans des sacs en plastique remplis d'eau, inquiet pour eux, ouvrant et fermant sans cesse les sacs. Tandis que le reste d'entre nous s'affairait à sceller des cartons et à déplacer des meubles, toi, tu mesurais tes poissons et préparais ta chère tortue pour le voyage. Les soins que tu prodiguais à ce reptile ! Tu la laissais se dégourdir les pattes dans le jardin et lui offrais chaque jour une séance de soleil. Tu cherchais dans ses petits yeux en bouton de bottine le secret de son âme. Le jour où ta mère s'est trompée en lui achetant son chou, tu étais si furieux que tu en as pleuré – *tu as hurlé et pleuré* – parce qu'elle avait été insensible au point d'acheter un chou rouge au lieu d'un vert. J'ai hurlé à mon tour que tu n'étais qu'un sale ingrat. Dans ma colère, j'ai saisi ta petite copine et l'ai balancée au-dessus des lames vrombissantes du mixer. Elle essayait désespérément de ramener sa patte à l'abri de sa carapace, mais je l'ai pincée entre mes doigts et le moteur s'est emballé. Tu as poussé un cri épouvantable. Quel cri ! Comme si c'était toi que je m'apprêtais à sacrifier à la lame. Un agréable picotement a parcouru l'extrémité de mes nerfs. Ensuite, après que tu te sois enfui dans ta chambre en berçant la pathétique bestiole dans tes bras, le visage de ta mère est devenu de marbre. Nous nous sommes disputés, comme toujours quand il s'agissait de toi, et je lui ai dit qu'elle était folle de s'imaginer que j'allais cautionner ce genre de comportement. Et elle qui, depuis tes premiers pas, avait ingurgité tous les ouvrages de psychologie infantile les plus en pointe et avalé toute crue chaque théorie, a essayé de me démontrer que, pour toi, cette tortue était un symbole de toi-même et que si nous traitions cavalièrement ses besoins et ses désirs c'était, à tes yeux, comme si nous négligions les tiens. Un symbole de toi-même, Et puis quoi encore ! En suivant les préceptes de ces livres ridicules, elle avait trouvé le moyen de se faufiler tant bien que mal dans ton crâne, si bien qu'elle pouvait non seulement te comprendre mais s'*identifier* à toi dans ta conviction que l'achat de chou rouge au lieu de chou vert constituait une agression émotionnelle. J'ai attendu qu'elle termine. J'ai attendu qu'elle s'épuise, s'empêtre dans les théories. Puis je lui ai dit qu'elle avait perdu l'esprit. Que si tu te voyais sous la forme d'un reptile malodorant, répugnant et stupide, alors il était temps de commencer à te traiter comme tel. Elle est sortie en fulminant mais, une demi-heure plus tard, elle était de retour, serrant dans sa main un minable petit chou vert et te suppliant à voix basse, par l'entrebâillement de ta porte, de la laisser entrer. Quelques mois plus tard, nous avons acheté la maison de Beit Zayit et tu es resté debout toute la nuit à tenter d'imaginer la meilleure façon de transporter ta tortue. Tu as passé la matinée à répartir tes poissons dans des sacs et à prodiguer à la tortue des conseils psychologiques. Tu as tenu l'aquarium sur tes genoux pendant le trajet jusqu'à notre nouvelle demeure et chaque fois que je prenais un tournant, la tortue dérapait dans les coins. Tes yeux se remplissaient de larmes, persuadé que je me comportais de façon cruelle, mais tu me surestimais : même moi, j'étais incapable d'infliger de tels tourments de façon délibérée. En fin de compte, ce n'est pas de mon fait que ta précieuse bestiole a connu sa fin tragique. Un jour, tu l'as laissée au soleil et, à ton retour, elle gisait sur le dos, mourante, sa carapace ouverte, attaquée par une bête, bien réelle, celle-là.

C'est peu de temps après l'emménagement que tu as commencé tes vagabondages nocturnes. Tu croyais que personne ne savait, mais moi je savais. Tu ne me confiais jamais rien, mais j'ai gardé ton petit secret pour moi. À l'époque, il m'arrivait souvent de me réveiller en pleine nuit avec une fringale. Je descendais à la cuisine et, debout devant le frigo, j'arrachais des morceaux à la carcasse du poulet rôti, trop affamé pour prendre une assiette, m'asseoir, ou allumer la lumière. Une nuit, j'étais là, en train de manger dans le noir, quand j'ai vu une silhouette traverser le jardin, une espèce de bonhomme style dessin d'enfant, doté d'une quelconque force cinétique, qui marchait dans l'herbe. La forme s'est arrêtée un instant comme si elle avait vu ou entendu quelque chose qui titillait sa curiosité. Il y avait un faible clair de lune et, d'après ce que je voyais, la silhouette ne ressemblait ni à celle d'un homme, ni à celle d'une femme, ni même à celle d'un enfant. Un animal, peut-être, un loup ou un chien errant. Ce n'est que lorsqu'elle s'est remise en mouvement, qu'elle a tourné au coin de la maison et qu'une minute plus tard, j'ai entendu la porte s'ouvrir sans bruit, puis perçu les gestes rapides et nets de quelqu'un qui savait exactement où il se trouvait – c'est seulement alors que j'ai compris que c'était toi.

Je suis resté sans bouger dans la cuisine jusqu'à ce que je t'entende disparaître dans ta chambre, à l'étage. Je suis allé examiner tes baskets boueuses qui gisaient sur le côté, exténuées, près de la porte, afin de deviner la nature de ta petite randonnée subreptice, le pétrin dans lequel tu t'étais fourré, et avec qui, encore que, si quelqu'un y était mêlé, ce ne pouvait être que Shlomo. Qu'est-il devenu ? Shlomo, auquel tu étais attaché comme à un frère siamois, avec lequel tu communiquais sous le radar des autres dans un langage secret, bien à vous, fait de grimaces, de roulements d'yeux et de tics. Oui, j'étais pratiquement certain que ta petite randonnée nocturne résultait d'un plan stupide concocté par vous deux, sans paroles, à l'aide de quelques frémissements des muscles faciaux que vous aviez, d'une manière ou d'une autre, réussi à échanger en classe, tandis qu'avec des expressions attristées, les Mrs. Kleindorf vous faisaient entrer dans le crâne les deux mille ans, toujours les deux mille ans, et vous expédiaient chacun à un bout de la salle. J'avais l'intention de t'en parler, le lendemain matin, mais lorsque tu es apparu au petit déjeuner, il n'y avait pas sur ton visage la moindre trace de ton aventure et j'ai commencé à me demander si tu n'avais pas fait une crise de somnambulisme. Cependant, quatre ou cinq nuits plus tard, alors que j'étais debout, à deux heures du matin, en train de dévorer les restes de la schnitzel, je t'ai vu de nouveau remonter l'allée. Il y avait un grand clair de lune et j'ai aperçu ton visage empreint d'une immense paix.

Aujourd'hui, tu m'as aidé à monter la même allée et tu as attendu pendant que je cherchais mes clefs et, pour une fois, je me suis félicité d'avoir oublié de laisser une lumière allumée, car tu n'as pas vu mes mains qui s'étaient soudain mises à trembler. Je suis parvenu enfin à faire jouer la serrure et j'ai allumé l'entrée. Ça va, ai-je dit, tu peux partir. C'est alors que, baissant les yeux, j'ai vu que tu tenais une petite valise à la main. J'ai regardé la valise, puis je t'ai regardé. J'ai regardé ton visage que je n'avais pas regardé, réellement regardé, depuis longtemps. Tu as vieilli, c'est vrai, mais il y avait autre chose, dans tes yeux ou dans l'angle de ta bouche, une espèce de douleur, non, pas seulement une douleur, plus que cela, une expression qui donnait à croire que tu avais été battu à plate couture par l'univers entier, que tu avais finalement été vaincu. Alors il s'est passé quelque chose en moi. Un sentiment de dévastation m'a envahi. Comme si, maintenant que ta mère était partie, maintenant qu'elle n'était plus là pour absorber ta douleur, la bercer, la faire sienne, c'était à moi qu'elle revenait. Essaie de comprendre. Toute ta vie, ta douleur m'avait exaspéré. Ton entêtement, ta détermination, ton introversion mais, par-dessus tout, ta douleur qui la faisait toujours voler à ton secours. Et à cet instant, en t'observant dans la lumière de l'entrée, j'ai vu quelque chose dans tes yeux. Elle était partie, elle nous avait finalement abandonnés, laissés seuls face à face et j'ai vu quelque chose sur ton visage qui m'a bouleversé.

J'ai regardé ta valise puis ton visage, puis encore une fois ta valise. Et j'ai attendu que tu t'expliques.

Quand tu étais enfant, ta mère m'avait dit qu'elle tuerait pour te sauver la vie. Tu en tuerais un autre pour qu'il vive, répétai-je. Oui, dit-elle. Et tu en laisserais mourir cinq pour qu'il vive ? demandai-je. Oui, dit-elle. Cent ? demandai-je. Elle ne répondit pas, mais ses yeux devinrent froids et durs. Mille ? Elle sortit de la pièce.

Non, ce n'est pas ma faute si tu n'es pas devenu l'écrivain que tu rêvais d'être. Tu voulais écrire l'histoire d'un requin qui endosse toutes les émotions humaines. La souffrance, t'ai-je dit. Quoi ? as-tu dis, les lèvres tremblantes. Écoute-moi, Dov, il faut que tu la domines. Il faut que tu la saisisses par les cornes et que tu la cloues au sol. Il faut que tu l'étouffes, sinon c'est elle qui t'étouffera. Tu m'as dévisagé comme si je n'avais jamais rien compris de ma vie. En réalité, c'était toi qui ne comprenais pas. Tu étais là, en uniforme de l'armée, ta musette jetée sur l'épaule. En uniforme, un homme peut aller et venir, parfaitement détaché de lui-même, il peut se perdre dans les flancs d'un énorme animal dont il n'a jamais vu la tête. Mais pas toi, mon garçon. En civil, tu souffrais, et en uniforme, c'était pareil. Tu rentrais en permission pour la première fois depuis trois mois. Tu te souviens de cela ? Tu étais encore amoureux de Dafna. C'est pour la voir que tu étais revenu. Au début, elle avait peut-être été attirée par ta souffrance, cependant même moi, je voyais qu'elle commençait à s'en lasser. Elle est arrivée, et vous vous êtes enfermés tous les deux dans ta chambre, mais pas comme vous vous enfermiez auparavant, en héros, contre le monde entier ; elle est ressortie de ta chambre au bout d'une heure seulement, portant ton tee-shirt de l'armée, pour explorer le réfrigérateur ou allumer la radio. Fais comme chez toi, lui ai-je dit, tandis qu'elle picorait dans les assiettes de salade au poulet et de pâtes froides. Je me suis assis en face d'elle et je l'ai regardée manger. Une si petite femme et un si gros appétit. Elle était consciente de sa beauté, ça se voyait dans ses moindres gestes. Elle agitait les bras et les jambes de tous côtés avec une nonchalance spontanée et ils atterrissaient toujours avec grâce. Il y avait chez elle une logique interne qui la structurait tout entière. Dis-moi, ai-je fait. Elle m'a regardé sans cesser de mâcher. Une odeur musquée émanait d'elle. Quoi ? a-t-elle dit. J'étais assis en face d'elle, avec les poils qui me sortaient des oreilles. Rien, ai-je dit et j'ai laissé s'éloigner le requin géant. Elle a fini de manger en silence et s'est levée pour laver son assiette. À la porte, elle s'est arrêtée. La réponse à votre question est non. Quelle question ? Celle que vous ne m'avez pas posée. Oh ! Et laquelle ? Au sujet de Dov. J'attendais qu'elle continue, mais elle ne l'a pas fait. Beaucoup de choses m'ont échappé en cet instant. J'ai entendu la porte d'entrée se refermer derrière elle.

Pendant toute la durée de ton service militaire, avant ce qui t'est arrivé, tu as envoyé régulièrement à la maison des paquets à ton nom. Ta mère me transmettait l'ordre de ne pas y toucher, sauf pour les mettre dans un tiroir de ton bureau. Tu les scellais avec des mètres et des mètres de ruban adhésif, ce qui te permettrait de savoir si quelqu'un les avait décachetés. Eh bien, tu sais quoi ? Moi je le faisais. Je les ouvrais et lisais leur contenu, puis je les refermais exactement de la même façon que toi, avec du ruban adhésif, et si tu m'avais interrogé, je t'aurais répondu que la coupable était la censure militaire. Mais tu ne m'as jamais posé la question. À ma connaissance, tu n'as jamais jeté un œil sur ce que tu avais écrit. Parfois, je me persuadais même que tu savais que j'avais défait les paquets et lu leur contenu ; que tu voulais que je le lise. Alors, dans mes moments de loisir, lorsque ta mère était sortie et que la maison était vide, je décollais les emballages à la vapeur et lisais l'histoire du requin et des cauchemars communicants d'un grand nombre de gens. Celle du gardien qui, chaque soir, nettoyait l'aquarium, en essuyait la vitre et vérifiait les tuyaux et la pompe qui envoyaient de l'eau propre à l'intérieur, s'arrêtant dans sa tâche pour observer les corps fiévreux et frissonnants endormis dans leurs lits, s'appuyant sur son balai-éponge et plongeant son regard dans les yeux de la bête blanche tourmentée, couverte d'électrodes et reliée à des tubes qui, chaque jour, dépérissait d'absorber la souffrance de tant d'êtres humains.

Dafna, ta petite amie, t'a quitté évidemment. Pas tout de suite, mais à la longue. Tu as découvert qu'elle était sortie avec un autre homme. Pouvait-on lui en vouloir ? Peut-être cet autre homme l'emmenait-il danser. Joue contre joue, sexe contre sexe, dans l'une de ces boîtes bruyantes, au son de rythmes tribaux, et elle était grisée par sa relation avec un homme qui ne considérait pas son propre corps comme un pays lointain, non seulement lointain mais parfois ennemi. Non, l'histoire n'est pas difficile à imaginer. Déjà, à douze ou treize ans, tu as commencé à te développer vers l'intérieur.

Ta poitrine s'est affaissée, tes épaules se sont arrondies, tes bras et tes jambes se sont figés dans des postures gauches, comme s'ils s'étaient dissociés de l'ensemble. Tu t'enfermais dans les toilettes pendant des heures. Dieu sait ce que tu y faisais. Essayais-tu de comprendre les choses ? Quand Uri y allait, il en sortait à la façon d'un bolide, l'eau gargouillant encore dans la cuvette, les joues roses et une chanson à la bouche. Il aurait pu faire ça en public. Toi, en revanche, quand tu émergeais enfin, tu étais pâle, en sueur, mal à l'aise. Que faisais-tu pendant tout ce temps, mon garçon ? Tu attendais que l'odeur s'en aille ?

Elle t'a quitté et tu as menacé de te tuer. En permission, tu restais assis dans le jardin, telle une plante en pot, les épaules enveloppées d'une couverture. Personne n'est venu te voir, pas même Shlomo, parce que quelques mois plus tôt, à cause d'une offense que tu jugeais impardonnable, tu l'avais rayé de la carte, ton ami intime des dix dernières années, aussi proche de toi, plus proche même que tes propres membres. Quel effet ça fait, t'ai-je demandé un jour, d'être un homme de si grands principes que nul ne peut se montrer à la hauteur ? Tu t'es contenté de me tourner le dos, comme tu tournais le dos à tous ceux qui t'avaient trahi par leurs imperfections. Tu restais donc assis dans le jardin, recroquevillé comme un vieillard, te laissant mourir de faim parce que le monde t'avait une fois de plus déçu. Lorsque j'essayais de t'approcher, tu te raidissais et devenais muet. Peut-être percevais-tu mon dégoût. Je te laissais aux soins de ta mère. Vous chuchotiez tous les deux et vous taisiez dès que j'entrais dans la pièce.

Il y a eu une autre fille, après ça. Celle que tu as rencontrée à l'armée, quand vous étiez tous deux stationnés à Nachal Tzofar. Tu as arrêté de venir à la maison les week-ends, tu voulais rester près d'elle. Puis ils l'ont envoyée dans le nord, c'est bien ça ? Vous trouviez cependant le moyen de vous voir. À la fin de son service, elle s'est inscrite à la Hebrew University. Ta mère m'a dit que tu avais l'intention de la suivre là-bas. L'armée voulait faire de toi un officier mais tu as refusé, tu avais d'autres projets. Tu voulais étudier la philosophie. Quelles en sont les applications pratiques ? t'ai-je demandé. Tu m'as jeté un regard noir. Je ne suis pas idiot, je reconnais la valeur de tout élargissement de la vision humaine. Seulement pour toi, mon enfant, je souhaitais une vie fondée sur des choses solides. Partir dans la direction opposée, vers toujours plus d'abstraction, m'apparaissait dans ton cas comme un désastre annoncé. Certains possèdent la constitution nécessaire, pas toi. Dès ton plus jeune âge, tu as recherché et accumulé la souffrance. Bien sûr, ce n'est pas aussi simple. On ne choisit pas entre la vie extérieure et la vie intérieure, elles coexistent, aussi médiocrement que ce soit. La question, c'est : Sur quoi met-on l'accent ? Et là, fût-ce maladroitement, j'ai essayé de te guider. Assis dans le jardin, un châle sur les épaules, te remettant de tes incursions dans le monde, tu lisais des ouvrages sur l'aliénation de l'homme moderne. Qu'est-ce que l'homme moderne a de plus que les juifs ? ai-je demandé un jour en passant devant toi, le tuyau d'arrosage à la main. Les juifs vivent dans l'aliénation depuis des milliers d'années. Pour l'homme moderne, c'est un passe-temps. Que peux-tu apprendre dans ces livres que tu ne connaisses déjà depuis ta naissance ? Puis, tout en arrosant les légumes du potager, j'ai laissé dériver dans ta direction quelques gouttelettes d'eau qui ont trempé ton livre. Mais ce n'était pas moi qui te barrais le chemin. Je n'aurais pas pu, même si je l'avais voulu.

Nous nous tenions dans l'entrée qui était jadis notre maison à tous, une maison remplie de vie, dont les pièces débordaient de rires, de discussions, de larmes, de poussière et d'odeurs de nourriture, de souffrance, de désirs, de colère et de silence aussi, le silence compact de gens serrés les uns contre les autres dans ce qu'on appelle une famille. Puis Uri s'est engagé dans l'armée et, trois ans plus tard, ce fut toi et après ce qui est arrivé, tu as quitté Israël ; ce ne fut plus alors que la maison de ta mère et la mienne, nous n'occupions forcément qu'une pièce à la fois, au maximum deux, laissant le reste vide. Et maintenant ce n'était plus que la mienne. Seulement tu étais là, tel un visiteur embarrassé, un invité fatigué, accroché à ta valise. Je l'ai regardée puis je t'ai regardé. Tu l'as passée d'une main dans l'autre. J'avais pensé, as-tu commencé à dire, puis tu t'es arrêté, suivant des yeux quelque chose d'invisible, à l'autre bout de la pièce. J'ai attendu.

J'avais pensé que, si ça ne te dérangeait pas, je resterais un petit moment ici.

J'ai dû avoir l'air abasourdi, parce que tu as dégluti puis tu as détourné la tête. Et je l'étais, Dov. J'étais abasourdi. Et j'aurais voulu te dire, Oui. Bien sûr. Reste ici avec moi. Je vais te faire ton ancien lit. Ce n'est pas ça que j'ai dit. J'ai dit, Pour ton plaisir ou le mien ? Une grimace, légère mais indéniable, a crispé tes traits avant de s'évanouir, laissant de nouveau ton visage plat et sans vie. Et, l'espace d'un instant, j'ai cru que je t'avais perdu, que tu me tournerais une nouvelle fois le dos, ainsi que tu l'avais toujours fait. Mais non. Tu es demeuré là, debout, le regard perdu dans la salle de séjour, comme si tu y voyais quelque chose, un souvenir, peut-être, le fantôme de l'enfant que tu étais autrefois.

Le mien, as-tu dit simplement.

J'ai scruté ton visage, essayant de comprendre.

Et ton travail ? Il ne faut pas que tu rentres ? ai-je demandé parce que cela avait toujours été ton prétexte quand nous ne te voyions presque jamais, c'était toujours le travail que tu ne pouvais abandonner, qui te retenait au loin.

Tu as accusé le coup. Les rides entre tes yeux se sont creusées et d'une main tu as touché ta tempe, juste au-dessus de la petite veine bleue qui, dans ton enfance, gonflait et se mettait à battre lorsque tu étais en colère.

J'ai démissionné.

J'ai cru avoir mal entendu. Toi, pour qui rien ne comptait plus que ton travail. J'ai répété ma question : On compte certainement sur toi, non ? Mais j'ai vu que, debout dans l'entrée, tu n'étais pas vraiment là. Tu étais avec un souvenir, celui que tu voyais derrière moi, traversant la salle de séjour.

Garçon étrange, tu t'es développé dès le départ vers l'intérieur. Quand nous te posions une question, il nous fallait parfois attendre une demi-journée pour avoir la réponse. Il était proprement impensable que tu répondes sans réfléchir, sans être absolument sûr de la vérité. Le temps que la réponse arrive, personne ne se souvenait plus à quoi tu faisais allusion. À l'âge de quatre ans, tu as commencé à avoir des crises. Tu te jetais sur le sol, donnais des coups de poing et te tapais la tête par terre en envoyant dans tous les coins de ta chambre les objets qui te tombaient sous la main. Souvent c'était parce qu'on te contrariait, mais à d'autres moments, une chose infime et totalement imprévisible te faisait démarrer, un feutre dont on ne retrouvait plus le capuchon, ton sandwich coupé dans le sens de la longueur et non en diagonale. Ton enseignante de maternelle a téléphoné pour nous faire part de son inquiétude. Tu refusais expressément de participer aux activités de la classe. Tu restais assis à l'écart, loin des autres, comme si c'étaient des lépreux, et faisais semblant de ne pas les comprendre lorsqu'ils te parlaient. Tu ne riais jamais, et quand tu pleurais, cela n'avait rien d'une courte explosion ni de pleurnicheries comme les autres gosses, des pleurs que l'on pouvait raisonner en douceur, apaiser peu à peu. Tu étais inconsolable. Chez toi, c'était existentiel. C'est le mot qu'elle a employé. Ta mère devait si souvent venir te chercher avant l'heure, te délivrer et te ramener chez nous, qu'elle n'a pas tardé pas à me le cacher afin d'éviter que je me fâche. Rendez-vous fut pris avec le psychologue scolaire. Il s'est invité chez nous. Le crâne dégarni, les pieds en dedans, il avait toujours un mouchoir à la main pour éponger sa sueur abondante. Ce jour-là, j'ai dû m'arranger pour quitter le bureau à une certaine heure. Ta mère lui a servi du café et des biscuits, t'a donné un verre de lait, et nous vous avons laissé seuls dans la salle de séjour. Pendant une heure, le psychologue, Mr. Shatzner, a tiré des objets de sa serviette et t'a demandé d'inventer des histoires à partir des divers petits jouets et figurines. Nous t'apercevions à travers la porte-fenêtre en passant sur la pointe des pieds dans le couloir. Après cela, il t'a autorisé à sortir et tu es allé jouer dans le jardin pendant qu'il nous interrogeait sur notre « vie familiale ». Avant de partir, il a fait le tour des pièces et a paru surpris de trouver la maison aussi claire et chaleureuse, remplie de plantes, de jouets en bois avec, aux murs, pas mal de tes dessins au crayon de couleur. Je voyais qu'il pensait : les apparences peuvent être trompeuses, et qu'il s'efforçait d'égratigner la surface pour découvrir la négligence et la brutalité sous-jacentes. Ses yeux se sont attardés sur la couverture de laine qui recouvrait ton lit. Ta mère a paru inquiète et je l'ai vue qui se mordait les lèvres et se flagellait parce que, quoi ? Elle n'était pas assez douce ? Elle aurait dû en acheter une avec des dessins de voitures et de camions, comme celle de Yoni, le petit voisin ? J'ai dû me contrôler au maximum pour ne pas le prendre par l'oreille et le jeter dehors. Toi, tu jouais dans le jardin. J'apercevais ta chemise rouge qui flamboyait derrière le cognassier où tu avais découvert une fourmilière, deux jours plus tôt. Puis-je me permettre de vous demander, a dit Shatzner, s'il y a chez vous des problèmes que je devrais connaître ? Dans votre mariage, peut-être ? C'était plus que je n'en pouvais supporter. J'ai saisi le Pinocchio en bois sur l'étagère et je t'ai appelé à tue-tête. Tu as monté pesamment les marches, les genoux couverts de terre, et as regardé pendant que je faisais danser et chanter le Pinocchio, puis le faisais trébucher et tomber sur le nez. Chaque fois qu'il s'effondrait, tu hurlais de rire. Ça suffit, a dit ta mère en posant sa main sur mon bras, je suis sûre que Mr. Shatzner se rend compte que notre petit Dovi n'est pas toujours aussi sérieux. J'ai continué néanmoins, te faisant rire au point que tu as mouillé ta culotte, puis j'ai broyé la main du psychologue à la calvitie naissante entre les miennes, lui ai dit qu'il était libre de fouiner aussi longtemps qu'il en avait envie mais que moi, j'avais des choses plus importantes qui m'attendaient. Je suis sorti en claquant la porte derrière moi.

Ta mère, elle, ne pouvait abandonner aussi facilement. La plus infime remarque laissant supposer qu'elle ne faisait pas vraiment ce qu'il fallait en tant que mère la rendait folle de culpabilité. Elle se fustigeait et tentait de comprendre où elle avait pu faillir. Elle s'est placée sous la tutelle du psychologue et l'écoutait, une fois par semaine, lui expliquer ce qu'il avait glané dans ses séances avec toi qui continuaient à l'école, et lui indiquer comment aplanir certaines de tes « difficultés ». Il a élaboré une stratégie et a établi une série de règles auxquelles ta mère s'est accrochée, sur la façon dont nous devions ou ne devions pas nous comporter avec toi. Il lui a même donné son numéro de téléphone personnel et lorsqu'elle ne savait pas bien comment appliquer l'une de ses règles ou quelle était la réaction appropriée à l'une de tes crises, elle l'appelait à toute heure du jour ou de la nuit, lui exposait le problème d'une voix étouffée et grave, puis écoutait sa réponse en silence en hochant sombrement la tête. Mr. Shatzner a dit que nous ne devrions pas faire cela, déclarait-elle dès que tu avais quitté la pièce, Mr. Shatzner dit que nous devrions le laisser faire ceci, Mr. Shatzner a dit que nous devrions marcher sur la tête, nous mordre la langue, tourner en rond, Mr. Shatzner, Mr. Shatzner, Mr. Shatzner, jusqu'au jour où j'ai explosé et dit à ta mère que je ne voulais plus entendre ce nom-là chez moi, que je savais comment élever mon propre enfant, qu'est-ce qu'il croyait, qu'on jouait au Scrabble, ou au Monopoly ? Il n'y a pas de règles, était-elle aveugle au point de ne pas se rendre compte que tout ce qu'avait fait ce débile, c'était la pousser à bout, l'amener à douter d'une chose qui lui était instinctive depuis le début, une chose dont n'importe quel imbécile venu était capable de se rendre compte, à savoir qu'elle était une mère admirable, pleine d'amour et de patience ? Il a cinq ans, bon Dieu, ai-je hurlé, si tu le traites comme un cas, il le sera toujours. As-tu constaté la moindre amélioration depuis que tu vois ce clown ? Non. Qui est-il pour s'ériger soudain en guide suprême de la conduite humaine ? Tu crois que ce connard en sait plus long que nous, que toi et moi ? Le silence est tombé entre nous. Mais c'est un cas, a dit tranquillement ta mère. Il l'a toujours été.

À la longue, elle a fini par céder. Les séances se sont arrêtées et tu t'es dégagé peu à peu de l'emprise de Shatzner, comme un petit animal qui, aussitôt libéré, court se cacher dans les broussailles. Malgré tout, l'expérience avait donné le ton. Ta mère a continué de te couver et de s'inquiéter, de passer rigoureusement chacune de tes humeurs, de tes scènes et de tes crises de colère au tamis d'une rigoureuse analyse, cherchant désespérément une explication à ton tourment et à notre rôle dans l'affaire. Cette attitude masochiste me rendait fou, presque autant que tes pleurs et tes caprices. Un soir, tu as piqué une crise parce que l'eau de ton bain n'arrivait pas exactement au niveau voulu. Je t'ai saisi sous les bras et je t'ai tenu en l'air, tout nu et dégoulinant. Quand j'avais ton âge, ai-je crié en te secouant si fort que ta tête oscillait pitoyablement sur ton cou, il n'y avait rien à manger, pas d'argent pour acheter des jouets, il faisait toujours froid à la maison, alors nous sortions et jouions avec n'importe quoi, et nous vivions parce que nous, nous étions encore en vie, pendant que d'autres étaient assassinés dans les pogroms, nous, nous pouvions sortir et sentir la chaleur du soleil, courir et jouer au ballon ! Et toi, regarde-toi ! Tu as ce que tu veux et tout ce que tu fais, c'est pousser des cris d'orfraie et gâcher la vie de tout le monde. Ça suffit ! Tu m'entends ? J'en ai assez ! Tu m'as fixé, les yeux écarquillés et, reflétée dans tes pupilles, petite et lointaine, j'ai vu ma propre image.

Il y a soixante-dix ans, moi aussi j'étais un enfant. Soixante-dix ans ? *Soixante-dix ?* Comment est-ce possible ? Passons.

Tu étais toujours là, ta valise à la main. Il n'y avait rien à dire. Tu ne semblais plus avoir besoin de mon aide. Autrefois, peut-être, mais plus maintenant. J'ai un terrible mal de tête, as-tu dit au bout d'un moment. La lumière me blesse les yeux. Si ça ne te gêne pas, je crois que je vais aller m'allonger. Nous parlerons plus tard.

Et comme ça, simplement, tu es rentré dans la maison que tu avais quittée il y avait si longtemps. J'ai entendu tes pas qui montaient lentement les marches.

C'étaient eux les lépreux, Dov, les autres gosses ? C'est pour ça que tu te tenais à l'écart ? Ou bien c'était toi ? Et nous deux, enfermés ensemble dans cette maison, sommes-nous les élus ou les damnés ?

Un long silence, tandis que tu te tenais sans doute sur le seuil de ton ancienne chambre. Puis le grincement de la porte qui se refermait de nouveau, après vingt-cinq ans.

Trous de nage

Ce soir-là, nous lisions tous les deux, selon notre habitude. C'était l'une de ces soirées d'hiver en Angleterre où la nuit, qui tombe à trois heures de l'après-midi, donne à neuf heures des allures de minuit, nous rappelant dans quelles régions septentrionales nous avons planté notre tente. On sonna à la porte. Nous levâmes les yeux de notre lecture et nous regardâmes. Il était rare que quelqu'un vînt nous rendre visite sans s'être annoncé. Lotte posa son livre sur ses genoux. J'allai ouvrir. Un jeune homme se tenait là, un porte-documents à la main. Il est possible qu'un instant avant que j'ouvre la porte il ait éteint sa cigarette, car je crus voir un filet de fumée s'échapper du coin de ses lèvres. Mais c'était peut-être simplement son haleine dans le froid. Je pensai brièvement que c'était l'un de mes étudiants – ils avaient tous le même air entendu, comme s'ils essayaient de faire passer quelque chose en contrebande à l'intérieur ou à l'extérieur d'un pays sans nom. Il y avait une voiture garée le long du trottoir, moteur en marche, et il se retourna pour lui jeter un coup d'œil. Quelqu'un – un homme ou une femme, je n'aurais su le dire – était penché sur le volant.

Lotte Berg est-elle là ? demanda-t-il. Il parlait avec un fort accent que je ne reconnus pas immédiatement. Puis-je vous demander de la part de qui ? Le jeune homme réfléchit un instant, pas plus, assez longtemps tout de même pour me permettre de remarquer une légère crispation aux coins de ses lèvres. Je m'appelle Daniel, dit-il. Je supposai que c'était un de ses lecteurs. Elle n'était pas très connue ; dire même qu'elle était connue à cette époque-là, relèverait de la générosité. Évidemment, elle était toujours heureuse de recevoir une lettre d'admirateur, seulement une lettre, c'était une chose, un inconnu à la porte à cette heure-ci, c'en était une autre. Il est un peu tard… si vous appeliez ou écriviez avant, dis-je, regrettant aussitôt le manque de gentillesse que ce Daniel avait dû percevoir dans mes paroles. Il déplaça quelque chose qu'il avait dans la bouche d'un côté à l'autre et déglutit. Je remarquai alors qu'il avait une très grosse pomme d'Adam. L'idée me vint qu'il n'était pas du tout un lecteur de Lotte. Je regardai l'ombre accumulée dans les plis de sa veste de cuir, à l'endroit où elle lui tombait sur les hanches. J'ignore ce que je pensais y découvrir caché. Bien sûr, il n'y avait rien. Il restait là, comme s'il ne m'avait pas entendu. Il est tard, dis-je, et Ms. Berg – je ne sais pas pourquoi je l'appelai ainsi, c'était absolument ridicule, on aurait dit le maître d'hôtel, pourtant c'est ce qui me sortit de la bouche – Ms. Berg n'attend personne. Cette fois, son visage se contracta, juste une fraction de seconde, et reprit si vite son aspect antérieur que quelqu'un d'autre aurait pu ne rien voir. Cette contraction, pourtant, ne m'échappa pas et j'entrevis alors un autre visage, le visage qu'on a lorsqu'on est seul, ou pas seul, plutôt endormi, inconscient sur un brancard d'hôpital, et j'y reconnus quelque chose. Ceci va paraître idiot, mais alors que je vivais avec Lotte et qu'à ma connaissance ce Daniel ne l'avait jamais rencontrée, je sentis en cet instant que lui et moi nous trouvions, d'une certaine façon, sur le même plan, sur le même plan vis-à-vis d'elle, et que nous n'étions séparés que par quelques degrés. C'était stupide, bien sûr. Après tout, j'étais celui qui l'empêchait d'obtenir ce qu'il voulait d'elle. Il s'agissait là d'une simple projection de moi-même sur ce jeune homme accroché à son porte-documents, devant le squelette de mes hortensias. Mais quelle autre façon avons-nous de prendre une décision concernant autrui ? Et, par-dessus le marché, il gelait dehors.

Je le fis entrer. Debout dans notre vestibule, en grosses chaussures de marche sous notre petite collection de chapeaux de paille, toutes les ombres disparurent et je le vis nettement. Arthur ? appela Lotte, de la salle de séjour. Daniel et moi nous fixâmes du regard. Je lui posai une question et il répondit. Pas une parole ne fut prononcée. Mais nous tombâmes d'accord sur un point. Quoi qu'il arrive, il ne nous dérangerait pas. Il ne ferait rien pour menacer ou démanteler ce que nous avions eu tant de peine à construire. Oui, chérie, répondis-je. Qui est là ? demanda-t-elle. Je scrutai une fois encore le visage de Daniel, à la recherche de la moindre lueur de désaccord. Je n'en vis aucune. Seulement de la gravité ou une conscience de la gravité de l'accord, ainsi que quelque chose d'autre, quelque chose que je pris pour de la gratitude. À ce moment-là, j'entendis les pas de Lotte derrière moi. C'est pour toi, lui dis-je.

Notre vie avait la régularité d'une horloge, voyez-vous. Chaque matin, nous allions marcher sur Hampstead Heath. Nous prenions toujours le même chemin, à l'aller et au retour. J'accompagnais Lotte au trou de nage, comme nous l'appelions, où elle ne manquait pas un seul jour. Il y a trois bassins, un pour les hommes, un pour les femmes et un mixte, et c'était là, dans le dernier, qu'elle nageait quand j'étais avec elle, de façon que je puisse m'asseoir sur le banc tout proche. L'hiver, les hommes venaient creuser un trou dans la glace. Ils devaient travailler de nuit car lorsque nous arrivions, celle-ci était déjà cassée. Lotte ôtait ses vêtements : d'abord son manteau, ensuite son pull, ses bottes et son pantalon, celui en lainage épais, son préféré, et son corps apparaissait enfin, pâle et parcouru de veines bleues. Même si j'en connaissais chaque centimètre, sa vue, le matin, sur un fond d'arbres noirs et trempés, m'excitait presque toujours. Elle s'approchait du bord de l'eau. Pendant les premières secondes, elle restait complètement immobile. Dieu sait à quoi elle songeait. Jusqu'au bout, elle demeura pour moi un mystère. Parfois, la neige tombait autour d'elle. La neige ou les feuilles, mais la plupart du temps, c'était la pluie. Il m'arrivait d'avoir envie de crier, de troubler l'immobilité qui semblait alors appartenir à elle seule. Puis, en un éclair, elle disparaissait dans les ténèbres. Il y avait une éclaboussure, ou le bruit d'une éclaboussure, suivi du silence. Comme elles étaient terribles, ces secondes et comme elles me paraissaient durer une éternité ! Et si elle ne remontait pas ? Quelle est la profondeur du trou ? lui demandai-je un jour, elle m'affirma ne pas le savoir. Souvent, je sautais de mon banc, prêt à plonger derrière elle malgré ma peur de l'eau. Mais au même instant, sa tête apparaissait à la surface, tel le crâne soyeux d'un phoque ou d'une loutre, et elle nageait jusqu'à l'échelle où je l'attendais pour lui jeter la serviette sur les épaules.

Le mardi matin, je prenais le train de huit heures trente pour Oxford et rentrais à Londres le jeudi soir, à vingt et une heures. Chaque fois que nous sortions avec des collègues à moi, Lotte expliquait pourquoi elle ne pourrait pas vivre à Oxford. L'insistance de toutes ces cloches la dérangeait dans son travail, disait-elle. Par-dessus le marché, on est toujours bousculé, poussé, ou heurté violemment par un étudiant ou un autre fonçant à travers les rues, ou bien par quelqu'un à bicyclette, accaparé par la vie de l'esprit. Au moins une fois pendant chacun de ces dîners, j'entendais Lotte raconter l'histoire de la femme qu'elle avait vue renversée par un autobus, dans St Giles Street. Elle traversait la rue et la seconde d'après, disait-elle, élevant la voix, la seconde d'après, elle s'écrasait contre les roues d'un bus. C'est criminel, poursuivait Lotte, de lâcher ces enfants dans le vaste monde, la tête pleine de Platon et de Wittgenstein, sans leur avoir appris à négocier prudemment les dangers de la vie quotidienne. Étrange raisonnement, chez quelqu'un qui passait le plus clair de son temps enfermée dans son bureau, à inventer des histoires et à chercher le moyen de les rendre plausibles. Toutefois, par politesse, personne ne le lui faisait remarquer.

La vérité était évidemment plus compliquée. Lotte aimait la vie qu'elle menait à Londres, elle aimait l'anonymat qui était le sien dès qu'elle sortait du métro à Covent Garden ou King's Cross, et qui eût été impossible à Oxford. Elle aimait le trou de nage et notre résidence de Highgate. Et je crois qu'elle aimait être seule pendant que j'étais parti enseigner aux troupeaux de jeunes à cheveux longs venus de Winchester et des réfectoires encaustiqués d'Eton. Le jeudi soir, elle m'attendait à Paddington avec la voiture, les vitres couvertes de buée et le moteur au ralenti. Pendant ces premières minutes de trajet à travers les rues obscures, tandis qu'elle gardait à mes yeux la clarté d'une personne seule avec elle-même, je discernais parfois chez elle un regain de patience – envers notre vie commune, peut-être, ou autre chose.

Oui, Lotte était pour moi un mystère, mais je puisais un certain réconfort dans ces îlots que je découvrais en elle, des îlots que je pouvais toujours retrouver, fût-ce dans les pires conditions, et utiliser pour m'orienter. Au centre d'elle-même, il y avait cette perte abyssale. À l'âge de dix-sept ans, elle avait été forcée de quitter sa maison de Nuremberg. Pendant un an, elle avait vécu avec ses parents dans un camp de transit à Zbaszyn, en Pologne, dans des conditions que j'imagine atroces ; elle ne parlait jamais de cette époque-là, comme elle ne parlait que rarement de son enfance ou de ses parents. Pendant l'été 1939, grâce à un jeune docteur juif qui se trouvait dans le camp, elle reçut un visa pour accompagner quatre-vingt-six enfants dans un Kindertransport vers l'Angleterre. Quatre-vingt-six, ce détail m'a toujours frappé, d'une part parce que l'histoire, telle qu'elle la racontait, comportait si peu de détails, d'autre part, parce que cela me semblait un chiffre énorme. Comment avait-elle fait pour s'occuper de tant d'enfants, sachant que ce qu'elle avait connu, qu'ils avaient tous connu, venait de disparaître pour toujours ? Le bateau partit de Gdynia, sur la Baltique. La traversée, censée durer trois jours, en prit cinq parce que pendant le voyage, Staline signa le pacte avec Hitler et que le bateau fut dérouté pour éviter l'Allemagne. Ils arrivèrent à Harwich trois jours avant la déclaration de guerre. Les enfants furent dispersés à travers tout le pays, dans des foyers d'accueil. Lotte attendit que le dernier d'entre eux monte dans le train. Puis ils disparurent, emportés loin d'elle, et Lotte s'enfonça dans sa propre vie.

Non, je ne pouvais absolument pas savoir ce qu'elle charriait au fond d'elle. Mais peu à peu, je découvris certains repères. Lorsqu'elle criait dans son sommeil, c'était presque toujours de son père qu'elle venait de rêver. Lorsqu'elle était blessée par quelque chose que j'avais dit ou fait ou, le plus souvent, oublié de dire ou de faire, elle devenait soudain très aimable, d'une amabilité laquée, comme celle de deux individus qui se retrouvent par hasard assis l'un à côté de l'autre, pendant un trajet en autocar, un long trajet pour lequel un seul d'entre eux a pensé à apporter de quoi manger. Quelques jours plus tard, un minuscule incident survenait – j'avais oublié de remettre la boîte à thé sur l'étagère ou bien j'avais laissé traîner mes chaussettes par terre – et alors là, elle explosait. La force et l'ampleur de sa colère étaient effrayantes et l'unique réponse possible était de me tenir coi et de garder le silence jusqu'à ce que le plus fort de l'orage soit passé et qu'elle ait commencé à battre en retraite. À ce moment-là, il y avait une trêve, ou une ouverture. Un instant plus tôt, le geste destiné à calmer et à réparer n'eût fait qu'attiser sa fureur. Un instant plus tard, elle s'était déjà retirée en elle-même et avait fermé la porte, s'installant dans cette chambre obscure où elle pouvait survivre des jours entiers, voire des semaines, sans m'adresser la parole. Il me fallut des années pour mettre le doigt sur ce fameux instant, pour apprendre à le voir venir et à le saisir quand il était là, pour nous épargner à nous deux ce silence éprouvant.

Elle luttait contre sa tristesse mais essayait de la cacher, de la décomposer en fragments toujours plus petits et de les éparpiller dans des endroits où elle pensait que personne ne les découvrirait. Cependant, moi, je les trouvais souvent – avec le temps j'appris où chercher – et je tentais de les rassembler. Si je regrettais qu'elle ne pense pas pouvoir partager avec moi cette tristesse, je savais néanmoins que ça la blesserait davantage d'apprendre que j'avais mis au jour ce qu'elle n'avait pas l'intention que je détecte. Fondamentalement, je crois qu'elle ne supportait pas d'être connue. Ou s'en accommodait mal, tout en y aspirant. Cela heurtait son sens de la liberté. Mais il est impossible de regarder tranquillement une femme que l'on aime en se contentant de la considérer avec perplexité. À moins que l'on ne soit porté à la vénération, ce qui n'est pas mon cas. Au cœur du travail de tout chercheur, il y a la quête de schémas. Vous trouvez peut-être dure ma façon de suggérer que mon attitude envers ma femme était celle d'un chercheur, mais je crois que ce serait se méprendre sur ce qui motive un véritable chercheur. Plus j'ai appris, au cours de ma vie, plus j'ai ressenti mon appétit de connaissance et ma cécité, en même temps que je me sentais plus proche de la fin de cet appétit, la fin de cette cécité. J'ai parfois eu l'impression d'être cramponné au bord – de quoi, je ne saurais le dire sans risquer de paraître ridicule – pour finalement déraper et me retrouver encore plus profondément enfoncé dans le trou. Et là, dans l'obscurité, je retrouve en moi-même une forme d'approbation de tout ce qui continue de pulvériser mes certitudes.

C'est pour toi, dis-je à Lotte, sans me retourner. Les yeux toujours fixés sur Daniel, je ne vis pas son expression lorsqu'elle le découvrit. Par la suite, je me demandai si elle avait révélé quoi que ce soit. Daniel fit quelques pas vers elle. L'espace d'un instant, il parut incapable de trouver ses mots. Je captai sur son visage quelque chose que je n'avais pas remarqué auparavant. Il se présenta comme l'un de ses lecteurs, ainsi que je m'y attendais. Lotte l'invita à entrer à l'intérieur de la maison, enfin, plus à l'intérieur. Il me laissa prendre sa veste mais refusa de se séparer de son porte-documents ; il contenait, supposai-je, un manuscrit qu'il désirait montrer à Lotte. La veste exhalait une odeur écœurante d'eau de Cologne, encore qu'une fois débarrassé d'elle, Daniel, pour autant que je sache, ne sentait rien. Lotte le conduisit dans la cuisine et, tout en la suivant, il observa chaque objet autour de lui, les tableaux sur les murs, les enveloppes à poster, sur la table, et lorsque ses yeux rencontrèrent son reflet dans le miroir, je crus percevoir l'ombre d'un sourire. Lotte, d'un geste, lui indiqua la table de la cuisine et il s'assit, plaçant délicatement son porte-documents entre ses pieds comme s'il renfermait un petit animal vivant. À la façon dont il regardait Lotte remplir la bouilloire cabossée et la placer sur la cuisinière, je compris qu'il ne s'attendait pas à aller aussi loin. Sans doute avait-il espéré au mieux repartir avec un livre dédicacé. Et voilà qu'il se trouvait dans la demeure du grand écrivain ! Sur le point de boire le thé dans l'une de ses tasses ! Je me rappelle avoir pensé que c'était peut-être là l'encouragement dont Lotte avait justement besoin. Elle parlait peu de son travail quand elle était en plein dedans, mais je savais exactement, d'après son humeur, comment elle allait, or, depuis quelques semaines, elle m'avait paru dolente, déprimée. Je m'excusai poliment, disant que j'avais à faire, et montai à l'étage. Jetant un coup d'œil par-dessus mon épaule, j'éprouvai un regret de l'enfant que nous n'avions pas eu et qui aurait été à peu près du même âge que ce Daniel, qui aurait pu, comme lui, venir du froid, débordant de choses à nous raconter. Je n'y avais plus pensé jusqu'à présent, mais le soir où Daniel sonna à notre porte, pendant l'hiver de 1970, nous étions à la fin novembre, le moment de l'année où elle mourut, vingt-sept ans plus tard. J'ignore quel sens ceci peut avoir pour vous ; aucun, sauf que nous puisons un réconfort dans les symétries que nous décelons dans la vie parce qu'elles suggèrent un dessein, là où il n'y en a pas. Le soir où elle perdit conscience pour la dernière fois me semble plus lointain maintenant que l'après-midi de juin 1949 où je la vis pour la première fois. C'était à une garden-party organisée en l'honneur des fiançailles de Max Klein, un grand ami, du temps où j'étais étudiant. Rien ne pouvait être plus charmant et plus distingué que le grand bol de punch en cristal et les vases d'iris fraîchement coupés. Cependant, dès l'entrée, je sentis quelque chose d'étrange dans la pièce, quelque chose qui rompait une lumière ou une atmosphère par ailleurs homogène. J'en découvris sans peine la source. C'était une petite femme aux allures de moineau, avec une courte frange noire, qui se tenait debout près des portes donnant sur le jardin. Elle détonnait sur tout ce qui se trouvait autour d'elle. D'abord, bien qu'on fût en été, elle portait une robe en velours violet proche de la blouse de travail. Sa coiffure ne ressemblait à aucune de celles des femmes présentes, plutôt à celle d'une garçonne des années vingt, dans un style privilégiant apparemment le confort plutôt que l'élégance. Elle avait au doigt une grosse bague en argent qui paraissait trop lourde pour ses mains maigres (beaucoup plus tard, quand elle la quitta et la posa sur ma table de nuit, je remarquai qu'elle laissait une marque de corrosion verte sur sa peau). Mais ce fut son visage, ou plutôt l'expression de son visage, qui me parut particulièrement inhabituelle. Elle me rappelait Prufrock – *Tu auras le temps…/De te préparer un visage pour les visages de rencontre*[1] – parce qu'elle seule, dans la pièce, paraissait ne pas en avoir eu le temps, ou n'avoir pas songé à le prendre. Non que son visage fût ouvert ou le moins du monde révélateur. Simplement, il avait l'air au repos, complètement inconscient de lui-même, tandis que les yeux absorbaient tout ce qui se passait devant eux. Ce que j'avais d'abord pris chez elle pour de la gêne m'apparaissait, à présent que je l'observais à l'autre bout de la pièce, comme exactement le contraire : la gêne des autres, révélée par contraste avec elle. Je demandai à Max qui elle était et il me dit que c'était une vague parente, une cousine éloignée de sa fiancée. Elle resta plantée au même endroit toute la soirée, un verre vide à la main. À un certain moment, je la rejoignis d'un pas nonchalant et lui proposai de le remplir.

À cette époque, elle louait une chambre non loin de Russell Square. L'autre côté de la rue avait été bombardé et de sa fenêtre on voyait les tas de gravats où les enfants venaient parfois jouer à *King*

1. *Le Chant d'amour d'Alfred Prufrock*, de T.S. Eliot. Trad. P. Leyris.

of the Castle[1] (bien après la tombée de la nuit on entendait encore leurs voix) et, çà et là, la carcasse d'une maison dont les fenêtres vides encadraient le ciel. Dans l'une d'elles, seule la cage d'escalier à la rampe sculptée émergeait encore des décombres et, dans une autre, on distinguait des restes de papier peint à fleurs que le soleil et la pluie effaçaient peu à peu. C'était à la fois mélancolique et étrangement excitant d'observer des intérieurs ainsi exposés aux regards. Je voyais souvent Lotte contempler ces ruines, avec leurs cheminées solitaires. La première fois que je lui rendis visite, je fus stupéfait du peu de choses que contenait la pièce. Elle vivait déjà depuis presque dix ans en Angleterre, mais en dehors de son bureau, il n'y avait que quelques meubles très simples et, beaucoup plus tard, je compris que, pour elle, les murs et le plafond de sa chambre n'avaient guère plus d'existence que ceux d'en face.

Son bureau, lui, était une autre affaire. Dans cette petite pièce sans ornements, il éclipsait tout le reste, tel une espèce de monstre grotesque et menaçant, amarré à la plus grande partie d'un mur et repoussant les pauvres meubles à l'autre bout de la pièce, où ils se blottissaient les uns contre les autres comme sous l'effet de quelque sinistre force maléfique. Il était en bois foncé avec, au-dessus du plateau, un mur de tiroirs, des tiroirs de tailles parfaitement irrationnelles, tel le bureau d'un sorcier du Moyen Âge. Sauf que chaque dernier tiroir était vide, ce que je découvris un soir en attendant Lotte, partie aux toilettes au fond du couloir, ce qui, d'une certaine façon, donnait au bureau, au spectre de ce gigantesque bureau plus proche d'un vaisseau que d'un bureau, un vaisseau voguant sur une mer d'encre, par une nuit sans lune, loin de tout rivage, un aspect encore plus inquiétant. C'était, je l'ai toujours pensé, un bureau essentiellement masculin. Parfois, en venant la chercher, j'éprouvais une espèce de curieuse et inexplicable jalou-

---

1. « Le roi du château ». Jeu dans lequel un joueur se tient sur une hauteur, en situation dominante par rapport aux autres joueurs, et doit défendre cette position.

sie, au moment où elle ouvrait la porte et que, trônant derrière elle, menaçant de l'avaler tout entière, apparaissait ce meuble extraordinaire.

Un jour, je m'armai de courage et lui demandai où elle l'avait trouvé. Elle était pauvre comme Job et j'imaginais mal qu'elle ait pu économiser l'argent nécessaire à l'achat d'un tel bureau. Mais au lieu de calmer mes alarmes, sa réponse me plongea dans le désespoir. C'était un cadeau, me dit-elle. Et quand, faisant de mon mieux pour paraître dégagé alors que je sentais déjà mes lèvres trembler, comme chaque fois que l'émotion me submerge, je lui demandai un cadeau de qui, elle me jeta un regard, un regard que je n'oublierai jamais, car c'était ma première incursion dans le système de lois complexe qui régissait la vie avec Lotte, encore qu'il me fallut des années pour comprendre ces lois, si tant est que je les aie comprises un jour – un regard équivalent à l'édification d'un mur. Inutile de préciser qu'on en resta là.

Dans la journée, elle travaillait à classer des livres dans les sous-sols de la British Library et, le soir, elle écrivait. D'étranges histoires, souvent troublantes, qu'elle laissait sur sa table pour, supposais-je alors, que je les lise. Deux enfants en tuent un troisième dont ils convoitent les chaussures et, découvrant après sa mort qu'elles ne leur vont pas, les mettent en gage auprès d'un autre enfant auquel les chaussures vont parfaitement et qui les porte avec bonheur. Une famille endeuillée, en promenade dans un pays en guerre dont on ne connaît pas le nom, traverse par accident les lignes ennemies et découvre une maison vide où elle s'installe, indifférente aux atrocités commises par l'ancien propriétaire.

Elle écrivait en anglais, bien sûr. Pendant toutes nos années de vie commune, je ne l'entendis que rarement prononcer un mot allemand. Même lorsque son Alzheimer atteignit un stade avancé et que son langage se désintégra, elle ne revint jamais aux syllabes de sa jeunesse, comme le font beaucoup de gens. Il m'arrivait de penser que si nous avions eu un enfant, il lui aurait permis de retrouver sa langue maternelle. Nous n'en avons pas eu. Dès le départ, Lotte me fit clairement comprendre qu'il n'en était pas question. J'avais toujours imaginé que j'aurais des enfants, peut-être parce qu'il me semblait que c'était le lot de tout le monde, mais je ne crois pas m'être jamais réellement vu en père. Les quelques fois où je tentai d'aborder le sujet, elle éleva immédiate-ment entre nous un mur que je mis plusieurs jours à démanteler. Elle n'avait pas à s'expliquer ni à justifier sa position, j'aurais dû le comprendre (non qu'elle s'attendît à ce que je comprenne. Plus que toute autre personne de ma connaissance, Lotte se contentait de vivre dans un état constant d'incompréhension. C'est si excep-tionnel, quand on y pense, que ce trait peut apparaître comme propre à la psychologie d'une race plus avancée que la nôtre). Je finis par accepter l'idée d'une vie sans enfants et je ne peux pas dire que, quelque part, je n'en fus pas quelque peu soulagé. Bien que plus tard, les années passant sans rien avoir produit de bien extra-ordinaire, sans que rien ou presque ne vînt changer ou enrichir notre vie, je regrettai parfois de ne pas avoir mieux défendu mon point de vue : des pas dans l'escalier, un inconnu, un émissaire.

Mais non, notre vie était axée sur la protection du quotidien ; y introduire un enfant aurait tout brisé. La perturbation de nos habi-tudes déstabilisait Lotte. J'essayais de l'isoler de l'imprévu ; la moindre modification d'un projet la désarçonnait totalement. La journée se perdait alors à tenter de rétablir un sentiment de paix. Il me fallut plus d'un an pour la convaincre d'abandonner sa chambre misérable au-dessus des décombres pour venir vivre avec moi à Oxford. Naturellement, je lui demandai de m'épouser. Je pris même un appartement plus grand, dans une maison dépendant de l'uni-versité. Il était très confortable, avec une cheminée dans le living et dans la chambre à coucher, plus une grande fenêtre donnant sur le jardin. Lorsque arriva enfin le jour du déménagement, j'allai cher-cher Lotte chez elle. À part son bureau et les quelques autres pauvres meubles, tout ce qu'elle possédait tenait dans deux vieilles valises, déjà alignées devant la porte. Grisé par la perspective de notre vie à deux, plein de l'espoir de voir pour la dernière fois le maudit bureau, j'embrassai son visage, ce visage que j'avais toujours tant de plaisir à contempler. Elle me sourit. J'ai loué un camion pour transporter le bureau à Oxford, me dit-elle.

Par l'effet d'un miracle – un miracle ou un cauchemar, selon l'angle de vue – les déménageurs réussirent à négocier les étroits couloirs et escaliers, gémissant sous l'effort et hurlant des obscénités qui s'envolaient dans la brise aigre de ce matin d'automne et me revenaient par la fenêtre ouverte de la pièce où j'attendais, assis, horrifié, jusqu'au moment où, enfin, j'entendis des coups contre la porte ; il était là, posé sur le palier, son bois sombre presque couleur ébène luisant furieusement.

Presque aussitôt que j'amenai Lotte à Oxford, je compris que c'était une erreur. Le premier jour, elle resta tout l'après-midi, le chapeau dans les mains, ne sachant manifestement pas quoi faire. De quelle utilité lui étaient une cheminée en pierre et des fauteuils trop rembourrés ? Me levant au milieu de la nuit, je trouvais le lit vide et la découvrais, debout dans la salle de séjour, son manteau à la main. Quand je lui demandais où elle allait, elle regardait le manteau avec étonnement, puis me le tendait. Je la reconduisais au lit et lui caressais les cheveux jusqu'à ce qu'elle s'endorme – comme je le ferais, quarante ans plus tard, quand elle se mettrait à tout oublier – et restais ensuite éveillé, la tête sur l'oreiller, à fixer les ombres de la chambre, là où le bureau attendait, tel un cheval de Troie.

Peu de temps après, un samedi, nous nous rendîmes à Londres pour déjeuner avec ma tante. Nous partîmes ensuite nous promener tous les deux sur Hampstead Heath. C'était une belle journée d'automne et la lumière se prêtait à toutes sortes de jeux. En marchant, j'exposai à Lotte une idée de livre sur Coleridge. Nous traversâmes Hampstead Heath et nous arrêtâmes prendre un thé à Kenwood House où, plus tard, je lui montrai l'autoportrait tardif de Rembrandt, celui que j'étais allé voir, très jeune, et que j'avais fini par associer à l'expression « un homme fini », formule qui s'ancra dans mon esprit enfantin et devint une secrète aspiration qui me semblait de la dernière distinction. Nous émergeâmes de Hampstead Heath et prîmes le premier tournant qui menait à Fitzroy Park. Alors que nous nous dirigions vers le village de Highgate, nous passâmes devant une maison à vendre. Elle était en mauvais état, très délabrée et complètement envahie par les ronces. Sur le toit pointu, au-dessus de la porte d'entrée, était tapie une étrange petite gargouille horriblement grimaçante. Lotte, immobile, se mit à la contempler en se malaxant les mains de cette façon qu'elle avait quand elle réfléchissait, comme si la réflexion elle-même reposait au creux de ses mains et qu'il lui suffisait de la polir. Je l'observai tandis qu'elle examinait la maison, pensant qu'elle lui rappelait éventuellement un certain lieu, peut-être sa maison natale, à Nuremberg. Quand je la connus mieux, je compris que cela était impossible – elle évitait tout ce qui réveillait ses souvenirs. Non, c'était autre chose. Sans doute l'aspect du bâtiment lui plaisait-il, tout simplement. Quoi qu'il en soit, je vis tout de suite qu'elle était séduite. Nous remontâmes la petite allée qui y conduisait, encombrée d'arbustes échevelés. Une femme au visage sévère nous fit entrer après une certaine hésitation. Il s'avéra qu'elle était la fille de la vieille dame, une potière qui habitait là depuis des années mais qui était devenue trop fragile pour continuer à vivre seule. Il régnait une odeur lourde de médicaments et le plafond du vestibule avait subi un gros dégât des eaux, comme si quelqu'un avait accidentellement dévié le cours d'une rivière pour la faire couler juste au-dessus. Dans une pièce qui donnait sur l'entrée, j'aperçus le dos d'une femme à cheveux blancs, assise dans un fauteuil roulant.

J'avais reçu un petit héritage de ma mère qui nous permit tout juste d'acheter la maison. L'une des premières choses que je fis fut de peindre la mansarde qui devint la pièce de travail de Lotte. C'est elle qui la choisit et j'avoue que je fus soulagé à la pensée que le bureau se trouverait relégué dans la soupente, à l'écart de tout le reste. Lotte adopta le même ton gris tourterelle pour les murs et le sol et, du jour où je finis de la peindre jusqu'à celui où elle ne fut plus en état de monter seule le raide escalier, j'évitai la mansarde. Pas à cause du bureau, bien sûr, mais par respect pour le travail et le désir d'intimité de Lotte, sans lesquels elle n'aurait pas survécu. Il lui fallait un lieu pour s'évader, fût-ce de moi. Si j'avais besoin d'elle, je me postais au pied de l'escalier et l'appelais. Lorsque je lui faisais une tasse de thé, je la laissais au bas des marches.

Environ un an après notre emménagement, Lotte vendit son premier recueil de nouvelles, *Fenêtres brisées*, à une petite maison d'édition de Manchester spécialisée dans la littérature expérimentale (une étiquette qu'elle rejetait, mais pas suffisamment pour refuser une offre de publication). Le livre ne contenait pas une seule référence à l'Allemagne. Tout ce qu'elle autorisa fut une mention, dans la brève biographie figurant en dernière page, de sa date et de son lieu de naissance : Nuremberg, 1921. Cependant, une nouvelle, enfouie vers la fin du volume, frôlait l'horreur. Il y était question d'un architecte paysagiste vivant dans un pays non précisé, un égoïste si absorbé par son propre talent qu'il accepte volontiers de collaborer avec les autorités du brutal régime afin de s'assurer qu'un grand parc de sa conception sera créé près du centre-ville. Il commande des bustes en bronze à l'air suffisamment fasciste à leurs effigies et les dissémine parmi les plantes rares et les espèces tropicales. Il donne à une allée de palmiers le nom du dictateur. Lorsque la police secrète commence à enterrer en pleine nuit les corps des enfants assassinés sous les fondations du parc, il ferme les yeux. Les gens affluent de partout pour voir les fleurs énormes et admirer l'extraordinaire beauté du lieu. La nouvelle était intitulée « Les enfants sont terribles pour les jardins » – une phrase que l'architecte avait jetée, des années auparavant, à une jeune journaliste manifestement amoureuse de son sujet – et longtemps après avoir lu la nouvelle je me surprenais parfois à considérer ma femme avec un certain sentiment de frayeur.

Le soir où Daniel apparut pour la première fois, il était largement passé minuit quand j'entendis la porte d'entrée s'ouvrir puis se refermer. Un autre quart d'heure s'écoula avant que Lotte monte à l'étage. J'étais déjà couché. Je la regardai se déshabiller dans le noir. La révélation de son corps, deux fois par jour, était l'un de mes grands plaisirs. Elle se glissa sous les couvertures et je posai ma main sur sa cuisse. J'attendais qu'elle parle mais elle resta muette. Au lieu de cela, elle se coula sur moi. Tout se fit en silence. Mais je perçus une tendresse particulière dans sa façon de pencher la tête jusqu'à toucher la mienne. Après, nous sombrâmes dans le sommeil. Le lendemain matin, à part une odeur de cigarette qui flottait dans la cuisine, tout était normal. Je partis pour Oxford et il ne fut plus question de Daniel.

Lorsque je rentrai, le jeudi soir, et allai suspendre mon pardessus, je fus assailli par le puissant relent d'eau de Cologne. Il me fallut une minute ou deux pour le relier à la veste de Daniel, que je m'attendis à trouver pendue là, oubliée. Il n'y en avait pas trace. Je n'y aurais sans doute pas repensé si, en m'installant sur le canapé pour lire, après dîner, je n'avais remarqué un briquet en métal, près d'un coussin. Tout en le soupesant d'une main, je me demandai comment formuler la question à Lotte. Mais quelle question, exactement ? Ce jeune homme est-il revenu te voir ? Et même si c'était le cas ? N'avait-elle pas le droit de voir qui elle voulait ? Elle m'avait fait clairement comprendre, dès le début, que je ne détenais aucun droit sur sa liberté, je ne le désirais d'ailleurs pas. Il y avait beaucoup de choses dont elle ne me parlait pas, et je ne posais pas de questions. Un jour, au cours d'une violente dispute au sujet des affaires de notre mère décédée, ma sœur m'avait dit qu'à son avis, ça me plaisait d'être marié à un mystère parce que ça m'excitait. Elle se trompait – elle ne comprenait rien à Lotte – mais peut-être n'avait-elle pas entièrement tort non plus. Il me semblait parfois que ma femme était construite autour d'un triangle des Bermudes ! Sans rire ! Jetez-y un objet et vous risquez de ne jamais plus en entendre parler. Malgré tout, j'avais envie de savoir : Le jeune homme était-il revenu, et qu'avait-il pour qu'elle accepte aussitôt de le voir ? Dire qu'elle n'était pas sociable est un euphémisme. Et pourtant, cet inconnu ne s'était pas plutôt présenté qu'elle lui faisait du thé dans la cuisine.

Nous sommes en quête de schémas, voyez-vous, et tout ce que nous trouvons, c'est l'endroit où ils se brisent. Or, c'est là, dans cette anfractuosité, que nous plantons notre tente et attendons.

Lotte lisait en face de moi. Je voulais te demander, dis-je, d'où vient Daniel ? Elle leva les yeux de son livre. Toujours cette expression chiffonnée quand je la tirais de sa lecture. Qui ? Daniel, dis-je. Le jeune type qui a sonné à la porte, l'autre soir. J'ai perçu un accent, sans pouvoir vraiment l'identifier. Lotte ne répondit pas. Daniel, répéta-t-elle, comme si elle testait la viabilité du nom pour l'une de ses histoires. Oui, d'où venait-il ? Du Chili, dit-elle. Du Chili ! m'exclamai-je. Ça alors, c'est vraiment extraordinaire que tes livres aillent jusque là-bas. Pour autant que je sache, il en avait acheté un chez Foyles, dit Lotte. Nous n'en avons pas parlé. Il a beaucoup lu et désirait rencontrer quelqu'un avec qui discuter littérature, c'est tout. Tu es sûrement modeste, dis-je. Il paraissait émerveillé de se trouver en ta présence. Je suis certain qu'il pourrait citer des paragraphes entiers de ton œuvre. Une expression peinée parcourut le visage de Lotte mais elle resta silencieuse. Il est seul ici, c'est tout, fit-elle.

Le lendemain, le briquet avait disparu de la table basse où je l'avais laissé. Dans les semaines qui suivirent, cependant, je continuai à déceler des signes de la présence du garçon – des mégots dans la poubelle, un long cheveu noir sur la têtière blanche et, une ou deux fois, en appelant Lotte d'Oxford, je crus détecter dans sa voix la présence de quelqu'un d'autre. Puis, un jeudi soir, alors que je rangeais quelque chose dans mon bureau, je trouvai un agenda en cuir, un carnet noir, gondolé et très usé. Sur la couverture intérieure, il y avait son nom, Daniel Varsky. Chaque page portait les jours de la semaine : lundi, mardi et mercredi à gauche, jeudi, vendredi, samedi/dimanche à droite, et chaque case était entièrement couverte d'une écriture minuscule.

C'est seulement lorsque je vis l'écriture de Daniel que la jalousie qui couvait en moi m'explosa à la figure. Je le revoyais marchant derrière Lotte dans le vestibule et, en même temps que le petit sourire rapide qu'il avait échangé avec lui-même dans le miroir, je crus me rappeler une certaine arrogance. Seul ici ! pensai-je. Seul ici, en veste de cuir, avec un briquet, un sourire satisfait et quelque chose de pressant sous la fermeture éclair du jean ajusté. Je suis gêné de l'admettre aujourd'hui, mais c'est ce qui me vint à l'esprit. Il avait presque trente ans de moins qu'elle. Je ne soupçonnais pas du tout Lotte d'avoir couché avec lui – l'idée même était trop éloignée des lois qui gouvernaient notre petit univers. Seulement, si elle n'avait pas accepté ses avances, elle ne l'avait pas non plus éconduit, elle leur avait accordé l'hospitalité, à elles ou à lui, une certaine intimité avait existé et je voyais, ou croyais voir, que ce jeune homme à la veste de cuir qui s'était confortablement installé à mon bureau m'avait effrontément ridiculisé.

Je savais que tout ce que je pourrais dire à Lotte dans cette conjoncture provoquerait sa colère ; la pensée que je l'avais soupçonnée et surveillée lui semblerait une atteinte intolérable à sa liberté. De quel droit avais-je agi ainsi ? Voyez-vous, j'étais pieds et poings liés. Et pourtant j'étais sûr que quelque chose se passait derrière mon dos, ne fût-ce qu'un désir.

J'échafaudai un plan, un plan qui peut paraître malavisé mais qui, sur le moment, tenait parfaitement debout. En manière de test, je partirais quatre jours afin de les laisser seuls. Je disparaîtrais, moi, l'obstacle gênant, et donnerais à Lotte toute latitude pour me tromper avec cet arrogant jeune homme en veste de cuir et en jean ajusté qui lui débitait sans aucun doute avec feu ses vers de Neruda, le visage à quelques centimètres du sien. Ce que j'écris, tant d'années après, dans l'ombre infinie du sort tragique de ce garçon, paraît totalement ridicule mais, à l'époque, c'était pour moi très réel. Poussé par le désespoir et mon orgueil blessé, je voulais ou pensais vouloir la forcer à faire ce que j'étais convaincu qu'elle mourait d'envie de faire, à réaliser ses désirs au lieu de les nourrir en secret, à nous livrer tous les deux aux terribles conséquences qui s'ensuivraient. Alors qu'en vérité, tout ce que je recherchais, c'était la preuve qu'elle ne désirait que moi. Ne me demandez pas avec quelles preuves j'espérais démontrer l'une ou l'autre chose. À mon retour, me disais-je, tout sera clair.

J'informai Lotte que j'allais assister à une conférence à Francfort. Elle hocha la tête, impassible, bien que plus tard, couché dans ma chambre d'hôtel misérable, tandis que rien ne se passait et que la situation ne cessait d'empirer, je crus me rappeler avoir vu une petite lueur dans ses yeux. Une ou deux fois par an, j'assistais à des conférences sur le romantisme anglais qui se tenaient dans toute l'Europe, brèves réunions assez proches, émotionnellement, pour les participants, de ce qu'éprouvent les juifs quand ils descendent de l'avion en Israël : le soulagement de se trouver enfin entourés de tous côtés par leurs congénères – le soulagement et l'horreur. Lotte, préférant ne pas interrompre son travail, m'accompagnait rarement dans ces voyages et, pour cette raison, je refusais toujours les invitations à assister à des conférences se tenant sur d'autres continents, à Sydney, Tokyo ou Johannesburg, par exemple, où les spécialistes de Wordsworth ou de Coleridge aspiraient à inviter leurs amis et leurs collègues. Oui, je refusais ces invitations parce qu'elles m'auraient tenu trop longtemps éloigné de Lotte.

Je ne me rappelle pas pourquoi je choisis Francfort. Peut-être une conférence s'y était-elle tenue récemment ou y était prévue dans un avenir proche, si bien que dans le cas où l'un de mes collègues tomberait sur Lotte et où le sujet d'une conférence à Francfort viendrait sur le tapis, personne ne s'en étonnerait. Ou peut-être, n'ayant jamais su mentir, avais-je choisi Francfort parce que le nom était imposant et la ville suffisamment inintéressante pour ne pas éveiller de soupçons comme l'auraient fait, disons, Paris ou Milan, encore que l'idée de Lotte soupçonneuse soit de toute façon absurde. Peut-être savais-je que Lotte ne remettrait, sous aucun prétexte, les pieds en Allemagne et j'étais donc sûr qu'elle ne proposerait pas de m'accompagner.

Le matin de mon départ, je me levai très tôt, enfilai le costume que je portais toujours quand je voyageais en avion et bus mon café, alors que Lotte dormait encore. Puis je jetai un dernier coup d'œil circulaire sur notre maison comme si je la voyais pour la dernière fois – les planchers aux larges lames polies par l'usage, le fauteuil de lecture de Lotte, jaune pâle, avec les taches de thé sur l'accoudoir gauche, les étagères ployant sous les livres dont les dos formaient un motif interminable et bigarré, la porte-fenêtre donnant sur le jardin, les arbres squelettiques sous le gel. Je vis tout cela et le ressentis comme une flèche en moi, pas dans le cœur, mais dans les tripes. Je fermai la porte et montai dans le taxi qui attendait le long du trottoir.

Presque dès mon arrivée à Francfort, je regrettai mon choix. Le vol n'avait été qu'une suite de turbulences et pendant la descente mouvementée en plein orage, un silence sinistre s'était abattu sur les quelques passagers recroquevillés dans leur manteau, ou peut-être semblait-il sinistre uniquement parce qu'il servait de fond aux gémissements bruyants d'une Indienne en sari violet qui serrait convulsivement sur son sein un petit enfant terrifié. Le ciel, à travers les vitres de la salle de livraison des bagages, était sombre et immobile. Je pris le train jusqu'à la gare principale et, de là, gagnai à pied l'hôtel où j'avais réservé une chambre, dans une petite rue donnant sur la Theaterplatz, et qui s'avéra être un endroit sans charme, d'aspect impersonnel, dont le seul effort de convivialité était les marquises aux rayures rouges, au-dessus des fenêtres du hall d'entrée et du restaurant, effort entrepris manifestement plusieurs années auparavant, dans un esprit à présent oublié ou perdu, car elles étaient en piteux état et tachées de fiente d'oiseau. Un groom boutonneux et maussade me conduisit à ma chambre et me tendit ma clef attachée à une grosse plaque, ce qui la rendait difficile à transporter et garantissait ainsi que les résidents du minable hôtel déposeraient, à chaque sortie, leur clef à la réception. Après avoir mis le chauffage en marche et ouvert les rideaux sur le bâtiment en ciment, de l'autre côté de la rue, le groom s'attarda dans la chambre, allant jusqu'à s'assurer que le minibar contenait l'assortiment voulu de minuscules bouteilles et canettes, avant que je pense enfin à lui donner un pourboire et qu'il me laisse en me souhaitant une bonne journée.

Dès que la porte se fut refermée derrière lui, je fus submergé par un sentiment de solitude, une solitude caverneuse que je n'avais plus éprouvée depuis bien longtemps, pratiquement depuis mes années d'étudiant. Pour me calmer, je sortis les quelques objets que renfermait ma valise. Au fond, se trouvait le calepin noir de Daniel. Je le pris et m'assis au bord du lit. Jusque-là, je m'étais contenté de le feuilleter sans essayer de déchiffrer les microscopiques caractères espagnols, mais à présent, sans rien d'autre à faire, je m'efforçai de leur trouver un sens. D'après ce que je comprenais, cela ressemblait à un compte rendu assez ennuyeux de sa vie quotidienne : ce qu'il mangeait, les livres qu'il lisait, qui il rencontrait etc., en réalité, une longue liste dépourvue de toute réflexion sur ces activités, une banale marche contre l'oubli, aussi vaine que toutes les autres. Je cherchais évidemment le nom de Lotte ; je le trouvai six fois : le soir où il avait sonné à la porte, puis cinq autres fois, toujours lorsque j'étais à Oxford. Je me retrouvai en sueur, une sueur froide, car le radiateur ne faisait pas encore sentir ses effets, et je me servis une bouteille de Johnnie Walker. Puis j'allumai la télévision et ne tardai pas à m'endormir. Dans mes rêves, je vis Lotte à quatre pattes et le Chilien qui la prenait par-derrière. Lorsque je m'éveillai, une demi-heure seulement s'était écoulée, alors que je croyais avoir dormi beaucoup plus longtemps. Je me lavai le visage et descendis, laissai ma clef au réceptionniste qui était occupé à compter de grosses liasses de marks et sortis dans la rue grise où il commençait à pleuvoir. Quelques immeubles plus loin, je passai devant une femme appuyée contre les sonnettes d'un immeuble de couleur beige et qui sanglotait. Je songeai à m'arrêter pour lui demander ce qui n'allait pas et même, qui sait, l'inviter à prendre un verre. Je ralentis donc en arrivant à sa hauteur, assez près pour remarquer le trou dans ses bas, mais finalement c'était trop éloigné du personnage que j'ai été toute ma vie, que cela m'ait plu ou non, et je passai mon chemin.

Ces journées à Francfort s'écoulèrent avec une atroce lenteur ; c'était comme la descente d'un objet sans vie dans les profondeurs de l'océan, de plus en plus sombres, de plus en plus froides, de plus en plus effroyables. Je passai mon temps à arpenter les quais du Main, parce que, pour autant que je pusse en juger, la ville tout entière était grise, affreuse et pleine de gens misérables et je ne voyais aucun intérêt à m'aventurer au-delà de ces rives où les Francs avaient pour la première fois accosté avec leurs javelots, et aussi parce que, dans cette ville, seuls les arbres du rivage, grands et magnifiques, avaient le pouvoir de me calmer un tant soit peu. Loin d'eux, j'imaginais le pire. Allongé dans ma chambre d'hôtel, trop agité pour lire, l'énorme plaque suspendue à la serrure, je voyais Daniel Varsky se pavanant, torse nu, dans la cuisine ou inspectant ma penderie à la recherche d'une chemise propre, et laissant tomber par terre celles qui ne lui plaisaient pas, ou bien se glissant dans le lit, celui que nous partagions depuis près de vingt ans, à côté de Lotte nue. Quand je ne pouvais plus supporter ces images, je me forçais à retourner dans les rues blafardes et sinistres.

Le troisième jour, il se mit à pleuvoir à torrents et je me réfugiai dans un restaurant, ou plutôt une cafétéria peuplée de zombies, me sembla-t-il, dans cette lumière incertaine. C'est assis là, occupé à m'apitoyer sur mon sort devant une assiettée de pâtes huileuses que je n'avais guère envie d'avaler, qu'une évidence s'imposa soudain à moi. Pour la première fois, il me vint à l'esprit que je pouvais m'être trompé sur Lotte. Je veux dire totalement et grossièrement trompé. Toutes ces années où j'avais cru qu'elle avait besoin de régularité, de routine, d'une vie que rien d'inhabituel ne devait interrompre, l'inverse était en réalité peut-être vrai. Peut-être avait-elle tout le temps rêvé de quelque chose qui viendrait faire voler en éclats cet ordre soigneusement préservé, d'un train traversant le mur de la chambre ou d'un piano tombant du ciel, et plus je m'efforçais de la protéger de l'imprévu, plus elle étouffait, plus son désir s'intensifiait jusqu'à devenir insupportable.

Cela me paraissait possible. Ou du moins, dans cette infernale cafétéria, pas impossible, à peu près aussi vraisemblable, en tout cas, que l'autre scénario, celui en lequel j'avais cru depuis le début, m'enorgueillissant de si bien comprendre ma femme. Tout à coup, j'eus envie de pleurer. De frustration, d'épuisement et du désespoir de ne jamais pouvoir m'approcher du centre, le centre toujours mouvant, de la femme que j'aimais. Les yeux fixés sur les pâtes huileuses, j'attendais l'arrivée des larmes, souhaitant même qu'elles arrivent pour pouvoir me décharger d'un fardeau, car au point où j'en étais, je me sentais si lourd, si fatigué, que je ne voyais pas comment j'aurais pu me lever. Mais elles ne vinrent pas et je restai assis là des heures, à regarder la pluie dégouliner sans répit le long de la vitre, songeant à notre vie commune, celle de Lotte et la mienne, à la façon dont tout y était conçu pour produire un sentiment de permanence, la chaise contre le mur, qui était là quand nous nous endormions et de nouveau là quand nous nous réveillions, les petites habitudes qui parlaient de la journée passée et prédisaient la journée à venir, alors que tout cela n'était qu'une illusion, comme la matière est une illusion, comme notre corps est une illusion, feignant d'être une chose, alors qu'il est composé de millions et de millions d'atomes qui vont et viennent, certains apparaissant tandis que d'autres nous quittent pour toujours, comme si chacun d'entre nous n'était qu'une grande gare ferroviaire, non, même pas ça, parce que dans une gare, les pierres, les voies et le dôme de verre demeurent immobiles pendant que tout le reste la traverse à toute vitesse, non, c'était pire que ça, davantage un énorme champ vide dans lequel un cirque se montait et se démontait chaque jour, du haut en bas, mais toujours différent, alors, quel espoir avions-nous réellement de nous comprendre nous-mêmes, sans parler de comprendre les autres ?

Enfin, ma serveuse s'approcha. Je ne m'étais pas aperçu que la cafétéria s'était vidée, que les serveurs avaient débarrassé les tables et les recouvraient de nappes blanches pour le soir, moment auquel l'endroit devenait apparemment respectable. L'équipe du déjeuner arrête le travail à quatre heures, me dit-elle. Nous fermons jusqu'au dîner, à six heures. Elle ne portait plus son uniforme noir et blanc et avait enfilé ses vêtements de ville, une minijupe bleue et un pull jaune. Je m'excusai, payai la note, avec un gros pourboire, et me levai. Peut-être la serveuse, qui n'avait pas plus de vingt ans, vit-elle alors une grimace sur mon visage, la grimace d'un homme soulevant un poids énorme, parce qu'elle me demanda si j'allais loin. Je ne pense pas, répondis-je, car je ne savais pas exactement où je me trouvais. Je vais à la Theaterplatz. Elle dit qu'elle allait, elle aussi, dans cette direction et, à ma grande surprise, me demanda de l'attendre pendant qu'elle prenait son sac. Je n'ai pas de parapluie, expliqua-t-elle en désignant le mien. Pendant que je l'attendais, je fus obligé de revoir mon jugement sur la cafétéria où il y avait maintenant des bougies sur chaque table, placées une à une par un serveur, et qui, ne puis-je m'empêcher d'admettre quand la jeune fille revint en souriant, employait une aussi jolie et aimable serveuse.

Nous nous serrâmes sous mon parapluie et sortîmes dans la bourrasque. La proximité de son corps me remonta aussitôt le moral. Le trajet ne dura que dix minutes et nous parlâmes surtout de ses cours à l'école d'art et de sa mère qui était hospitalisée pour un kyste. Aux yeux d'un passant, nous aurions pu être un père et sa fille. Lorsqu'on atteignit la Theaterplatz, je lui dis de garder mon parapluie. Elle tenta de refuser mais j'insistai. Puis-je vous poser une question personnelle ? dit-elle, à l'instant où nous nous préparions à nous séparer. Bien sûr, répondis-je. À quoi pensiez-vous au restaurant, pendant tout ce temps-là ? Vous aviez l'air tellement malheureux, et au moment où je me disais que ça ne pouvait pas être pire, ça empirait. Aux gares ferroviaires, dis-je. Aux gares et aux cirques, puis j'effleurai des doigts la joue de la jeune fille comme, me semblait-il, un père aurait pu le faire, le père qu'elle aurait dû avoir dans un monde plus juste, et je rentrai à l'hôtel où je fis ma valise, payai la chambre et pris le premier avion pour Londres.

Il était tard lorsque le taxi s'arrêta à Highgate, devant notre maison, mais ce que j'en vis me remplit de joie : sa silhouette familière qui se détachait sur le fond du ciel, la lumière des réverbères qui tombait entre les feuilles, les lumières, jaunes à travers les vitres, jaunes comme elles ne le sont jamais que lorsqu'on regarde de l'extérieur, jaunes comme dans le tableau de Magritte. Sur-le-champ, je décidai de tout pardonner à Lotte. Pourvu que la vie continue telle qu'elle était avant. Pourvu que la chaise qui était là quand nous nous endormions soit encore là le lendemain matin, je me moquais de ce qui pouvait lui arriver tandis que nous dormions côte à côte, je me moquais de savoir si c'était la même chaise ou mille autres différentes ou si, durant la longue nuit, elle cessait totalement d'exister, pourvu que, lorsque je m'asseyais dessus pour enfiler mes chaussures ainsi que je le faisais chaque matin, elle supporte mon poids. Je n'avais pas besoin de tout savoir. J'avais simplement besoin de savoir que notre vie continuerait comme avant. D'une main tremblante, je payai le chauffeur et cherchai mes clefs.

J'appelai Lotte. Un silence, puis j'entendis le bruit de ses pas dans l'escalier. Elle était seule. Dès que je vis son expression, je compris que le garçon était parti pour de bon. J'ignore comment je le savais, mais je le savais. Quelque chose de non dit passa entre nous. Nous nous étreignîmes. Lorsqu'elle me demanda comment s'était passée la conférence et pourquoi je rentrais un jour plus tôt, je lui dis que celle-ci s'était bien déroulée, sans rien de très intéressant, et qu'elle m'avait manqué. Nous dînâmes tard et, tout en mangeant, je cherchai sur le visage de Lotte et dans sa voix un signe révélant la façon dont les choses s'étaient terminées avec Varsky, mais la route était barrée : dans les jours qui suivirent, Lotte se montra silencieuse, songeuse, et je la laissai en paix, ainsi que je l'ai toujours fait.

Plusieurs mois passèrent avant que je me rende compte qu'elle lui avait donné son bureau. Je m'en aperçus seulement lorsque je remarquai qu'une table avait disparu de la cave. Je lui demandai si elle l'avait vue et elle me dit qu'elle s'en servait comme bureau. Mais tu en as un, lui dis-je sottement. Je l'ai donné, répondit-elle. Donné ? dis-je, incrédule. À Daniel, ajouta-t-elle. Il l'admirait, alors je le lui ai donné.

Oui, Lotte était pour moi un mystère, un mystère à travers lequel cependant je me frayais, d'une certaine manière, un chemin. Elle était la seule enfant habitant avec ses parents quand les SS avaient sonné à leur porte, ce soir d'octobre 1938, et les avaient emmenés avec les autres juifs polonais. Ses frères et sœurs étaient tous beaucoup plus âgés qu'elle – une de ses sœurs étudiait le droit à Varsovie, un frère était le rédacteur en chef d'un journal communiste à Paris et un autre, professeur de musique à Minsk. Pendant un an, elle s'accrocha à ses vieux parents, et eux à elle, dans le compartiment blindé de ce cauchemar à grande vitesse. Lorsque son visa d'accompagnatrice arriva, ce fut sans nul doute pour eux un miracle. Bien entendu, il était impensable de ne pas le saisir et partir. Mais il était sûrement tout aussi impensable de laisser ses parents derrière elle. Je ne pense pas que Lotte se le soit jamais pardonné. J'ai toujours été persuadé que c'était le seul vrai regret de sa vie, un regret tellement énorme qu'il ne pouvait être géré directement. Il relevait la tête dans des endroits improbables. Par exemple, je pensais que ce qui troublait vraiment Lotte dans l'histoire de la femme qui avait été renversée par un autobus, dans St Giles Street, c'était sa propre réaction sur le moment. Elle avait assisté à l'accident – la femme qui commençait à traverser la rue, le crissement des freins, le bruit terrible du corps qui tombait – et tandis qu'une foule se rassemblait autour de la femme à terre, Lotte s'était détournée et avait poursuivi sa route. Elle ne m'en avait pas parlé avant ce soir-là, pendant que nous lisions. Lorsqu'elle me raconta l'histoire, naturellement je demandai, ainsi que tout le monde l'aurait fait, si la femme s'en était tirée. Une certaine expression passa sur le visage de Lotte, une expression que j'avais déjà vue de nombreuses fois et que je ne peux décrire autrement que comme une espèce d'immobilité, comme si tout ce qui existait normalement juste sous la surface s'était retiré dans les profondeurs. Il y eut un silence. Je ressentis une chose qui survient de temps à autre avec ceux que l'on connaît intimement, à l'instant où la distance, qui a toujours été repliée, tel un jouet chinois en papier, se déploie brusquement entre vous. Rompant le charme, Lotte haussa les épaules et dit qu'elle ne savait pas. Elle ne rajouta rien, mais le lendemain, je la surpris en train de scruter les pages du journal, à la recherche, j'en étais sûr, d'un compte rendu de l'accident. Elle était partie, voyez-vous. Elle était partie sans attendre de découvrir ce qui s'était passé.

Toute sa vie, je crus qu'il s'agissait de ses parents. Lorsqu'elle me raconta l'histoire du bus, il s'agissait de ses parents. Quand elle se réveillait la nuit en pleurant, il s'agissait de ses parents, et quand elle s'emportait contre moi et me battait froid pendant des jours, il s'agissait aussi d'une certaine façon, croyais-je, de ses parents. La perte était si énorme qu'il n'y avait pas à chercher plus loin.

Comment pouvais-je savoir que, perdu dans le maelström de son être, il y avait aussi un enfant ?

Je n'en aurais peut-être jamais rien su si un événement étrange ne s'était produit vers la fin de la vie de Lotte. À cette époque, son Alzheimer était déjà très avancé. Au début, elle avait essayé de le cacher. Je lui rappelais quelque chose que nous avions fait ensemble – un restaurant du bord de mer, à Bornemouth, où nous avions mangé, bien des années auparavant, ou la promenade que nous avions effectuée en bateau, en Corse, pendant laquelle son chapeau s'était envolé et flottait sur la crête des vagues en direction des rivages de l'Afrique, du moins l'avions-nous imaginé par la suite, allongés nus, gorgés de soleil et heureux, sur notre lit. Je lui rappelais l'un de ces souvenirs et elle disait, Bien sûr, bien sûr, mais je voyais dans ses yeux que, sous ces mots, il n'y avait rien, juste un gouffre, pareil au trou d'eau noir dans lequel elle disparaissait chaque matin par n'importe quel temps. Puis vint la période où elle eut peur, où elle constatait avec effroi tout ce qu'elle perdait chaque jour, presque chaque heure, telle une personne qui se vide lentement de son sang et glisse vers l'oubli dans une longue hémorragie. Quand nous sortions, elle s'accrochait à mon bras comme si la rue, les arbres, les maisons, l'Angleterre risquaient à tout instant de disparaître, nous envoyant valdinguer, cul par-dessus tête, incapables à jamais de retrouver notre équilibre. Et puis même cette phase passa, elle ne se rappelait plus suffisamment pour avoir peur, elle ne se rappelait plus, je suppose, que la réalité avait été différente et, à partir de ce moment-là, elle s'en alla seule, totalement seule, en un lent voyage de retour vers les rivages de son enfance. Sa conversation, si l'on peut l'appeler ainsi, se désintégra, ne laissant derrière elle que les décombres sur lesquelles avait été construite une chose autrefois magnifique.

C'est à cette époque-là qu'elle commença à fuguer. Je revenais par exemple de faire les commissions et trouvais la porte d'entrée ouverte, la maison vide. La première fois que cela arriva, je pris la voiture et fis le tour du quartier pendant un quart d'heure, de plus en plus affolé, avant de la trouver, à un kilomètre de là, dans Hampstead Lane, assise à un arrêt de bus, sans veste, alors qu'on était en plein hiver. Lorsqu'elle me vit, elle ne se leva pas. Lotte, lui dis-je en me penchant vers elle, ou peut-être dis-je ma chérie, où avais-tu l'intention d'aller ? Chez une amie, répondit-elle en croisant et décroisant les jambes. Quelle amie ? demandai-je.

Il devint impossible de la laisser seule. Elle ne fuguait pas toujours, mais il y avait eu tant d'alertes que j'engageai une infirmière pour la garder trois après-midi par semaine, de façon à pouvoir faire les courses. La première fut un vrai cauchemar. Au début, elle m'avait paru très sérieuse car elle s'était présentée avec une longue liste de références, mais elle se révéla très vite négligente et irresponsable, motivée uniquement par l'argent. Un après-midi, en arrivant chez nous, je la trouvai debout, très agitée, sur le pas de la porte. Où est Lotte ? demandai-je. Elle se tordit les mains. Qu'est-ce qui se passe ? dis-je en la poussant sans ménagement pour entrer dans le vestibule où Lotte et moi avions pénétré ensemble pour la première fois, il y avait si longtemps de cela, du temps où la maison appartenait encore à la potière en fauteuil roulant et où, au-dessus de nos têtes, pendaient les dégâts de la rivière détournée, une rivière que, je l'avoue, me réveillant parfois en pleine nuit, je croyais entendre encore couler quelque part dans les murs. Mais le vestibule était vide, tout comme le living et la cuisine. Où est ma femme ? demandai-je, ou criai-je peut-être, encore que je ne sois pas du genre à crier. Elle va bien, m'assura l'infirmière, Alexa ou Alexandra, je ne me rappelle plus. Une dame très gentille a appelé, une magistrate si je ne me trompe. Elle va ramener Lotte sans tarder. Je ne comprends pas, hurlai-je, car à ce moment-là, j'avais certainement perdu mon sang-froid et m'étais mis à hurler, Comment a-t-elle pu s'en aller alors que vous étiez assise à côté d'elle ? En fait, répondit l'infirmière, je n'étais pas assise à côté d'elle. Elle regardait la télévision et c'était une émission qui ne me plaisait pas beaucoup, alors j'ai décidé d'attendre dans l'autre pièce qu'elle ait fini. Et après cette émission, elle en a regardé une autre du même genre, j'ai donc appelé une amie et nous avons bavardé un peu, ensuite Lotte a décidé de regarder une *troisième* émission, horrible celle-là, de celles où on voit des serpents dévorer des animaux sans défense, des serpents et des alligators, je crois, bien qu'il me semble que dans la troisième, c'étaient des piranhas, enfin, après ça, je suis allée voir si elle avait besoin de quelque chose et elle n'était plus là. Heureusement, le tribunal a appelé quelques minutes plus tard en disant que Ms. Berg était là-bas et qu'elle allait parfaitement bien.

J'étais parvenu à un tel degré de fureur que j'avais du mal à parler. Le tribunal ? criai-je. LE TRIBUNAL ? Et si une voiture ne s'était pas arrêtée au même instant devant la porte, je crois que je me serais jeté sur elle. La conductrice, une femme proche de la soixantaine, descendit et fit le tour du véhicule pour ouvrir la portière à Lotte. Elle remonta patiemment avec elle l'allée débarrassée depuis longtemps de ses ronces et bordée, de chaque côté, d'iris mauves et de muscaris, le violet étant la couleur préférée de Lotte. Eh bien, Ms. Berg, nous voici enfin à la maison, dit la femme en conduisant Lotte par le bras comme si celle-ci était sa propre mère. Enfin à la maison, répéta Lotte avec un sourire épanoui. Bonjour, Arthur, dit-elle en défroissant ses jambes de pantalon et, passant devant moi, elle entra dans le couloir.

Par la suite, la femme, qui était bien magistrate, me raconta l'histoire suivante : vers trois heures, elle était allée au bout du couloir parler à une collègue et, au retour, elle avait vu Lotte, assise, son sac sur les genoux, regardant droit devant elle comme si elle était en voiture et que des paysages inconnus défilaient devant elle, ou comme si elle jouait dans un film où elle était censée être en voiture, alors qu'en fait elle était totalement immobile. Puis-je vous aider ? avait demandé la magistrate bien que, normalement, on l'appelât d'un coup de sonnette quand elle avait un visiteur, or, elle n'avait aucun rendez-vous de prévu. Par la suite, elle essaya en vain de comprendre comment Lotte avait pu échapper à l'attention du garde chargé de la sécurité et de sa secrétaire. Lentement, Lotte s'était tournée vers elle. Je viens signaler un crime, dit-elle. Très bien, fit la magistrate en s'asseyant en face d'elle, car la seule alternative aurait été de la prier de sortir, ce qu'elle n'avait pas le cœur de faire. Quel crime ? demanda-t-elle. J'ai abandonné mon enfant, annonça Lotte. Votre enfant ? demanda la magistrate qui, en cet instant, pressentit que Lotte, âgée de soixante-quinze ans à l'époque, était sans doute désorientée ou n'avait plus toute sa tête. Le 20 juillet 1948, cinq semaines après sa naissance, dit-elle. À qui l'avez-vous donné ? demanda la magistrate. Il a été adopté par un couple de Liverpool, dit Lotte. Dans ce cas, madame, personne n'a commis de crime, dit la magistrate.

Lotte devint silencieuse. D'abord silencieuse, puis troublée. Troublée puis terrifiée. Elle se leva brusquement et demanda à être reconduite chez elle. Se leva mais sans savoir où aller, comme si elle avait oublié jusqu'à l'emplacement de la porte, comme si la sortie avait disparu avec tout le reste. Lorsque la magistrate lui demanda son adresse, Lotte lui donna le nom d'une rue allemande. Quelque part dans le couloir résonna le bruit d'un marteau d'ivoire et Lotte sursauta. Elle finit par laisser la magistrate chercher dans son sac son adresse et son numéro de téléphone. Celle-ci appela chez nous et parla à l'infirmière, puis elle dit à sa secrétaire qu'elle serait de retour sans tarder. Au moment où elles quittaient l'immeuble, Lotte leva les yeux, voyant, aurait-on dit, la magistrate pour la première fois.

Un froid, une espèce de terrible engourdissement envahit mon crâne, comme si un courant glacé était monté le long de ma colonne vertébrale et se déversait dans mon cerveau pour protéger mon sensorium du choc de la nouvelle qu'il venait de recevoir. Je réussis à remercier la magistrate avec effusion et dès que sa voiture démarra, je rentrai et congédiai l'infirmière qui partit en m'injuriant. Je trouvai Lotte dans la cuisine qui se servait dans la boîte à biscuits.

Au début, je ne fis rien. Puis, peu à peu, mon esprit commença à se dégeler. J'écoutais les bruits que faisait Lotte en allant et venant, une respiration, le craquement d'une jointure, une déglutition, ses lèvres sèches qu'elle humectait ou un petit grognement qui s'échappait de sa bouche. Quand je l'aidais à se déshabiller ou à prendre son bain, ce que je devais faire à présent, je contemplais son corps menu dont j'avais cru connaître le moindre centimètre et me demandais comment j'avais pu ne jamais me douter qu'il avait porté un enfant. Je sentais ses odeurs, celles de toujours, et puis les nouvelles, celles de sa vieillesse, et je me disais, Notre maison est la maison de deux espèces différentes. Ici vivent deux espèces différentes, l'une sur la terre ferme, l'autre dans l'eau, l'une qui s'agrippe à la surface et l'autre qui rôde dans les profondeurs et pourtant, chaque soir, par une faille dans les lois de la physique, elles partagent le même lit. Je regardais Lotte brosser ses cheveux blancs dans le miroir et je savais que chaque jour, à partir de maintenant jusqu'à la fin, nous deviendrions de plus en plus étrangers l'un à l'autre.

Qui était le père de l'enfant ? À qui Lotte avait-elle donné le nourrisson ? L'avait-elle revu ou été en contact avec lui d'une façon ou d'une autre ? Où était-il à présent ? Je retournais sans fin ces questions dans ma tête, des questions que j'étais surpris de me poser, comme si je me demandais pourquoi le ciel était vert ou pourquoi une rivière coulait dans nos murs. Lotte et moi n'avions jamais parlé de nos liaisons respectives avant notre rencontre, moi par respect pour elle et elle parce que c'était ainsi qu'elle gérait le passé : dans un silence total. Bien sûr, j'étais conscient qu'elle avait eu des amants. Je savais par exemple que le bureau lui avait été offert par l'un d'eux. Peut-être avait-il été le seul, j'en doutais cependant, car Lotte avait déjà vingt-huit ans quand je l'avais rencontrée. Il m'apparut tout à coup que c'était lui, le père de l'enfant. Comment expliquer autrement l'étrange attachement de Lotte à ce bureau, le fait qu'elle accepte de vivre avec ce monstrueux objet, non seulement de vivre avec, mais de travailler dans le giron de la bête, jour après jour – quoi d'autre que la culpabilité et, très probablement, le regret ? Il ne me fallut pas longtemps pour me heurter, en toute logique, au fantôme de Daniel Varsky. Si ce qu'elle avait dit à la magistrate était vrai, il aurait eu plus ou moins le même âge que son enfant. Je n'imaginai jamais qu'il soit réellement son fils – ç'aurait été tout à fait impossible. Je ne saurais dire comment elle aurait réagi si son fils, devenu adulte, avait franchi notre seuil, mais je sais que ça n'aurait pas été de la manière dont elle l'avait fait quand elle posa, pour la première fois, les yeux sur Daniel. Et pourtant, soudain, je compris ce qui l'avait attirée vers lui et, d'un seul coup, tout devint clair, ou du moins en partie, avant de se fondre dans d'autres inconnues et dans d'autres questions.

Quatre ans environ après la première visite de Daniel Varsky, Lotte vint me chercher à Paddington, un soir d'hiver de 1974, et dès l'instant où je montai en voiture, je me rendis compte qu'elle avait pleuré. Inquiet, je lui demandai ce qui n'allait pas. Elle se tut, et c'est en silence que nous roulâmes sur la Westway et traversâmes St John's Wood, du côté sombre de Regent's Park où, de temps à autre, les phares illuminaient l'éclair fantomatique d'un joggeur. Tu te souviens de ce jeune Chilien qui est venu à la maison, il y a quelques années ? Daniel Varsky ? demandai-je. Oui, bien sûr. À ce moment-là, je n'avais aucune idée de ce qu'elle allait me dire. Une série de choses me traversèrent l'esprit, mais elles étaient toutes très loin de ce qu'elle me raconta. Il y a environ cinq mois, dit-elle, il a été arrêté par la police secrète de Pinochet. Depuis, sa famille n'a plus aucune nouvelle de lui et elle a toute raison de croire qu'il a été tué. D'abord torturé puis tué, dit-elle, et en glissant sur ces derniers mots cauchemardesques, sa voix ne se coinça pas dans sa gorge, ne se contracta pas pour retenir des larmes, mais se dilata au contraire à la manière des pupilles dans l'obscurité, comme si elle contenait non pas un cauchemar, mais plusieurs.

Je demandai à Lotte comment elle savait et elle me dit qu'elle correspondait avec Daniel de temps en temps, jusqu'au jour où elle n'avait plus rien reçu. Au début, ça ne l'avait pas tracassée, car il fallait souvent longtemps à ses lettres pour parvenir à destination – on les faisait suivre ; bougeant beaucoup, Daniel s'était entendu avec un ami qui habitait Santiago. Elle écrivit de nouveau et, ne recevant toujours pas de réponse, elle commença à s'inquiéter, car elle connaissait la gravité de la situation au Chili. Elle écrivit donc directement à l'ami en question en lui demandant des nouvelles de Daniel. Presque un mois passa avant qu'elle reçoive enfin une lettre de l'ami lui apprenant que Daniel avait disparu.

Ce soir-là, j'essayai de consoler Lotte. Mais tout en essayant, je me rendais compte que je ne voyais pas comment m'y prendre, que nous nous livrions tous les deux à une espèce de pantomime vide, puisque je ne pouvais espérer connaître ni comprendre l'importance que le jeune homme avait eue pour elle. Ce n'était pas à moi de le savoir et pourtant elle désirait que je la console, elle en avait peut-être besoin, et même si je pense qu'un meilleur homme que moi eût sans doute réagi différemment, je ne pouvais m'empêcher d'éprouver une pointe d'amertume. Juste un soupçon, pas plus, mais tout en la serrant contre moi, dans la voiture, devant la maison, je le ressentis. Après tout, n'était-ce pas injuste de sa part d'élever des murs, puis de me demander ensuite de la consoler de ce qui se passait derrière ? Injuste, voire égoïste ? Naturellement, je ne dis rien. Qu'aurais-je pu dire ? Je lui avais jadis promis de tout lui pardonner. La violente tragédie du garçon planait au-dessus de nos têtes dans l'obscurité. Je la serrai contre moi et la consolai.

Huit ou dix jours après que Lotte eut été ramenée par la magistrate, je montai à son cabinet de travail pendant qu'elle sommeillait sur le canapé. Cela faisait un an et demi qu'elle n'y était plus allée et, sur sa table, il y avait encore ses papiers, tels qu'elle les y avait laissés, la dernière fois où elle avait lutté contre son esprit défaillant et avait définitivement perdu la bataille. La vue de son écriture sur ces pages recroquevillées par le temps me fit mal. Je m'assis à la simple table en bois qu'elle utilisait comme bureau depuis qu'elle avait donné l'autre à Daniel Varsky, vingt-cinq ans plus tôt, et étalai mes mains sur le plateau. La plupart des mots écrits sur la première page avaient été barrés, ne laissant, ici et là, que quelques lignes ou fragments de phrase. Ce que je pouvais en déchiffrer était en grande partie dénué de sens et pourtant, dans les furieuses ratures et les lettres tremblées, la frustration de Lotte était évidente, la frustration de quelqu'un s'efforçant de transcrire un écho de plus en plus faible. Mon regard s'arrêta sur une ligne, presque en bas de page : *l'homme* ~~stupéfait~~ *se tenait debout sous le plafond : qui cela peut-il être ? Qui cela peut-il donc bien être ?* Sans prévenir, un sanglot me monta à la gorge, telle une énorme vague, une vague qui avait traversé un océan tout plat et par ailleurs placide dans le seul but de s'abattre sur ma tête. Il me terrassa.

Après cela, je me levai et me dirigeai vers le meuble où Lotte rangeait ses papiers et ses dossiers. Je ne savais pas ce que je cherchais mais pensais que, tôt ou tard, j'y découvrirais quelque chose. Il y avait là de vieilles lettres de son éditeur, des cartes d'anniversaire envoyées par moi, des ébauches d'histoires qu'elle n'avait pas publiées, des cartes postales de gens que je connaissais et d'autres que je ne connaissais pas. Je fouillai pendant une heure sans rien trouver qui se rapporte à l'enfant. Pas plus que de lettres de Daniel Varsky. Ensuite, je descendis au rez-de-chaussée où Lotte venait de se réveiller. Nous sortîmes nous promener, ainsi que nous en avions pris l'habitude depuis le début de ma retraite. Nous marchâmes jusqu'à Parliament Hill où nous contemplâmes les cerfs-volants qui se balançaient dans le vent, puis rentrâmes dîner.

Cette nuit-là, après que Lotte se fut endormie, je me glissai hors du lit, me fis une tasse de camomille, feuilletai le journal sans me presser puis, comme si l'idée venait de me traverser l'esprit, montai à la soupente. Là, j'ouvris d'autres tiroirs et d'autres dossiers et, quand j'en eus fini avec ceux-là, d'autres tiroirs et d'autres dossiers surgirent à la place de ceux que j'avais déjà examinés, certains étiquetés, d'autres pas. Des pages, qui semblaient s'être échappées de leur plein gré, venaient émigrer au milieu du plancher comme un automne de papier mis en scène par un enfant désœuvré. La quantité de papier entassée par Lotte dans ce petit meuble aux dimensions trompeuses paraissait sans limites et je commençais à désespérer de jamais découvrir ce que je cherchais. En lisant des fragments de lettres, de notes et de manuscrits, je ne pouvais me défaire du sentiment que j'étais en train de trahir Lotte de la façon la plus impardonnable à ses yeux.

Il était largement plus de trois heures du matin quand je mis enfin la main sur la chemise en plastique contenant deux documents. Le premier était un bulletin de sortie tout jauni, rédigé par l'East End Maternity Hospital, daté du 15 juin 1948. Sous la mention, Nom du patient, quelqu'un, une infirmière ou une secrétaire, avait tapé Lotte Berg. L'adresse donnée n'était pas celle de la chambre près de Russell Square, mais d'une rue dont je n'avais jamais entendu parler, que je recherchai par la suite sur un plan et qui apparemment se situait dans le quartier de Stepney, non loin de l'hôpital. Le bulletin disait que Lotte avait donné naissance à un garçon, le 12 juin, à dix heures vingt-cinq du matin, et qu'il pesait trois kilos deux cents. Le second document était une enveloppe scellée. La colle, ancienne et sèche, céda facilement sous mon doigt. À l'intérieur, se trouvait une petite mèche de fins cheveux bruns. Je la mis dans la paume de ma main. Pour des raisons que je ne saurais expliquer, je revis une touffe de poils accrochée à une branche basse, que j'avais un jour trouvée en marchant dans les bois, étant enfant. Je ne savais pas de quel animal elle provenait et j'imaginai une bête majestueuse, de la taille d'un élan, mais très gracieuse, cheminant en silence dans la forêt, une créature magique qui ne se montrait pas aux humains et qui avait laissé un signe à moi seul destiné. Je tentai de chasser cette image à laquelle je n'avais pas repensé depuis plus de soixante ans pour me concentrer sur le fait que ce que je tenais dans ma main était une mèche de cheveux de l'enfant de ma femme. Malgré moi, cependant, tout ce qui m'occupait l'esprit, c'était ce magnifique animal qui foulait en silence le sol de la forêt, un animal qui ne parlait pas mais qui savait tout et regardait avec beaucoup de tristesse et de douleur les ravages causés par la vie humaine sur son espèce et toutes les autres. À un certain moment, je me demandai même si la fatigue ne me donnait pas des hallucinations, mais je me dis, Non, voilà ce qui arrive quand on vieillit, le temps vous abandonne et les souvenirs deviennent involontaires.

L'enveloppe ne contenait rien d'autre. Au bout d'un certain temps, je laissai retomber la mèche de cheveux dedans et la refermai avec un morceau de ruban adhésif. Je la rangeai dans la chemise en plastique que je replaçai au fond du tiroir où je l'avais trouvée. Puis je rangeai tous les papiers épars, les remis en ordre du mieux que je pus, fermai les tiroirs du meuble et éteignis les lumières. L'aube n'était plus très loin. Je descendis sans bruit l'escalier et entrai dans la cuisine pour faire chauffer de l'eau. Dans la lumière blafarde, il me sembla distinguer un mouvement sous l'azalée, près de la porte du jardin. Un hérisson, pensai-je, ravi, sans aucune raison valable cependant. Qu'est-il arrivé aux hérissons d'Angleterre ? Ces douces créatures que je voyais partout étant enfant, encore que, même alors, on les trouvât souvent morts sur le bord des routes. Qu'est-ce qui a tué tous les hérissons ? me demandai-je tandis que le sachet de thé s'enfonçait dans l'eau fumante et, mentalement, je me fis une promesse, que je me rappellerais ou pas, celle de dire à Lotte que, jadis, on les trouvait partout dans le pays, ces adorables animaux nocturnes dont les grands yeux démentent la vue terriblement défectueuse. Si le renard connaît beaucoup de choses, le hérisson, lui, connaît une chose essentielle, comme disait Archiloque, mais qu'était-ce donc ? Le temps passa et j'entendis Lotte qui m'appelait de la chambre. Oui, mon amour, lui criai-je, le regard toujours fixé sur le jardin. J'arrive.

Mensonges d'enfants

J'ai rencontré Yoav Weisz et je suis tombée amoureuse de lui à l'automne 1998. Je l'ai rencontré à une soirée, dans Abingdon Road, plus loin dans cette rue que j'étais jamais allée. Je suis tombée amoureuse, chose encore nouvelle pour moi à l'époque. Dix ans ont passé et pourtant cette période se détache dans ma vie avec plus de netteté que beaucoup d'autres. Comme moi, Yoav était à Oxford, mais il habitait Londres, dans la maison de Belsize Park qu'il occupait avec sa sœur, Leah. Celle-ci étudiait le piano au Royal College of Music et je l'entendais souvent jouer, quelque part derrière les murs. Parfois les notes s'arrêtaient brusquement et un long silence s'installait, ponctué par le raclement du tabouret de piano ou un bruit de pas sur le plancher. Je pensais qu'elle allait apparaître pour me dire bonjour, mais la musique recommençait derrière la boiserie. J'avais été trois ou quatre fois chez eux avant de croiser Leah et, ce jour-là, je fus surprise de voir combien elle ressemblait à son frère, en plus délicat cependant, et plus apte à disparaître s'il vous arrivait de détourner les yeux.

La maison, une grande bâtisse en brique de style victorien, délabrée et beaucoup trop vaste pour eux deux, était remplie de meubles d'une beauté sombre que leur père, un antiquaire de renom, y gardait en dépôt. Tous les deux ou trois mois, il passait à Londres et tout était alors réorganisé comme par magie selon son goût infaillible. Certaines tables, chaises, lampes ou méridiennes partaient dans des caisses, et d'autres venaient prendre leur place. Si bien que les pièces changeaient sans cesse d'aspect, revêtant les différentes atmosphères mystérieuses, disloquées, de maisons et d'appartements dont les propriétaires étaient morts, avaient fait faillite ou simplement décidé de dire adieu aux objets parmi lesquels ils avaient vécu pendant des années, laissant à George Weisz le soin de les débarrasser de leur contenu. De temps en temps, un acheteur potentiel venait voir un meuble ou un autre, et Leah et Yoav faisaient alors disparaître les chaussettes sales, les livres ouverts, les magazines tachés et les verres vides accumulés depuis le dernier passage de la femme de ménage. Mais la plupart des clients de Weisz n'avaient pas besoin de voir par eux-mêmes ce qu'ils achetaient, soit à cause de la renommée mondiale de l'antiquaire, soit parce qu'ils étaient riches ou que les pièces qu'ils recherchaient avaient une valeur sentimentale sans rapport avec leur apparence. Quand il n'était pas à Paris, Vienne, Berlin ou New York, leur père habitait rue Ha'Oren, à Ein Karem, Jérusalem, dans la maison de pierre envahie de vignes en fleurs où Yoav et Leah avaient passé leur enfance et dont les volets étaient toujours fermés afin de bannir la lumière accablante.

La maison dans laquelle je vécus avec eux de novembre 1998 à mai 1999 était située à douze minutes à pied du 20, Maresfield Gardens, la résidence de Sigmund Freud de septembre 1938, date à laquelle il avait fui la Gestapo, jusqu'à la fin septembre 1939, où il mourut de trois doses de morphine administrées à sa demande. Souvent, au départ d'une promenade, je me retrouvais là. Lorsque Freud s'enfuit de Vienne, presque toutes ses possessions furent emballées et expédiées vers la nouvelle demeure londonienne où sa femme et sa fille réaménagèrent avec amour, dans le moindre détail, le bureau qu'il avait été forcé d'abandonner au 19, Berggasse. À l'époque, je ne savais rien du bureau de Weisz à Jérusalem, si bien que la poétique symétrie de la proximité de cette maison et de celle de Freud m'échappa. Peut-être tous les exilés cherchent-ils à recréer les lieux qu'ils ont perdus, par peur de mourir dans un endroit étranger. Et pourtant, durant l'hiver 1999, alors que je m'attardais sur le tapis d'orient usé du cabinet du docteur, rassurée par le côté accueillant de la pièce et le spectacle de ses nombreuses figurines et statuettes, j'étais souvent frappée par l'ironie qui voulait que Freud, qui fit davantage que quiconque la lumière sur le poids paralysant de la mémoire, aurait été tout aussi incapable que le reste d'entre nous de résister à son charme mythique. Après sa mort, Anna Freud préserva la pièce dans l'état où l'avait laissée son père, jusqu'aux lunettes qu'il enleva de l'arête de son nez et posa pour la dernière fois sur sa table de travail. De douze à dix-sept heures, du mercredi au samedi, on peut visiter cette pièce figée pour l'éternité à l'instant où cessa de vivre l'homme qui nous donna certaines de nos idées les plus durables sur ce que signifie être un individu. Dans la brochure distribuée par un vieux guide assis sur une chaise, à la porte d'entrée, on vous encourage non seulement à considérer la visite comme celle d'une maison réelle, mais aussi, étant donné les différents objets et collections qui y sont exposés, comme celle de cette maison métaphorique, l'esprit.

Je dis *la maison dans laquelle je vécus avec eux* et non *notre maison* parce que même si j'y résidai pendant sept mois, jamais elle ne m'appartint et jamais je n'aurais pu y être autre chose qu'une invitée privilégiée. À part moi, la seule visiteuse régulière était une femme de ménage roumaine nommée Bogna qui luttait contre le chaos chaque jour plus envahissant, prêt, semblait-il, à engloutir le frère et la sœur telle une bourrasque à l'horizon. Après ce qui arriva, elle partit, soit parce qu'elle ne pouvait plus venir à bout du désordre, soit parce que personne ne la payait. Ou peut-être, sentant que les choses prenaient mauvaise tournure, voulut-elle s'évader tant qu'elle le pouvait. Elle boitait – une hydarthrose, je pense – une tasse de Danube qui clapotait dans son genou tandis qu'elle passait de son pas lourd d'une pièce à l'autre, munie de sa serpillière et de son plumeau, soupirant comme au souvenir soudain ravivé d'une déception. Elle gardait le genou solidement bandé sous sa blouse de travail et se décolorait les cheveux avec une mixture de sa confection à base de dangereux produits chimiques. Si on l'approchait suffisamment, elle exhalait une odeur d'oignon, d'ammoniaque et de foin. C'était une femme active, mais elle s'arrêtait parfois dans son travail pour me parler de sa fille qui vivait à Constanţa, une spécialiste en horticulture mal payée par l'État, que son mari avait quittée pour une autre femme. De sa mère, aussi, qui possédait un lopin de terre qu'elle refusait de vendre et qui souffrait de rhumatismes. Bogna les entretenait toutes les deux, leur envoyant chaque mois de l'argent et des vêtements d'Oxfam[1]. Son mari à elle était mort quinze ans plus tôt d'une maladie du sang rare ; il existait maintenant un traitement pour cette affection. Elle m'appelait Isabella au lieu d'Isabel, mon vrai nom, ou Izzy, mon diminutif habituel, et je ne pris jamais la peine de la corriger. Je ne sais pas pourquoi elle me parlait. Peut-être voyait-elle en moi une alliée ou tout au moins une étrangère, quelqu'un d'extérieur à la famille. Moi, je ne me voyais pas ainsi, mais à ce moment-là, Bogna en savait plus que moi.

Une fois Bogna partie, la maison s'en alla à vau-l'eau. Elle s'effondra et se replia sur elle-même, comme pour protester contre l'abandon de sa seule adepte. Les assiettes sales s'entassaient dans toutes les pièces, la nourriture renversée restait là où elle s'était répandue ou figée, la couche de poussière s'épaississait, formant une délicate fourrure grise dans le no man's land, sous les meubles. La moisissure envahissait le réfrigérateur, les fenêtres restaient ouvertes sous la pluie, ce qui faisait cloquer et pourrir leurs rebords et détériorait les rideaux. Lorsqu'un moineau entra et, pris au piège, se mit à battre des ailes contre le plafond, je lançai une plaisanterie sur le fantôme du plumeau de Bogna. Elle tomba dans un silence sinistre et je compris que Bogna, qui avait veillé sur Yoav et Leah pendant trois ans, ne devait plus jamais être évoquée. Après le voyage de Leah à New York et le début du terrible silence entre les enfants et

1. Association caritative britannique.

leur père, ceux-ci ne sortirent plus du tout. Ils n'avaient que moi pour leur rapporter de l'extérieur ce dont ils avaient besoin. Parfois, grattant du jaune d'œuf desséché au fond d'une poêle pour pouvoir préparer le petit déjeuner, je pensais à Bogna, avec l'espoir qu'un jour elle se retirerait dans une petite maison, au bord de la mer Noire, comme elle en rêvait. Deux mois plus tard, fin mai, ma mère tomba malade et je rentrai à New York pendant presque un mois. J'appelais Yoav tous les deux ou trois jours puis, brusquement, le frère et la sœur cessèrent de répondre. Certains soirs, je laissais le téléphone sonner trente ou quarante fois, l'estomac noué. Quand je revins à Londres, début juillet, la maison était plongée dans le noir et les serrures avaient été changées. Je crus d'abord que Yoav et Leah me jouaient un tour. Mais les jours passaient et je n'avais toujours aucune nouvelle. À la fin, je n'eus d'autre choix que de rentrer à New York, puisque à ce moment-là j'avais été renvoyée d'Oxford. Bien que blessée et furieuse, je fis tout mon possible pour les retrouver. Sans résultat. La seule preuve qu'ils étaient toujours en vie, quelque part, fut le carton de mes affaires qui arriva chez mes parents six mois plus tard, sans adresse d'expéditeur.

À la longue, j'en vins à accepter l'étrange logique de leur départ, une logique à laquelle j'avais été entraînée pendant mon bref séjour chez eux. Ils étaient prisonniers de leur père, enfermés dans les murs de leur famille et ne pouvaient, en fin de compte, appartenir à personne d'autre. Je n'avais rien attendu de moins que leur silence ininterrompu, toutes ces années-là, et ne pensais jamais les revoir ; ce qu'ils faisaient, ils le faisaient sans aucun compromis, dégagés des complications imposées au reste d'entre nous par l'indécision, l'hésitation, les regrets. J'étais passée à autre chose en tombant de nouveau amoureuse, mais je ne cessais de penser à Yoav, de me demander où il était et ce qu'il était devenu.

Or, voilà qu'un jour de 2005, à la fin de l'été, six ans après leur disparition, je reçus une lettre de Leah. Dans cette lettre, elle m'écrivait qu'en juin 1999, une semaine après avoir fêté son soixante-dixième anniversaire, leur père s'était tué dans la maison de Ha'Oren. La bonne l'avait trouvé le lendemain dans son bureau. Près de lui, sur la table, il y avait une lettre scellée adressée à ses enfants, un flacon de somnifères vide et une bouteille de scotch, boisson que Leah ne l'avait jamais vu toucher de sa vie. Il y avait également un petit fascicule de la Hemlock Society[1]. Rien n'avait été laissé au hasard. À l'autre bout de la pièce, sur une autre table, se trouvait la petite collection de montres ayant appartenu à son père et qu'il avait toujours remontées depuis l'arrestation de ce dernier à Budapest, en 1944. Durant toute sa vie, les montres avaient accompagné Weisz dans chacun de ses déplacements pour lui permettre de les remonter à l'heure prévue. *Lorsque la bonne arriva*, écrivait Leah, *toutes les montres s'étaient arrêtées.*

La lettre était rédigée d'une petite écriture nette qui contrastait avec son style relâché et confus. Peu ou pas de salutations, comme si seulement quelques mois, et non six ans, s'étaient écoulés depuis notre entrevue. Après l'annonce du suicide de son père, Leah parlait assez longuement d'un tableau accroché au mur de son bureau, la pièce où il s'était donné la mort. Elle l'avait toujours vu là, écrivait-elle, et pourtant elle savait qu'il y avait un temps où il n'avait pas été là, à l'époque où son père le recherchait encore, comme il avait recherché et récupéré tous les autres meubles de cette pièce, les mêmes que ceux qui se trouvaient dans le bureau de son propre père, à Budapest, jusqu'au soir de 1944 où la Gestapo avait arrêté ses parents. Quelqu'un d'autre que lui les aurait considérés comme perdus à jamais. Mais c'était cela qui faisait de son père un être à part, qui l'avait amené vers sa spécialité et, là, élevé au-dessus de tous les autres. À la différence des gens, disait-il, l'inanimé ne disparaît jamais. La Gestapo avait confisqué tous les objets de grande valeur qui se trouvaient dans l'appartement, et ils étaient nom-

1. Littéralement, Société de la cigüe, société américaine d'euthanasie fondée en 1980.

breux, car la famille de Weisz du côté de sa mère était fortunée. Ces objets furent chargés – avec un monceau de bijoux, de diamants, d'argent, de montres, de tableaux, de tapis, d'argenterie, de faïences, de meubles, de linge, de porcelaines et même d'appareils photo et de collections de timbres – dans les quarante-deux wagons du « Train d'or » que les SS utilisèrent pour évacuer les biens juifs, au moment où les troupes soviétiques marchaient sur la Hongrie. Ce qui resta fut pillé par les voisins. Dans les années d'après-guerre, quand Weisz retourna à Budapest, la première chose qu'il fit fut de frapper à la porte de ces voisins, et tandis qu'ils blêmissaient, de pénétrer dans leurs appartements avec une petite bande de voyous engagés pour l'occasion, qui se saisissaient des meubles volés et les transportaient sur leur dos. Une femme, qui avait déménagé en emportant la coiffeuse de la mère de Weisz, fut pourchassée jusque dans les faubourgs de la ville ; il entra chez elle en pleine nuit, se servit du vin, laissa le verre sale sur la table et emmena la coiffeuse pendant que la femme dormait profondément dans la pièce d'à côté. Par la suite, lorsqu'il eut sa propre affaire, il engagea des gens pour effectuer ce genre de travail. Mais les meubles de sa famille, il les récupérait apparemment toujours lui-même. Le Train d'or fut saisi par les troupes alliées près de Werfen, en mai 1945. La plus grande partie de son chargement fut envoyée dans un entrepôt militaire à Salzbourg et, plus tard, vendu par des surplus de l'armée ou aux enchères, à New York. Il fallut plus longtemps à Weisz pour retrouver ces objets, parfois des années, voire des décennies. Il entra en contact avec tout le monde, depuis les officiers de haut rang de l'armée américaine qui avaient supervisé la dispersion des marchandises, jusqu'aux ouvriers employés par l'entrepôt pour les déménager. Qui sait ce qu'il leur offrit en échange des renseignements qu'il désirait.

Il avait à cœur de connaître personnellement tous les bons marchands de meubles des dix-neuvième et vingtième siècles européens. Il épluchait les catalogues de chaque vente aux enchères, prenait en amitié chaque restaurateur de meubles, savait ce qui passait par Londres, Paris, ou Amsterdam. La bibliothèque Hoffman de son père surgit dans une boutique de la Herrengasse, à Vienne, à l'automne 1975. Il prit un vol direct d'Israël et identifia la bibliothèque par la longue éraflure qu'elle avait sur le côté (d'autres bibliothèques, apparues sur le marché sans cette marque, avaient été rejetées par Weisz). Il traqua le lutrin de son père jusque dans une famille de banquiers, à Anvers, et, de là, dans un magasin de la rue Jacob, à Paris, où l'objet avait vécu un certain temps en vitrine, sous le regard vigilant d'un gros chat siamois blanc. Leah se rappelait l'arrivée, dans la maison de la rue Ha'Oren, de certains de ces meubles depuis longtemps disparus, événements sombres et tendus qui l'avaient terrifiée au point que, enfant, elle se cachait quelquefois dans la cuisine quand on ouvrait les caisses, de peur de voir jaillir les visages noircis de ses grands-parents morts.

Au sujet du tableau, Leah écrivait : *Il était si sombre qu'il fallait se tenir selon un certain angle pour voir qu'il représentait un homme à cheval. Pendant des années, j'eus l'impression que c'était Alexander Zaid. Mon père n'avait jamais aimé cette toile. Je pensais souvent que s'il s'était autorisé à vivre selon son goût, il aurait choisi une pièce vide avec seulement un lit et une chaise. N'importe qui aurait laissé le tableau prendre le chemin de tous les autres objets disparus, mais pas mon père. Il était habité par un sens du devoir qui domina toute sa vie et, plus tard, la nôtre. Il passa des années à traquer le tableau et dépensa une grosse somme d'argent afin de convaincre ses propriétaires de le lui revendre. Dans la lettre qu'il nous a laissée, il écrivait que la toile était accrochée dans le cabinet de travail de son père. Je faillis m'étrangler ou hurler devant cette absurdité. J'ai même peut-être éclaté de rire. Comme si je ne savais pas que tout, dans son cabinet de travail de Jérusalem, était disposé exactement de la même façon que dans celui de mon grand-père, autrefois, à Budapest, au millimètre près ! Jusqu'au velours des lourds rideaux et aux crayons dans le petit plateau d'ivoire ! Pendant quarante ans, mon père avait œuvré pour agencer cette ancienne pièce à l'identique de ce qu'elle était, jusqu'à ce jour fatal de 1944. Comme si, en rassemblant tous ces objets, il avait une chance de comprimer le temps et de gommer les regrets. La seule chose manquante, dans le cabinet de travail de la rue Ha'Oren, était le bureau de mon grand-père ; à sa place, il y avait un grand trou. Sans lui, la pièce n'était qu'une chose incomplète, une pauvre réplique. Et moi seule connaissais le secret de l'endroit où il se trouvait. Mon refus de le lui transmettre déchira notre famille, l'année où tu vécus avec nous, quelques mois avant son suicide. Et il n'accepta jamais de le reconnaître ! Je crus que je l'avais tué par ce que j'avais fait. Mais c'était juste le contraire. Quand je lus sa lettre,* écrivait Leah, *je compris que c'était mon père qui avait gagné. Qu'il avait enfin trouvé le moyen de nous empêcher de lui échapper. Après sa mort, nous sommes rentrés à Jérusalem. Et nous nous sommes arrêtés de vivre. Ou peut-être pourrait-on dire que nous avons commencé une vie d'enfermement solitaire, simplement à deux, au lieu d'un.*

La lettre parlait ensuite longuement de certaines pièces de la maison. *Ce qui s'écroule, nous ne l'utilisons plus. Nous payons quelqu'un pour faire les courses et nous apporter ce qui nous manque – une femme qui a besoin de cet argent et qui en a tant vu dans sa vie qu'elle ne lève pas un sourcil. Au début, nous nous aventurions parfois au dehors, presque plus maintenant. Nous sommes pris d'une espèce d'inertie. Il y a le jardin et Yoav y va un peu, mais cela fait des mois qu'il n'est pas sorti.*

Elle arrivait enfin au motif de sa lettre : *Ça ne peut plus durer, sinon nous cesserons de vivre pour de bon. L'un de nous commettra un acte terrible. Tout se passe comme si notre père nous attirait un peu plus vers lui chaque jour. Ça devient de plus en plus difficile de résister. Depuis longtemps, j'essaie de trouver le courage de partir. Seulement si je m'en vais, je ne pourrai jamais revenir, et je ne pourrai pas dire à Yoav où je suis. Ou alors, nous nous laisserons encore submerger et je ne sais pas si je serai capable de m'échapper une nouvelle fois. Il ne sait donc rien de tout ceci. Si tu ne l'as pas déjà compris, Izzy, je t'écris pour te demander de venir ici. De le rejoindre. Je ne sais absolument rien de ta vie présente mais je sais combien tu l'aimais autrefois. Ce que vous étiez l'un pour l'autre. Tu es encore vivante en lui, et il n'y a pas grand-chose d'autre qui le soit. J'ai toujours été jalouse des sentiments que tu éveillais en lui. Du fait qu'il avait trouvé quelqu'un capable d'éveiller en lui ce qui m'était interdit à moi.*

À la fin de la lettre, elle ajoutait qu'il lui était impossible de partir, à moins d'être sûre que je viendrais. Elle n'osait penser à ce qu'il lui arriverait s'il restait seul. Elle ne disait rien du lieu où elle comptait aller. Simplement, qu'elle m'appellerait dans deux semaines pour connaître ma réponse.

Sa lettre déclencha en moi une déferlante d'émotions : tristesse, anxiété, joie et colère, à l'idée que Leah me voyait bien tout abandonner pour rejoindre Yoav après ces longues années, qu'elle me mettait dans une telle situation. Cela m'effrayait également. Je savais que retrouver et sentir de nouveau Yoav me serait extrêmement pénible, à cause de ce qu'il était devenu et de ce que je savais qu'il pouvait faire naître en moi : une vitalité douloureuse parce que, telle une fusée, elle éclairait le vide qui m'habitait et dévoilait ce dont j'avais toujours été consciente, à savoir, le temps passé à n'être qu'à demi vivante et la facilité avec laquelle j'avais accepté une qualité de vie médiocre. J'avais un métier, comme tout le monde, même s'il ne me plaisait pas, j'avais aussi un compagnon, un homme gentil et doux qui m'aimait et suscitait en moi une espèce de tendre ambivalence. Et pourtant, dès l'instant où j'eus fini de lire la lettre, je sus que je partirais rejoindre Yoav. À sa lumière, transformé par une bouffée d'émotion, tout – les ombres ténébreuses, la vaisselle sale, les toits bitumés devant la fenêtre – prit un autre aspect, devint plus net. Il éveillait une faim en moi, pas seulement une faim de lui, mais d'une existence plus large, des paroxysmes de ce qu'il nous avait été donné de vivre. Une faim et du courage, aussi. Plus tard, en repensant à l'aisance avec laquelle j'avais fermé la porte d'une vie pour me glisser vers une autre, vers lui, il me sembla que pendant toutes ces années, j'avais simplement attendu cette lettre, et que tout ce que j'avais érigé autour de moi était en carton, si bien que lorsqu'elle m'était parvenue, je n'avais eu qu'à le plier et à le jeter.

En attendant l'appel de Leah, je ne pus penser à rien d'autre. Je passais des nuits blanches et étais incapable de prêter attention à mon travail : j'oubliais des choses que j'étais censée faire, je perdais des papiers et me disputais avec mon patron qui avait, de toute façon, l'habitude de déverser sur moi sa colère, quand il ne lorgnait pas mes jambes ou mes seins. Lorsque arriva le jour où Leah devait m'appeler, je me fis porter malade au bureau. Je ne pris même pas de douche, de peur de ne pas entendre le téléphone. La matinée passa, puis l'après-midi, puis le soir et la nuit arriva enfin sans qu'il sonnât. Je pensai qu'elle avait changé d'avis et disparu une fois de plus. Ou qu'elle n'avait pas trouvé mon numéro, bien qu'il figurât dans l'annuaire. Mais à neuf heures moins le quart (les toutes premières heures du jour, à Jérusalem), la sonnerie du téléphone retentit. Izzy ? dit-elle, de la voix qui avait toujours été la sienne, pâle, si l'on peut dire cela d'une voix, et légèrement frémissante, comme si elle retenait son souffle. C'est moi, répondis-je. Il dort au premier, dit Leah. Il ne s'endort pas avant deux ou trois heures du matin et j'ai dû attendre pour t'appeler. Le silence retomba, durant lequel, sans dire un mot, elle s'introduisit à l'intérieur de moi et en sortit ma réponse. Elle respira enfin. À ton arrivée, ne prends pas la peine de sonner, il ne répondra pas. Je te laisserai la clef, scotchée au dos de la sonnette, sur la grille. J'acquiesçai d'un signe de tête, trop submergée par l'émotion pour parler. Izzy, je suis désolée que nous... qu'il n'ait jamais... Elle se tut. C'était tellement horrible, dit-elle. Nous nous sentions terriblement coupables. Pendant des années, nous nous sommes punis. Et pour Yoav, la façon de se punir, c'était de renoncer à toi. Leah... dis-je. Il faut que je m'en aille, chuchota-t-elle. Prends soin de lui.

Ils avaient vécu partout. Leur mère était morte quand Yoav avait huit ans et Leah sept, et après cela, sans sa femme pour le stabiliser, hanté par le chagrin, leur père avait erré avec eux de ville en ville, y restant tantôt des mois, tantôt quelques années. Où qu'il se trouvât, il travaillait. À en croire Yoav, c'est pendant ces années-là que sa réputation d'antiquaire devint légendaire. Il n'avait pas besoin de magasin, ses clients savaient où le trouver. Et les meubles qu'ils convoitaient tant, les bureaux, les commodes, les fauteuils après lesquels ils soupiraient, dans lesquels ils s'étaient assis jadis et dans lesquels ils pensaient qu'ils ne s'assoiraient jamais plus, tout ce qui meublait la vie qu'ils avaient perdue ou la vie dont ils rêvaient, tombait en la possession de George Weisz, grâce à des sources, des canaux et des hasards qui restaient les secrets de son métier. À douze ans, Yoav faisait souvent le rêve suivant : son père, sa sœur et lui vivaient sur un rivage boisé et, chaque soir, la marée déposait des meubles sur la plage, quatre lits à baldaquin et des sofas ornés d'algues marines. Ils traînaient ceux-ci à l'abri, sous les arbres, et les rassemblaient dans des pièces délimitées par des lignes que traçait leur père sur le sol de la forêt, du bout de sa chaussure, des pièces innombrables, sans murs ni toits, qui commençaient à envahir les bois. Les rêves étaient tristes et inquiétants. Mais une nuit, Yoav rêva que Leah avait trouvé une lampe avec l'ampoule encore vissée dedans. Ils avaient couru vers leur père qui l'avait placée sur une table de chevet en acajou et branchée dans la bouche de Yoav. Accroupi par terre, la bouche verrouillée, Yoav regardait la canopée s'illuminer. Les ombres ondulaient parmi les branches. Des années plus tard, en parcourant la Norvège, sac au dos, Yoav était tombé sur un rivage dans lequel il reconnut celui de ses rêves. Il le photographia et, lorsqu'il revint à Oslo, fit développer la pellicule. Puis il envoya la photo à sa sœur sans un mot car, entre eux, aucune explication n'était nécessaire.

Leur père les emmena à Paris, Zurich, Vienne, Madrid, Munich, Londres, New York, Amsterdam. À leur arrivée, l'appartement était déjà rempli de meubles. Ceux-ci étaient vendus jusqu'à ce que l'appartement fût presque vide et ils partaient alors pour une autre ville. Ou bien c'était le contraire : quand ils entraient, le nouvel appartement était nu et sentait la peinture fraîche. Au fil des mois, il se remplissait peu à peu : un bureau à cylindre, un jeu de tables gigognes, un lit de repos, arrivaient par la fenêtre ou par la porte sur le dos d'hommes qui respiraient fort par le nez, ou semblaient parfois se matérialiser d'eux-mêmes, aurait-on dit, tandis que Yoav et Leah étaient à l'école ou jouaient au parc, s'installant dans quelque coin invisible comme s'ils avaient toujours été là pendant leur vie d'objets. Yoav me raconta que l'un des plus anciens souvenirs qu'il avait de ces années transitoires était le jour où, entendant un coup de sonnette, il était allé ouvrir et avait trouvé un fauteuil Louis XVI dans la cage d'escalier. Le damas bleu était déchiré et le rembourrage de crin complètement crevé. Lorsque l'appartement devenait trop encombré ou que le souvenir de sa femme rattrapait George Weisz, ou pour des raisons que Yoav et Leah comprenaient mais ne pouvaient expliquer, ils se remettaient en chemin vers une autre ville. Dans ce nouveau lieu, ils se réveillaient en pleine nuit pour aller aux toilettes et, se croyant encore dans l'appartement de la ville précédente, se cognaient aux murs. À l'intérieur de l'armoire à pharmacie, au troisième étage de la maison de Belsize Park, l'un d'eux, ou tous les deux, avaient gravé une liste de toutes les adresses auxquelles ils avaient vécu : *19 Ha'Oren, Singel 104, Florastrasse 43, 163 West 83rd Street, 66 boulevard Saint-Michel...* Il y en avait quatorze en tout et, un après-midi, alors que j'étais seule à la maison, je les copiai dans mon calepin.

Obsédé par l'idée que quelque chose pouvait arriver à ses enfants, Weisz surveillait sévèrement ce qu'ils avaient le droit de faire, les endroits où ils avaient le droit d'aller, et avec qui. Leur vie était contrôlée par toute une série de nurses à poigne, dénuées d'humour, qui les accompagnaient partout, bien longtemps après qu'ils eussent atteint l'âge de jouir d'une certaine liberté de mouvement. Après leurs leçons de tennis, de piano, de clarinette, de danse ou de karaté, ils étaient raccompagnés directement chez eux par ces femmes musclées en bas épais et sabots suédois. Tout changement ou modification de leur programme quotidien devait d'abord être soumis à leur père. Un jour où Yoav avait fait remarquer timidement que les autres enfants n'étaient pas astreints aux mêmes règles, Weisz lui répondit d'un ton sec que ces enfants étaient sans doute moins aimés que sa sœur et lui. S'il y avait la moindre protestation concernant la vie qu'ils menaient sous l'autorité de leur père, elle s'exprimait discrètement par la bouche de Yoav. Weisz matait ces protestations avec une fermeté disproportionnée. Afin, peut-être, de s'assurer que Yoav ne prendrait jamais assez d'assurance pour se mesurer à lui, il trouvait sans cesse le moyen de le rabaisser. Quant à Leah, elle s'était toujours conformée aux ordres de leur père parce qu'elle portait un fardeau particulier, la conscience qu'elle était sa préférée et que se mesurer à lui ou, chose impensable, lui désobéir, aurait été une trahison de la plus extrême gravité, comparable à une agression physique.

Lorsque Yoav eut seize ans et Leah quinze, leur père décida de les envoyer en pension à l'École internationale de Genève. Les nurses avaient alors été remplacées par un chauffeur qui les suivait également partout, seulement, lui, c'était de l'intérieur en cuir de la Mercedes-Benz. Cependant, Weisz ne pouvait plus ignorer combien ses enfants étaient devenus renfermés. Ils parlaient un jargon mêlé d'hébreux, de français et d'anglais qu'ils étaient les seuls à comprendre et, en dépit de leur connaissance du monde, acceptaient tout naturellement, voire recherchaient, une position isolée parmi les gens de leur âge. Il reconnut qu'il lui serait difficile de leur tenir encore très longtemps la bride haute. Il n'est pas impossible qu'il se rendît compte, ainsi qu'il arrive même aux parents les plus aveugles ou les plus malavisés, que la méthode choisie pour élever ses enfants pouvait finalement les desservir, voire les paralyser d'une façon qu'il ne pouvait encore imaginer.

Il appela le directeur, monsieur Boulier, et discuta longtemps avec lui de l'école, de la manière dont on s'occuperait de ses enfants et de ce qu'il désirait qu'ils trouvent là-bas. Il savait par expérience que les gens se comportent favorablement envers vous quand ils se sentent liés à vous d'une façon ou d'une autre, fût-ce par une simple poignée de main ou une conversation amicale. Encore mieux s'ils pensent que vous pouvez faire quelque chose pour eux en retour, aussi, à la fin de l'échange téléphonique, Weisz promit-il à Boulier de lui trouver le pendant de son vase Ming, l'autre s'étant fracassé en tombant, des années auparavant, lors d'un dîner organisé par sa femme. Weisz ne croyait pas à l'histoire du dîner, mais il lui suffisait de savoir que l'accident était arrivé dans des circonstances qui troublaient encore Boulier, et que seul un parfait remplaçant permettrait au souvenir de l'incident de s'effacer.

Weisz ne conduisait pas – chaque fois qu'il le pouvait, il marchait ou prenait le métro comme tout le monde – mais il insista pour accompagner Yoav et Leah de Paris à Genève dans la voiture conduite par le chauffeur. Ils firent halte à Dijon et, après avoir déjeuné dans une taverne sombre située dans une étroite rue médiévale portant le nom d'un théologien du dix-septième siècle, Weisz laissa Yoav et Leah flâner dans une librairie, sous l'œil vigilant du chauffeur, pendant qu'il allait voir quelqu'un pour affaires. Où qu'il se trouvât, Weisz avait toujours une affaire ou une autre à traiter, et là où il n'y en avait pas, il en inventait. Il avait un geste habituel, celui de gratter ses yeux fermés comme s'il essayait d'enlever quelque chose de collé sur ses paupières, et qui lui était si personnel que Yoav y voyait une espèce de signe distinctif. Quand il était jeune, il croyait que, dans ces moments-là, son père, comme les chiens, écoutait un bruit imperceptible à l'oreille humaine.

À leur arrivée à Genève, Weisz conduisit directement ses enfants chez monsieur Boulier. Ceux-ci attendirent au salon en compagnie de madame Boulier et de son bulldog français asthmatique, tout en mangeant des galettes au beurre, pendant que leur père parlait avec le directeur, derrière la porte fermée de son bureau. Lorsque les deux hommes émergèrent finalement de la pièce lambrissée, le directeur les conduisit dans le dortoir des garçons où résiderait Yoav et tint à ouvrir les rideaux pour leur faire admirer la vue sur le parc boisé. Après avoir embrassé son fils, Weisz accompagna Leah en ville, chez un professeur d'anglais à la retraite où elle habiterait avec deux jeunes filles plus âgées. L'une était la fille d'un homme d'affaires américain et de sa femme thaïlandaise et l'autre, la fille de l'ancien ingénieur attitré du Shah. Lorsque Leah eut ses premières règles, la jeune Iranienne lui donna une paire de minuscules clous d'oreilles en diamant. Leah les rangea dans une petite boîte, sur le rebord de sa fenêtre, avec d'autres souvenirs qu'elle avait glanés au cours de ses voyages. Cette année-là fut la première et, du moins jusqu'au jour où je fis leur connaissance, la dernière où Yoav et Leah vécurent séparés.

Sans ses enfants, Weisz devint encore plus nomade. Il leur envoya successivement des cartes postales de Buenos Aires, de Saint-Pétersbourg et de Cracovie. Les messages, au dos des cartes, rédigés dans une écriture qui disparaîtra avec sa génération (tremblante, mutilée par les sauts forcés d'une langue à l'autre, majestueuse dans son illisibilité), se terminaient toujours ainsi : *Veillez bien l'un sur l'autre, mes chéris. Papa.* Pendant les vacances, et parfois même les week-ends, Yoav et Leah prenaient le train pour Paris, Chamonix, Bâle ou Milan afin de rencontrer leur père, soit dans un appartement, soit à l'hôtel. Dans ces déplacements, il arrivait qu'on les prenne pour des jumeaux. Ils voyageaient dans le wagon fumeurs, Leah, la tête appuyée contre la vitre, et Yoav, le menton dans la main, tandis que les contours des Alpes défilaient à toute vitesse et que le bout de leurs cigarettes, tenues par de longs doigts fins, s'illuminait de temps à autre dans le crépuscule.

Deux ans après que ses enfants furent scolarisés à Genève et neuf ans après qu'il avait fui la maison de la rue Ha'Oren, Weisz décida soudain d'y retourner. Il ne donna aucune explication à ses enfants. Il y avait bien des sujets qu'ils n'abordaient jamais ; entre eux, le silence n'était pas tant une forme d'évasion qu'une façon, pour des gens solitaires, de coexister en famille. Bien qu'il continuât de voyager, Weisz finissait toujours par remonter, sa petite valise à la main, l'allée envahie de végétation menant à la maison de pierre que sa femme avait tant aimée.

Quant à Yoav et Leah, ils savouraient la nouvelle liberté dont ils jouissaient à l'école même si, par ailleurs, peu de choses avaient changé pour eux. Le fait d'être largement immergés dans la vie scolaire et de cohabiter avec leurs égaux n'en marquait que plus clairement leur différence et les enfermait encore davantage dans leur isolement. Ils déjeunaient tous les deux en tête à tête et passaient tous leurs moments de loisir ensemble, à flâner dans la ville ou à se promener en bateau sur le lac, perdant tout sens du temps. Ils mangeaient parfois une glace dans l'un des cafés du bord de l'eau, chacun regardant dans la direction opposée, perdus dans leurs propres pensées. Ils ne se firent pas beaucoup d'amis. Pendant leur deuxième année, l'un des garçons qui partageaient le dortoir de Yoav, un Marocain plein de morgue, tenta à tout prix de persuader Leah de sortir avec lui, et lorsqu'il fut fraîchement éconduit, commença à faire courir le bruit que le frère et la sœur avaient une relation incestueuse. Ceux-ci firent de leur mieux pour encourager la rumeur, s'asseyant ostensiblement sur les genoux l'un de l'autre et se caressant mutuellement les cheveux. La situation fut admise par les étudiants. Les enseignants eux-mêmes les considéraient avec un mélange de fascination, d'horreur et d'envie. La situation ayant atteint un paroxysme, monsieur Boulier estima de son devoir d'informer leur père de ce qui se passait entre ses enfants. Il laissa un message à l'intention de Weisz, qui le rappela promptement de New York. Boulier s'éclaircit la voix, tenta d'aborder le sujet sous un certain angle, battit en retraite, tenta une autre approche, fut pris d'une quinte de toux, pria Weisz de ne pas quitter et fut sauvé par sa femme qui se précipita avec un verre d'eau et un regard sévère, un regard qui réveilla son sens des obligations ; il reprit le téléphone pour dire à Weisz ce que tout le monde savait à propos de ses enfants. Lorsqu'il eut terminé, Weisz resta silencieux. Boulier leva les sourcils et lança un regard anxieux à sa femme. Vous savez ce que je pense ? dit enfin Weisz. Je ne peux que l'imaginer, répondit Boulier. Je pense que je me trompe rarement sur les gens, monsieur Boulier. Le jugement du caractère est essentiel dans mon métier et je m'enorgueillis de ma perspicacité. Je me rends compte pourtant à présent que je me suis trompé sur votre compte, monsieur Boulier. Je reconnais que je ne vous ai jamais pris pour quelqu'un d'intelligent, mais je ne vous ai jamais pris non plus pour un imbécile. Le directeur se mit à tousser de nouveau et à transpirer. Maintenant, si vous voulez bien m'excuser, quelqu'un m'attend, dit Weisz. Bonsoir.

C'est surtout Yoav qui me raconta ces histoires, souvent quand, allongés nus dans son lit, nous parlions en fumant dans l'obscurité, son sexe reposant sur ma cuisse, ma main suivant la saillie de sa clavicule, la sienne sous mon genou, ma tête au creux de son épaule, éprouvant l'excitation particulière, affolante, de me trouver tout nouvellement plongée dans le fragile équilibre de l'intimité. Plus tard, quand je fis la connaissance de Leah, elle me raconta, elle aussi, certaines choses. Seulement les histoires demeuraient toujours incomplètes, une partie de leur atmosphère insaisissable et inexpliquée. Leur père était un personnage partiellement esquissé, comme si le représenter en détail menaçait d'effacer tout le reste, et eux avec.

Il n'est pas totalement exact de dire que je rencontrai Yoav à une soirée, du moins pas la première fois. La rencontre eut lieu trois semaines après mon arrivée à Oxford, chez un jeune enseignant qui avait été l'étudiant d'un de mes professeurs d'université, à New York. Mais ce soir-là, nous n'échangeâmes que quelques mots. Lors de notre deuxième entrevue, Yoav tenta de me persuader que je lui avais fait une forte impression au dîner en question, au point qu'il avait envisagé de chercher à me revoir par un moyen ou un autre. Je me souviens cependant qu'il avait eu un air alternativement ennuyé et soucieux pendant tout le repas ; on aurait dit qu'une partie de lui buvait du bordeaux et coupait sa nourriture en petites bouchées, tandis que l'autre était occupée à conduire un troupeau de chèvres à travers une plaine desséchée. Il ne parlait pas beaucoup. Tout ce que je savais, c'est qu'il était étudiant de troisième année en anglais. Après le dessert, il fut le premier à partir, expliquant qu'il devait prendre un bus pour rentrer à Londres, mais au moment où il fit ses adieux à notre hôte et à sa femme, je me rendis compte que lorsqu'il le voulait, il pouvait être charmant.

La préparation au doctorat durait trois ans et comportait peu d'exigences. En dehors d'une rencontre avec mon directeur de thèse toutes les six semaines, j'étais libre comme l'air. Les ennuis débutèrent pour moi peu de temps après mon arrivée, quand le sujet sur lequel j'avais décidé de travailler – l'influence de la radio sur la littérature moderniste – aboutit à une impasse. C'était le sujet de la thèse de troisième cycle que j'avais rédigée à l'université de New York, pour laquelle j'avais reçu les félicitations du jury et même remporté une récompense, le prix Wertheimer, du nom d'un ancien professeur amené à la cérémonie en fauteuil roulant du cimetière pastoral de Westchester[1]. Cependant, l'enseignant qui avait été choisi pour superviser mon travail à Oxford, un moderniste chauve de Christ Church du nom de A.L. Plummer, ne tarda pas à mettre ma thèse en pièces, au prétexte qu'elle manquait d'intégrité théorique, et me recommanda vivement de trouver une

---

1. Comté assez aisé et rural de l'État de New York.

LA GRANDE MAISON

autre thématique. Coincée dans un fauteuil délabré entre les piles de livres de son bureau, je tentai faiblement de défendre mon travail mais, en vérité, j'avais moi-même perdu tout intérêt pour l'idée en question et ce que j'avais à dire à son sujet avait déjà été dit dans la centaine de pages de mon mémoire de maîtrise. Des grains de poussière dansaient dans le rayon de soleil qui tombait d'une petite fenêtre perchée (une fenêtre par laquelle seul un nain ou un enfant pouvait s'échapper) et venaient se poser sur la tête de A.L. Plummer, et sans doute aussi sur la mienne. Je n'avais donc guère d'autre choix que de m'enfoncer dans les collections infinies de la Bodleian Library, à la recherche d'un nouveau sujet.

Je passai les semaines suivantes dans un fauteuil de la Radcliffe Camera, l'un de ces confortables fauteuils rembourrés, souillés par les sécrétions humaines, que l'on trouve dans presque toutes les bibliothèques du monde. Il était placé près d'une fenêtre donnant sur All Souls[1]. Dehors, l'eau était suspendue dans l'air, comme dans une expérience scientifique, une expérience qui durait depuis des milliers d'années et constituait le climat anglais. De temps à autre, une ou deux silhouettes en toge noire traversaient la cour intérieure de All Souls, me donnant l'impression que j'assistais à la répétition d'une pièce de théâtre dont toutes les paroles et la plupart des indications scéniques auraient été effacées, ne laissant que les entrées et les sorties d'acteurs. Ces allées et venues vides me remplissaient de trouble et d'incertitude. Je lisais, entre autres, les essais de Paul Virilio – l'invention du chemin de fer impliquait aussi l'invention du déraillement, c'était le genre de sujet que Virilio aimait aborder – mais je ne terminai pas le livre. Ne portant pas de montre, je quittais généralement la bibliothèque quand j'en avais assez d'être claquemurée. Quatre ou cinq fois, je sortis de la bibliothèque à l'instant où un étudiant remontait la rue pavée en poussant devant lui une contrebasse, comme quelqu'un conduisant un

1. L'un des « collèges » les plus prestigieux de l'université d'Oxford.

148

enfant grandi trop vite. Tantôt il venait juste de passer, tantôt il allait passer. Un jour, je franchis la porte de la bibliothèque à l'instant même où il la franchissait aussi, et nos yeux se rencontrèrent dans l'un de ces regards qui naissent parfois entre des inconnus, lorsque tous les deux savent implicitement que la réalité contient des gouffres qu'aucun ne pourra jamais espérer sonder.

J'habitais une chambre dans Little Clarendon Street, où je passais le plus clair de mes journées, quand je n'étais pas à la bibliothèque. J'ai toujours été, et je l'étais encore plus à cette époque, timide et inhibée, mais j'avais malgré tout réussi à avoir une ou deux amies intimes et même un copain, avec lequel j'occupais mon temps quand je n'étais pas seule. Je me disais que je finirais bien par rencontrer une personne, ou des personnes de ce genre, à Oxford. En attendant, je restais dans ma chambre.

En dehors d'un grand morceau de tapis trimbalé par le bus de l'extrémité nord de Banbury Street, d'une bouilloire électrique et d'un service de tasses et soucoupes victoriennes acheté aux puces, je ne possédais presque rien. J'ai toujours aimé voyager léger, il y a quelque chose en moi qui a besoin de se dire que je peux partir, n'importe où je me trouve, n'importe quand, sans le moindre effort. L'idée d'être lestée par quoi que ce soit me mettait mal à l'aise, comme si je vivais à la surface d'un lac gelé et que tout nouvel accessoire de la vie domestique – pot, fauteuil, lampe – risquait de me faire passer à travers la glace. La seule exception était les livres, que j'acquérais sans retenue parce que je n'avais pas l'impression qu'ils m'appartenaient. Du coup, je ne me sentais jamais obligée de finir ceux que je n'aimais pas, ni contrainte de les aimer. Mais un certain manque de responsabilité me laissait également libre d'être émue. Quand enfin je tombais sur un ouvrage à mon goût, ma réaction était violente : elle creusait en moi un trou béant qui rendait la vie plus dangereuse, parce que je ne pouvais contrôler ce qu'il en résultait.

J'étudiais la littérature parce que j'adorais lire et non parce que j'avais la moindre idée de ce que je voulais faire de ma vie. Or, pendant cet automne à Oxford, ma relation aux livres se mit à changer. Cela se fit lentement, presque à mon insu. Au fil des semaines, je savais de moins en moins à quel sujet de thèse je pourrais consacrer trois ans de ma vie et j'étais submergée par l'énormité de la tâche. L'anxiété, vague et souterraine, se mit à m'envahir, chaque fois que j'étais à la bibliothèque. Au début, c'est à peine si je me rendis compte de ce qui m'arrivait, j'avais simplement conscience d'une petite gêne au creux de l'estomac. Seulement, au fil des jours, elle se fit plus intense et me prit à la gorge, de même que mon impression de vanité et d'inutilité. Je lisais sans enregistrer le sens des mots. Je revenais en arrière et repartais du dernier passage que je me rappelais avoir lu, mais bientôt les phrases se dissolvaient de nouveau, je recommençais à voltiger au-dessus des pages blanches, comme ces insectes que l'on trouve à la surface de l'eau dormante. J'étais de plus en plus déroutée et n'osais plus aller à la bibliothèque. Je me mis à avoir peur d'avoir peur. En entrant à la bibliothèque, j'étais prise de panique. Le fait que la panique fût liée à la lecture – cette chose qui avait été au centre de ma vie du plus loin que je me souvenais et qui, autrefois, constituait un rempart contre le désespoir – la rendait particulièrement pénible. Dieu sait que j'avais souvent été triste jusque-là, mais je ne m'étais jamais sentie assiégée ainsi de l'intérieur, comme si mon être était devenu allergique à lui-même. La nuit, je restais éveillée avec l'impression que, bien qu'immobile dans mon lit, à un autre niveau, je partais de plus en plus à vau-l'eau.

Incapable de travailler, j'errais des jours entiers dans les rues d'Oxford, j'allais voir des films au cinéma le Phénix, je me promenais dans les rayons du vieux magasin d'estampes de High Street ou tuais le temps parmi les squelettes, les outils et les petites écuelles ébréchées de peuples disparus, exposés au musée Pitt Rivers. Je voyais à peine les objets. Je sentais mon esprit engourdi et tout mon être muet, j'avais la sensation que, quelque part, un poste de signalisation avait été déconnecté. Au fil des semaines, je perdis toute conscience de moi-même. En une nuit, apparemment, quelqu'un avait vidé le contenu de mon enveloppe corporelle, qui continuait à déambuler comme si de rien n'était. Toutefois le vide ne signifiait pas apathie : l'anxiété, la solitude et la désespérance semblaient tapies à chaque coin de rue, déterminées à m'empêcher d'avancer. Tandis que, dépourvue de la moindre motivation, je négociais cette course d'obstacles, tout ce dont je rêvais, c'était de me retrouver dans ma chambre d'enfant, blottie sous les couvertures à l'odeur familière de lessive, écoutant mes parents murmurer dans le couloir. De retour, un soir, dans ma chambre, après des heures de flânerie sans but, je m'arrêtai devant la vitrine d'une épicerie fine de St Giles Street. En voyant les gens sortir avec leurs sacs de confitures, de pâté, de chutney et leurs miches de pain frais, je songeai à mes parents, assis en chaussons dans leur cuisine, penchés, le dos arrondi, sur leur assiette, regardant les nouvelles du soir sur le petit poste de télévision placé dans un coin de la pièce, et j'éclatai en sanglots.

Seule la crainte de les décevoir m'empêcha de faire ma valise et de partir sur-le-champ. Ils n'auraient pas compris. C'était mon père qui m'avait poussée à poser ma candidature et qui, à la table du dîner, parlait sans cesse de toutes les portes que m'ouvrirait une telle bourse d'études. (Les murs de la salle de bains de mes parents étaient recouverts de miroirs ; lorsqu'on ouvrait les deux portes de leur armoire à pharmacie simultanément et que l'on se tenait dans le triangle qu'elles formaient, une infinité affolante de portes et de reflets de soi fonçait sur vous dans toutes les directions et c'est cette image qui me venait à l'esprit, chaque fois que mon père utilisait cette expression.) Il se souciait peu de ce que cette bourse me permettrait d'étudier. Je crois qu'il s'imaginait qu'après avoir récolté suffisamment d'honneurs universitaires, je finirais banquière chez Goldman Sachs ou Mackenzie, avec un gros salaire. Mais lorsque j'eus obtenu ma bourse et que je sus que j'entrais à Oxford, ma mère, qui ne s'était guère exprimée sur le sujet jusque-là, vint me voir un jour dans ma chambre et, les larmes aux yeux, me dit combien elle était heureuse pour moi. Elle ne me dit pas que ç'aurait été son rêve à elle, à mon âge, si ce rêve avait été le moins du monde possible. Au lieu de cela, elle avait eu la sagesse de ne pas écouter les encouragements de ses pauvres immigrants de parents concernant ses aspirations intellectuelles et je ne pouvais m'empêcher de songer qu'en épousant mon père, elle avait décidé de les étouffer d'un seul coup, comme l'on noie une portée de chatons non désirés. C'était terrible de penser qu'à ses yeux, il n'existait aucune autre voie – ses parents étaient religieux et mon père, qui avait douze ans de plus qu'elle, ne l'était pas ; je suppose que cela suffit à ma mère, à l'époque, pour leur échapper. Seulement elle n'avait que dix-neuf ans lorsqu'elle se maria, en 1967, et si elle avait attendu quelques années, tout ce qui avait changé autour d'elle aurait pu lui donner davantage de courage. Encore que, dans ce cas, je ne serais jamais venue au monde.

Je ne prétends pas savoir exactement combien de choses ma mère réprima en elle. Au fil des années, sa lassitude devint plus évidente, mais elle parlait peu des conditions atmosphériques ou de circulation qui régissaient sa vie intérieure. Tout ce que je savais, c'est qu'une partie intransigeante de sa curiosité et de son désir n'avait jamais sombré, aussi fort qu'elle ait pu le souhaiter jadis. Il y avait toujours une petite pile de livres sur sa table de chevet, vers lesquels elle se tournait quand tout le monde dormait. Il me fallut des années pour faire le lien entre mon amour de la littérature et celui qu'éprouvait ma mère car, bien qu'il y ait toujours eu des livres à la maison, je la vis rarement lire avant d'être âgée, avec davantage de temps à elle. La seule exception était le journal, qu'elle épluchait de la première à la dernière page, comme si elle recherchait des nouvelles de quelqu'un disparu depuis longtemps. Une fois à l'université, il m'arrivait de surprendre ma mère, assise à la table de la cuisine, occupée à lire le programme des cours dispensés pendant le semestre, en accompagnant sa lecture d'un mouvement silencieux des lèvres. Elle ne me demandait jamais quel enseignement j'avais l'intention de choisir et n'entravait en aucune façon mon indépendance ; dès que j'entrais dans la pièce, elle fermait la brochure et retournait à ce qu'elle était en train de faire. Mais la veille du jour où je partis pour l'Angleterre, elle me donna le stylo Pélikan vert aux reflets irisés qu'elle avait reçu en cadeau de son oncle Saül quand elle était enfant, après avoir gagné un concours de rédaction à l'école. J'ai honte de dire que je n'ai jamais écrit un seul mot avec, pas même dans une lettre à ma mère, et que j'ignore aujourd'hui ce qu'il est devenu.

Lorsque mes parents m'appelaient, le dimanche après-midi, je m'appliquais à leur dire combien j'étais heureuse ici. Pour mon père, j'inventais des histoires sur les débats auxquels j'avais assisté à la Oxford Union et des anecdotes sur les autres boursiers – futurs politiciens, étudiants en droit aux dents longues, ou celui qui écrivait autrefois les discours de Boutros Boutros Ghali. Pour ma mère, j'évoquais la salle de lecture du duc Humphrey, à la Bodleian, où l'on pouvait consulter les manuscrits originaux de T.S. Eliot ou de Yeats, et le dîner auquel j'avais été invitée par A.L. Plummer (avant qu'il ait refusé ma thèse) et où j'avais mangé à la table des professeurs de Christ Church. Mais en réalité, les choses allaient de plus en plus mal pour moi. Dans l'état où j'étais, j'avais beaucoup de peine à sortir et à rencontrer des gens. Même ouvrir la bouche pour acheter un sandwich à la Tuck Shop requérait de ma part une recherche éperdue de quelques bribes d'assurance. Seule dans ma chambre, une couverture sur les épaules, je gémissais et me parlais à haute voix, me rappelant la gloire perdue de mon adolescence, du temps où je me considérais et étais considérée par les autres comme quelqu'un de brillant et de capable. Tout cela semblait avoir disparu. Je me demandais si ce que je vivais n'était pas une espèce de rupture psychotique, du genre de celles qui guettent quelqu'un qui, jusque-là, a mené une vie ordinaire, et laissent présager une nouvelle existence pleine de tourments et de luttes.

Pendant la première semaine de novembre, j'allai voir *Le Miroir* de Tarkovski, au Phénix, l'un de mes films préférés. Je restai assise dans la salle, en larmes ou au bord des larmes, après que la lumière se fut rallumée. Je finis par rassembler mes affaires et me lever et, dans le hall, tombai sur Patrick Clifton, un étudiant en sciences politiques homosexuel, brillant et fort en gueule, boursier comme moi. Découvrant dans un sourire éclatant ses petites dents pointues, il m'invita à une fête qui devait avoir lieu ce soir-là. Je ne sais pourquoi j'acceptai, car je n'étais vraiment pas en forme pour y aller. Par lassitude, peut-être, ou instinct de conservation. Dès mon arrivée, je le regrettai. La fête se tenait dans un quartier sud d'Oxford, dans une maison de deux étages dont les pièces baignaient dans des lumières différentes, l'une mauve, une autre verte, ce qui créait une atmosphère morose aggravée par une musique que je ne pouvais décrire autrement que comme funèbre et néolithique. Sur les marches de l'escalier, les gens se shootaient et dans la pièce où la musique était la plus forte, une multitude bigarrée de corps se trémoussaient sans se soucier les uns des autres. Au fond, se trouvait une longue kitchenette au carrelage sale et fendu, avec des seaux remplis de canettes de bière dans de la glace. Vingt minutes après notre arrivée, je perdis la trace de Patrick et, ne sachant que faire, me mis à la recherche des toilettes. Celles que je découvris au deuxième étage étant occupées, je m'appuyai au mur pour attendre. Des éclats de rire sortaient de l'intérieur, émanant de deux ou même trois occupants qui risquaient de ne pas sortir avant longtemps, mais je restai là néanmoins. Dix minutes plus tard, Yoav Weisz apparut dans le couloir éclairé en bleu. Je le reconnus immédiatement, car il ne ressemblait à personne. Il avait d'épais cheveux auburn qui se dressaient en hautes ondulations sur son crâne et retombaient en frange sur son front, un visage long et étroit, des yeux noirs très écartés, un long nez qui se terminait par des narines busquées et des lèvres charnues qui tombaient naturellement aux commissures, c'était un visage qui pouvait être angélique un instant et diabolique l'instant d'après, et qui semblait descendu tout droit de la Renaissance, voire du Moyen Âge, sans aucune révision. Vous, fit-il, avec un sourire en coin.

La porte des toilettes s'ouvrit et un couple en déboula ; à cet instant, une vague de nausée me submergea et je sus que j'allais vomir. Je plongeai la tête dans la cuvette, relevai la lunette et tombai à genoux. Quand j'eus fini, je levai les yeux et, à ma grande horreur, Yoav se tenait au-dessus de moi. Il m'offrit un peu d'eau trouble du robinet. Tout le temps que je bus, il me considéra d'un air inquiet et même tendre. Je dis quelque chose à propos de la nourriture du camion à kebab que j'avais mangée avant de venir et nous restâmes assis en silence comme si, maintenant que nous en avions la jouissance, nous nous croyions obligés de demeurer dans cet endroit aussi longtemps que le couple précédent. J'aperçus mon reflet, sombre et légèrement déformé, dans le miroir ; j'aurais aimé le regarder de plus près pour voir les dégâts, mais n'osai le faire devant Yoav. Suis-je donc si affreux que ça ? dit-il au bout d'un moment. Quoi ? demandai-je avec un petit rire qui tenait plutôt du grognement. Si quelqu'un est affreux… commençai-je. Non, reprit-il, en écartant une mèche de cheveux qui me cachait les yeux, vous êtes magnifique. Il dit ça comme ça, avec une franchise qui me coupa le souffle. Je suis gênée, dis-je, alors que je ne l'étais pas.

Il plongea la main dans sa poche et en sortit un couteau suisse dont il ouvrit la lame. Pendant une fraction de seconde, je crus qu'il allait commettre un acte violent, pas sur moi, mais sur lui-même. Au lieu de cela, il prit la savonnette sur le lavabo, une savonnette dégoûtante, couverte de la crasse séchée de toutes les mains qui avaient fréquenté les lieux, et se mit à la tailler avec son couteau. C'était si absurde que j'éclatai de rire. Au bout de quelques minutes, il me tendit le savon. Qu'est-ce que c'est ? demandai-je. Vous ne voyez pas ? Je secouai la tête. Un bateau, fit-il. Ça ne ressemblait pas à un bateau mais je m'en moquais. Il y avait bien longtemps que quelqu'un n'avait fabriqué quoi que ce soit en mon honneur.

C'est alors, en contemplant son étrange visage, que je compris qu'une porte s'était ouverte, pas le genre de porte auquel pensait mon père. Celle-ci, je pouvais la franchir et il m'apparut tout de suite clairement que c'est ce que je ferais. Une autre nausée me submergea, mêlée de bonheur, celle-là, et aussi de soulagement parce que, je le sentais, un chapitre de ma vie était terminé et un autre débutait.

Bien sûr, il y eut des moments difficiles ou des moments qui paraissaient tout remettre en question. La première fois qu'on coucha ensemble, il se passa une chose bizarre. Nous étions allongés sur le tapis, dans la chambre de Yoav, au troisième étage de la maison de Belsize Park. Les fenêtres étaient ouvertes, un orage imminent noircissait le ciel, un silence insolite régnait. Il enleva mon chemisier et toucha mes seins. Il avait des mains douces et inquisitrices. Puis il m'enleva mon pantalon. Il ne commença pas par enlever mes chaussures mais tira simplement ma culotte, et continua de tirer jusqu'à atteindre mes pieds, instant auquel, naturellement, il se trouva bloqué. Une bataille s'ensuivit, comme on dit dans les romans russes, de courte durée, heureusement. Mes chaussures tombèrent et mon pantalon se libéra. Puis il se déshabilla à son tour. Enfin, nous étions nus. Mais au lieu de poursuivre comme nous avions commencé, Yoav changea de cap et se mit à rouler sur lui-même. Un véritable tonneau, avec moi attachée à lui. Une fois que nous eûmes tourné à trois cent soixante degrés, il se remit à rouler. J'avais accepté pas mal de trucs insolites ou saugrenus pendant l'amour, mais celui-ci était le plus insolite de tous, car il n'avait absolument rien de sexuel, ni pour moi ni, autant que je le sache, pour lui. Nous étions semblables à deux acrobates de cirque à l'entraînement. Tu me fais mal au cou, murmurai-je. Il n'en fallut pas plus. Yoav me relâcha et je retombai sur le sol où je demeurai immobile quelques minutes, reprenant mon souffle et essayant de décider si j'avais envie de recommencer là où nous nous étions arrêtés, ou de me rhabiller et partir.

J'hésitais encore quand j'entendis un bruit de pleurs étouffé. Je m'assis. Qu'est-ce qu'il y a ? demandai-je. Rien, dit-il. Mais tu pleures. Je pensais simplement à quelque chose, répondit-il. À quoi ? demandai-je. Un jour, je te le dirai. Non, maintenant, m'apprêtais-je à dire en me rapprochant de lui, seulement je ne finis pas ma phrase parce que sa bouche était sur la mienne et je fus aspirée dans un baiser doux et profond, comme s'il avait plongé la main en moi et effectué une rapide opération d'urgence de la façon la plus adroite et la plus délicate qui soit, faisant jaillir et revivre quelque chose, m'inondant de la vitalité dont j'avais été privée. Cette nuit-là,, nous avons fait l'amour trois fois, peut-être quatre. À partir de là, nous n'avons été que rarement séparés.

En présence de Yoav, tout ce qui gisait jusque-là en moi se redressait. Il avait une façon de me regarder avec une espèce de franchise décontractée qui me donnait le frisson. C'est quelque chose de stupéfiant de sentir que, pour la première fois, quelqu'un vous voit telle que vous êtes vraiment et non telle qu'il voudrait que vous soyez, ou que vous souhaiteriez être. J'avais déjà eu des copains et j'étais au courant des petits rituels amoureux utilisés pour mieux faire connaissance : on ressortait les histoires d'enfance, de camps de vacances et de collège, les humiliations historiques et les phrases adorables que l'on prononçait étant enfant, les drames familiaux, le portrait de soi que l'on dessinait en se faisant un peu plus brillante, un peu plus profonde qu'on se savait l'être. Et quand bien même je n'avais eu que trois ou quatre relations amoureuses, je savais déjà que, chaque fois, le plaisir de raconter une nouvelle anecdote personnelle s'émoussait un peu plus, que chaque fois, on s'impliquait un peu moins et que l'on se méfiait davantage d'une intimité qui, pour finir, n'aboutissait jamais à une véritable compréhension.

Avec Yoav, c'était différent. Appuyé sur un coude, il me regardait fixement pendant que je parlais, caressant d'un air absent mon bras ou ma jambe et m'interrompant pour me poser des questions : Qui est-elle ? Tu ne m'en as jamais parlé, OK, continue, qu'est-ce qui s'est passé après ? Il se rappelait chaque détail et voulait connaître non seulement les situations marquantes, mais absolument tout, m'interdisant de sauter le moindre épisode. Il claquait la langue d'un air désapprobateur et son visage s'assombrissait de colère quand j'évoquais un acte de cruauté ou de trahison et souriait fière-ment quand je décrivais un triomphe. Parfois, ce que je lui racontais déclenchait un rire tranquille, presque tendre. Il me donnait le sen-timent que l'ensemble de ma vie n'avait été vécu que pour sa seule oreille et il traitait mon corps avec la même attention, le même émerveillement. Il me touchait et m'embrassait avec un tel sérieux – scrutant mon visage pour jauger ma réaction – que cela me faisait rire. Un jour, pour plaisanter, il prit un carnet et, après chaque caresse, consigna un court commentaire, parlant tandis qu'il écrivait : Lui sucer le lobe de l'oreille... point-virgule... lui coupe... le souffle. Puis il m'embrassait et me caressait de nouveau avant de reprendre son carnet : Lui lécher... le bout du sein... droit tout en... laissant ma main... vagabonder sur ses... fesses... ma... gni... fiques... point-virgule... et un sourire... lointain... passe... sur son... visage. Un autre arrêt, puis : Mettre... ses orteils... dans ma bouche... point-virgule... fait... se dresser... les poils... de ses bras... et se refermer... ses... cuisses sublimes... Addendum... point-virgule... Une deuxième fois... la... fait... hurler... point d'exclamation. Mais la plaisanterie ne s'arrêtait pas là. Un jour, en entrant à la bibliothèque, je trouvai le carnet caché parmi mes livres, chaque page couverte de la minuscule écriture de Yoav.

Grâce à l'attention qu'il me portait, je me sentais tellement épu-rée, brillante et exacte, tellement touchée, aussi, que j'acceptai, du moins au début, que s'il n'y avait rien que je ne sois prête à lui dire, de son côté, il semblait incapable de parler de certaines choses concernant sa famille. Sans l'exprimer directement, il trouvait toujours un moyen pour éviter de répondre.

J'essayai de l'apprendre. J'étudiais les diverses beautés de son corps, la cicatrice luisante, en forme de rail de chemin de fer, au-dessus de son téton gauche, l'ongle déformé de son pouce droit, la petite bande de poils dorés, à l'endroit où sa colonne vertébrale rencontrait le haut de ses fesses. La surprenante minceur de ses poignets, l'odeur de son cou. Ses plombages argentés, les minuscules capillaires au sommet de ses oreilles. J'aimais la façon dont il parlait avec un côté de la bouche, comme si l'autre refusait obstinément d'adhérer à ce qu'il était en train de dire. Et une petite bouffée de tendresse montait en moi, chaque fois que je le voyais tenir sa cuiller pendant qu'il mangeait ses céréales tout en lisant le journal, d'une manière presque fruste, à l'opposé du raffinement de tous ses autres gestes. Quand il lisait, il enroulait une mèche de cheveux autour de son doigt. Il avait un métabolisme rapide et, pour échapper aux maux de tête, il devait manger souvent. À cause de cela – et parce qu'après la mort de sa mère, il n'y avait que la nourriture préparée par la gouvernante, qui était différente – il avait appris très tôt à cuisiner.

Lorsqu'il dormait, il rejetait une chaleur qui m'inquiétait avant que je m'y habitue et que je sois charmée par elle. J'avais lu un jour un article sur les enfants qui, ayant perdu leur mère, se blottissent contre un radiateur et, un soir, au moment de sombrer dans le sommeil, je vis ces enfants blottis contre Yoav. Je rêvai même peut-être que j'étais l'un de ces enfants. Mais c'était Yoav qui avait perdu sa mère, pas moi. Éveillé, il ne cessait de battre nerveusement du pied ou d'aller et venir. Il avait besoin de se débarrasser de l'énergie produite par son corps, or, cette activité frénétique avait un côté un peu vain, car aussitôt que cette énergie était dépensée, son corps en fabriquait d'autres. Lorsque j'étais avec lui, j'avais l'impression que les choses étaient constamment en mouvement, qu'elles poursuivaient un but, et ce sentiment, après la suffocation des mois passés, à la fois m'excitait et me calmait les nerfs. Et si je percevais sa tristesse, je n'en connaissais encore ni l'origine ni la profondeur. Ne me regarde pas comme ça, me disait-il. Comme quoi ? demandais-je. Comme si j'étais dans la salle des incurables. Mais je suis une excellente infirmière. Comment le saurais-je ? demandait-il. Comme ça, disais-je. Silence. Ne t'arrête pas, grognait-il, je n'ai plus qu'un jour à vivre. Tu l'as déjà dit hier. Alors, s'écriait-il, par-dessus le marché, je suis amnésique, c'est ça ?

Il ne me fallut pas longtemps pour cesser de dormir dans ma chambre de Little Clarendon Street et passer presque tout mon temps à Londres. On pourrait dire que je m'enfuis là-bas, vers Yoav et son monde, au centre duquel se trouvait la maison de Belsize Park. Dès le début, Yoav avait dû sentir en moi un désespoir, un désir d'égaler son intensité à lui, de mettre le reste de côté afin de me jeter tout entière dans le seul type de relation dont il fût capable, c'est-à-dire une espèce de clan fermé où il n'y avait place pour personne d'autre, ou personne d'autre que sa sœur, qu'il considérait comme son alter ego.

Tout de suite, mon état mental s'améliora. Mais sans revenir complètement à ce qu'il était avant : une peur résiduelle demeurait en suspens, la peur de moi-même, essentiellement, et de ce qui, pendant tout ce temps, était resté tapi en moi sans que je le sache. J'avais l'impression d'avoir été anesthésiée, et non guérie de ce qui me faisait souffrir. Rien n'était plus comme avant, et si je ne craignais plus de finir à Bellevue[1], me rappelant même avec gêne mon comportement pathétique aux pires moments, je sentais que quelque chose en moi s'était définitivement modifié, desséché ou, pire, abîmé. J'avais perdu une certaine emprise sur moi-même ou, devrais-je peut-être dire, l'idée d'un moi solide, qui n'avait jamais, de toute façon, été particulièrement robuste, était tombée en miettes, tel un jouet sans valeur. C'est sans doute pour cela que

1. Hôpital psychiatrique de New York.

j'imaginai sans peine – pas au début, mais au fil du temps – que j'étais, presque, l'un d'eux.

Les débuts furent différents. Tous les aspects de la vie telle qu'elle se déroulait dans la maison de Belsize Park me paraissaient étranges et insaisissables. Les plus banals – l'armoire pleine de robes hors de prix que Leah ne portait pas, Bogna, avec sa claudication, qui venait faire le ménage deux fois par semaine, l'habitude qu'avaient Yoav et Leah de laisser tomber leurs manteaux et leurs sacs par terre en entrant – étaient pour moi exotiques et fascinants. Je les étudiais et tentais de comprendre la manière dont tout cela fonctionnait. J'étais consciente d'un système de règles et de conventions qui gouvernait leur vie, sans pouvoir mettre le doigt dessus. J'avais la sagesse de ne pas poser de questions et me comportais en invitée polie et reconnaissante. Ma mère m'avait inculqué certaines manières, dont le principe essentiel était de gommer ses propres penchants lorsqu'il s'agissait de quelqu'un d'autre, tenu en grande estime.

Exactement de la même façon que les enfants d'un capitaine de vaisseau comprennent d'emblée la mer, Yoav et Leah possédaient le sens inné des meubles, de leurs origines, de leur âge et de leur valeur, ainsi qu'une perception aiguë de leur beauté. Non qu'ils fassent grand usage de ce don ou soient convaincus qu'ils devaient traiter de tels objets avec soin. Ils remarquaient leur présence comme l'on peut remarquer celle d'un joli paysage, puis poursuivaient à leur guise leur activité du moment. Je commençai à tirer profit de leurs remarques occasionnelles. Dans mon désir de leur ressembler, je m'appliquais à interroger Yoav sur les divers meubles qui entraient et sortaient sans cesse. Il me répondait distraitement, sans lever les yeux de ce qu'il faisait. Je lui demandai un jour s'il ne trouvait pas quelque chose de triste à ces meubles abandonnés, une fois éparpillées ou désintégrées les vies qu'ils avaient accompagnées, à tous ces objets dépourvus de mémoire qui ne servaient qu'à récolter la poussière. Il se contenta de hausser les épaules sans répondre. Malgré tout ce que je finis par apprendre, je ne parvins jamais à acquérir la grâce ni l'aisance avec lesquelles Yoav et Leah se mouvaient parmi ces antiquités, ni leur étrange mélange de sensibilité et d'indifférence.

Ayant grandi à New York, je n'avais manqué de rien, cependant ma famille n'était pas riche pour autant. Enfant, j'avais toujours eu le sentiment que ce que nous possédions n'était pas sûr et que tout pouvait s'écrouler sous nos pieds d'une minute à l'autre, comme si nous vivions dans une hutte en adobe inadaptée au climat. J'entendais parfois mes parents discuter pour savoir s'ils devaient ou non vendre deux toiles de Moïse Soyer accrochées dans le couloir. C'étaient des tableaux sombres, inquiétants, qui me terrifiaient dans le noir, mais l'idée que mes parents puissent être forcés de s'en séparer contre de l'argent me tourmentait. Si j'avais su qu'il existait des gens de l'espèce de George Weisz, celui-ci aurait hanté mon sommeil, tout comme l'idée des meubles de famille emportés un à un. Dans la réalité, nous habitions un immeuble en brique blanche de York Avenue, dans un appartement que mes grands-parents avaient aidé mes parents à acheter, mais nous nous habillions toujours dans des solderies et je me faisais souvent réprimander pour avoir oublié d'éteindre la lumière – à cause du prix de l'électricité. Un jour, j'entendis mon père crier à ma mère que chaque fois qu'elle tirait la chasse d'eau, c'était un dollar de perdu. Après cela, je pris l'habitude de laisser les matières s'accumuler dans la cuvette toute la journée, jusqu'à ce qu'elles atteignent un volume critique. Lorsque les menaces de ma mère mirent un terme à cette pratique, je m'entraînai à me retenir le plus longtemps possible. S'il m'arrivait un accident, je supportais mon humiliation et la colère de ma mère en pensant à l'argent que je faisais économiser à mes parents. Néanmoins, je ne parvins jamais à comprendre la disproportion entre l'imposante East River aux eaux troubles qui coulait interminablement devant notre fenêtre et le caractère si précieux de l'eau dans nos toilettes.

Le peu de meubles que nous possédions étaient, dans l'ensemble, de qualité, y compris les quelques antiquités léguées par mon grand-père, dont la surface était recouverte d'une plaque de verre fixée aux quatre coins sur des rondelles de plastique transparent. Malgré cela, j'avais interdiction de poser mon verre dessus ou de jouer trop près. Ces objets de valeur nous intimidaient beaucoup. Quelle que soit notre réussite, nous savions que nous ne serions jamais dignes d'un tel raffinement. Les quelques antiquités de valeur que nous possédions nous étaient échues d'un monde supérieur au nôtre et condescendaient simplement à cohabiter avec nous. Nous avions toujours peur de leur infliger quelque dommage, aussi m'apprit-on très tôt à me mouvoir avec prudence parmi les meubles, moins à vivre avec eux qu'à les côtoyer à une distance respectueuse. Lorsque je commençai à passer du temps à Belsize Park, je souffrais de voir la désinvolture avec laquelle Yoav et Leah traitaient le mobilier qui transitait par chez eux et constituait le gagne-pain de leur père, aussi bien que le leur. Ils posaient leurs pieds nus et leurs verres de vin sur des tables basses Biedermeier, laissaient des traces de doigts sur les vitrines, faisaient la sieste sur les canapés, grignotaient sur des commodes Art déco et marchaient même parfois sur les longues tables de salle à manger quand c'était le moyen le plus aisé de passer d'un endroit à un autre, dans une pièce encombrée de meubles. La première fois que Yoav me déshabilla et me pencha vers l'avant, je devins raide et maladroite, non pas à cause de la position, qui me plaisait, mais parce que j'étais penchée sur un secrétaire incrusté de nacre. Cependant, malgré tout leur manque de soin, ils semblaient laisser derrière eux assez peu de marques. Au début, j'y vis la grâce de personnes habituées depuis l'enfance à considérer de tels meubles comme leur habitat naturel, mais lorsque je connus mieux Yoav et Leah, leur talent, si l'on peut l'appeler ainsi, me parut comme emprunté à des fantômes.

La maison, elle, livrait plus aisément ses secrets et je finis par bien la connaître. Elle avait quatre étages. Leah vivait tout en haut et dormait à l'arrière, dans un lit à baldaquin ; dans la chambre de devant, il y avait un Steinway droit, sous une lucarne en vitrail ; à certaines heures de l'après-midi, les touches d'ivoire se zébraient de couleurs. Avant de rencontrer Leah, j'étais intimidée par la place qu'elle tenait dans la vie de Yoav. Il faisait souvent référence à elle dans la conversation, disait tantôt *ma sœur*, tantôt juste *elle* et parlait souvent d'eux en disant *nous*. Dès qu'elle arrêtait de jouer, j'étais sûre qu'elle me guettait, d'une pièce ou d'une autre, et j'avais la chair de poule. Mais le jour où elle apparut enfin, je m'aperçus avec étonnement combien elle était discrète et modeste, comme si tout son être se réservait pour sa vie intérieure. Elle paraissait tenir debout sous l'effet d'une forte pression venue du plus profond de son être. Elle avait un second piano, un demi-queue, dans un bureau du rez-de-chaussée. Des partitions s'entassaient un peu partout. Les feuilles se promenaient dans toute la maison, jusque dans la cuisine et les salles de bains. Elle passait une semaine ou deux à apprendre un morceau qu'elle divisait en fragments toujours plus petits et jouait mécaniquement, l'air absent. Elle portait un vieux kimono en coton et s'habillait rarement. Une sorte de saleté s'emparait alors d'elle, les touches de piano étaient sales – jusqu'à ses ongles qui amassaient de la crasse. Puis un jour arrivait où elle avalait le morceau en entier, le consommait, l'intégrait à elle-même ; elle se mettait alors à courir partout en rangeant tout ce qui traînait, se lavait les cheveux, puis s'asseyait au piano et jouait l'œuvre de mémoire. Elle la jouait de cent manières différentes, très vite ou très lentement et, à chaque note, se rapprochait toujours un peu plus d'une espèce de clarté incertaine. Tout en elle était délicat et compact, plein de grâce et pourtant, quand elle posait les mains sur les touches, quelque chose d'énorme bouillonnait en elle. Des années plus tard, lorsque je reçus sa lettre et partis retrouver Yoav rue Ha'Oren, je découvris, dans une immense pièce voûtée, son piano à queue suspendu au plafond comme un lustre, à l'aide de cordes et de poulies. Le geste était d'une terrible violence. Le piano paraissait se balancer de façon imperceptible, bien qu'il n'y eût pas un souffle d'air en cette journée étouffante. Leah aurait eu besoin d'une échelle pour jouer. Comment elle avait réussi à le hisser à cette hauteur, mystère. Par la suite, Yoav m'affirma qu'il ne l'avait pas aidée ; un jour, il était sorti et, à son retour, le piano était là. Lorsque je lui demandai pourquoi elle avait fait une chose pareille, il me parla confusément de la pureté d'une note qui, émise dans l'air, résonne, pendant une fraction de seconde, sans aucune entrave. Mais, à ma connaissance, Leah cessa complètement de jouer après le suicide de leur père. Même à l'autre bout de la maison, je sentais la présence du sinistre piano suspendu, tantôt malheureux, tantôt menaçant, et j'avais l'impression que quand il tomberait – ce n'était qu'une question de temps avant que les cordes cassent – il entraînerait la maison tout entière dans sa chute.

La chambre à coucher de Yoav, à Belsize Park, était située directement sous celle de Leah. En général, le peu de meubles qu'il y avait aux deux étages étaient là de façon permanente, soit parce que transporter sans cesse des objets de haut en bas eût demandé trop d'efforts, soit parce que c'était pour eux un soulagement de vivre dans un endroit qui échappait, du moins de ce point de vue-là, à l'influence de leur père. Dans la chambre de Yoav, il y avait un grand matelas posé à même le sol, un mur entièrement occupé par des livres et presque rien d'autre.

La cuisine se trouvait au pied d'un escalier, au rez-de-chaussée. De là, on voyait le jardin de derrière auquel on accédait par une porte située au fond d'un petit couloir. L'ouvrir supposait détruire le travail compliqué des araignées qui vivaient là ; dès qu'on la refermait, celles-ci rappliquaient. Bogna, qui était membre de l'Église orthodoxe, respectait trop le caractère sacré de la vie pour les tuer. Le jardin était une jungle envahie de ronces. Lorsque je le vis pour la première fois, on était en novembre et toutes les plantes dépérissaient. À un moment donné, le jardin avait dû être planté et entretenu, mais livré à lui-même et à la patiente et opiniâtre ténacité de la vie végétale, seules les plantes les plus robustes avaient survécu et prospéré au point d'être enchevêtrées les unes dans les autres. L'allée s'était effondrée. Les rhododendrons et le laurier-rose formaient un grand mur sombre qui obstruait la lumière du soleil. Il y avait une table à jouer dans l'herbe. De la cire de bougie s'était accumulée sur le plateau et un cendrier provenant de l'Excelsior de Rome était rempli d'eau sale. Plus tard, le beau temps revenu, nous commençâmes à nous y asseoir avec une bouteille de vin. L'état du jardin convenait parfaitement à Yoav et Leah. Ils avaient tous les deux le goût et le respect de la vie secrète des choses à l'état de nature et, de loin, les tenaient en grande estime. La maison était jonchée d'objets qu'ils avaient abandonnés, fait tomber ou laissés à l'endroit où ils les avaient posés pour la dernière fois. Parfois, ces tableaux vivants restaient là pendant des semaines avant que Bogna fasse finalement place nette en remettant les choses à leur place, si elles en avaient une, ou en les jetant à la poubelle. Elle semblait comprendre les goûts et les habitudes de Yoav et Leah, même lorsque ceux-ci étaient en opposition avec les siens. Elle feignait l'exaspération, accentuant ses profonds soupirs et s'appuyant plus lourdement sur sa mauvaise jambe, mais il était évident qu'elle était désolée pour eux. Cependant, elle était obligée de faire son travail. C'était Weisz qui la payait et à qui elle devait rendre des comptes si tout n'était pas propre lorsqu'il apparaissait enfin.

Avant l'arrivée de leur père, je reprenais toujours le bus pour rentrer à Oxford. Bien que son métier exigeât une certaine dose de charme et de sociabilité, c'était quelqu'un de réservé et de secret, entouré d'une espèce de fossé. Le genre de personne qui crée une illusion d'intimité en vous faisant parler, en vous posant des questions sur vous et en se souvenant du nom de vos enfants, si vous en avez, ou du genre de boisson que vous aimez, mais qui, vous vous en rendez compte plus tard (si vous vous en rendez compte), s'est arrangé pour ne dévoiler que très peu de lui. En famille, il ne supportait pas la présence d'étrangers. Je ne me rappelle pas bien la façon dont la chose me fut présentée, elle n'était jamais exprimée directement, mais je savais qu'il était *verboten* d'être là quand il y était. Après ses visites, Yoav se montrait souvent lointain et apathique et Leah, elle, disparaissait pendant de longues heures exténuantes de travail au piano. À mesure que le temps passait et que ma relation avec Yoav devenait plus sérieuse, ma place dans la maison de Belsize Park plus assurée, je commençais à me sentir blessée et furieuse de devoir décamper comme une invitée indésirable ou disgracieuse à chaque apparition de leur père. Ce sentiment était aggravé par le fait que Yoav refusait de m'expliquer pourquoi ou d'en parler tant soit peu. Il se bornait à évoquer du bout des lèvres certaines règles et exigences qu'il était simplement hors de question de transgresser. La seule chose qui demeurait explicite, c'était que je ne pouvais être là quand leur père y était. Cela ne faisait que renforcer en moi l'impression d'insécurité qui hantait sans cesse notre relation, l'intuition qu'une grande partie de Yoav me serait toujours inaccessible, que la vie qui était la sienne ne se confondrait jamais avec la mienne.

En janvier, j'allai presque chaque jour à la British Library. Il faisait nuit lorsque je gravissais Haverstock Hill, le matin, pour prendre le métro et nuit lorsque je ressortais, l'après-midi, dans Euston Road. Je n'avais toujours pas trouvé de nouveau sujet de thèse et employais mon temps à lire un peu au hasard, sans absorber grand-chose, redoutant toujours un nouvel accès de panique. J'appelai A.L. Plummer, que je paraissais intéresser de moins en moins, et lui parlai de la direction dans laquelle je pensais m'engager. Bon, alors continuez, me dit-il et je l'imaginai, perché sur l'une de ses piles de livres, sa tête chauve enfoncée dans sa toge comme celle d'un vautour endormi. Certains matins, je partais avec l'intention de me rendre à la bibliothèque mais, arrivée à la station de métro, j'étais incapable d'envisager la longue descente dans l'ascenseur en compagnie des autres passagers de l'heure de pointe, jusqu'aux profondeurs caverneuses de la Northern Line ; je continuais mon chemin, prenais mon petit déjeuner dans l'un des snacks de High Street et tuais le temps en flânant chez Waterstone ou dans les allées étroites de la librairie de livres d'occasion de Flak Walk jusqu'à onze heures un quart, moment auquel je commençais à descendre Fitzjohns Avenue. Le musée Freud ouvrait ses portes à midi. Comme j'étais souvent la seule visiteuse, les guides et la femme qui tenait la boutique du musée semblaient ravis de me voir et quittaient les salles dans lesquelles je me trouvais pour me permettre de musarder en paix.

Les après-midi où j'étais à Belsize Park, Yoav et moi, fréquemment accompagnés de Leah, allions au cinéma où on voyait parfois deux films l'un après l'autre ou le même film deux fois. Ou bien on se promenait sur Hampstead Heath. De temps à autre, on partait en expédition à la National Gallery ou à Richmond Park, ou on assistait à la représentation d'une pièce de théâtre à l'Almeida. Mais on restait la plupart du temps à la maison qui nous aspirait avec une force que j'ai du mal à expliquer, sauf à dire que c'était notre monde à nous et que nous y étions heureux. Le soir, on louait un film ou on lisait, tandis que Leah travaillait son piano et souvent, à une heure suffisamment tardive, on ouvrait une bouteille et Yoav me lisait des textes de Bialik, d'Amichai, de Kaniuk ou d'Alterman. J'adorais l'écouter lire en hébreu, l'entendre exister de façon si vivante dans sa langue maternelle. Et aussi parce que dans ces moments-là, je n'avais pas à faire l'effort d'essayer de le comprendre.

Moi, du moins, j'étais heureuse là-bas. Un matin, alors que je m'habillais dans le noir, Yoav sortit le bras de dessous les draps et m'attira vers lui. Toi, fit-il. Je m'allongeai à côté de lui et caressai son visage. Foutons le camp d'ici, dit-il. Où ça ? demandai-je. Je ne sais pas. Istanbul ? Caracas ? Et on y fera quoi ? Yoav ferma les yeux et réfléchit. On aura un étal de jus. Un quoi ? Du jus, dit-il. On vendra du jus de fruit frais. N'importe quoi, tout ce qui plaît aux gens. Mangue, papaye, noix de coco. Je savais qu'il plaisantait, mais il y avait comme une prière dans ses yeux. Ils ont des noix de coco à Istanbul ? demandai-je. Nous les importerons répondit-il. Ça deviendra une vraie folie. Les gens feront la queue dans la rue. La ville entière s'entichera de notre jus de coco, ajoutai-je. Oui, dit-il, et l'après-midi, après avoir vendu tout le jus de coco qu'il faudra, on rentrera à la maison, poisseux et heureux, et on fera l'amour pendant des heures et ensuite on se mettra sur notre trente-et-un, toi en robe blanche et moi en complet blanc, et on sortira, éclatants, puis on remontera et on descendra toute la nuit le Bosphore dans un bateau à fond de verre. Qu'est-ce qu'on voit au fond du Bosphore ? demandai-je. Des suicidés, des poètes, des maisons emportées par des ouragans, dit-il. Je n'ai pas envie de voir des suicidés, dis-je. Bon, d'accord alors viens avec moi à Bruxelles. Pourquoi Bruxelles ? Ordres d'en haut, dit-il. Quoi ? demandai-je. El Jefe, dit-il. Ton père ? Lui-même. Sérieusement ? demandai-je. M'as-tu jamais vu autrement que sérieux ? dit-il en baissant ma culotte et en disparaissant sous les couvertures.

De temps en temps, leur père demandait à Yoav et Leah de l'aider dans des aspects secondaires de son travail, comme par exemple, montrer un meuble à un client, aller quelque part récupérer une pièce qu'il avait achetée ou assister en son nom à une vente aux enchères. C'était la première fois que Yoav me demandait de l'accompagner et j'y vis le signe que quelque chose d'important avait changé entre nous. Pour la première fois, j'étais admise à partager un aspect des affaires de la famille. On prit la voiture, une DS Citroën noire de 1974. Après avoir mis le contact, il fallait attendre l'entrée en action de la pompe hydraulique qui soulevait l'arrière de l'habitacle au-dessus des roues. Le siège avant était une longue banquette et je restai assise contre Yoav pendant qu'il conduisait. La voiture s'engagea en douceur sur l'autoroute et nous parlâmes des endroits où nous aimerions aller (moi, au Japon, lui, voir une aurore boréale), du hongrois opposé au finnois, du génie de minuit, du soulagement de l'échec, de Joseph Brodsky, des cimetières (mon préféré était San Michele, le sien, Weissensee), de la demeure de Yehuda Amichai dans Yemin Moshe. Yoav me raconta que lorsqu'il était enfant, sa mère lui montrait souvent Amichai dans le bus ou dans la rue, avec ses paniers en plastique pleins de nourriture qu'il ramenait du souk. Regarde-le, me disait-elle, un homme pareil aux autres, qui revient chez lui, chargé de provisions. Et pourtant, dans son âme, tous les rêves, la tristesse et la joie, l'amour et le regret, tout l'effroyable malheur des gens qu'il croise dans la rue se battent pour trouver place dans ses mots. Et nous étions là, tous les deux, dans la Jérusalem de son enfance. Il me parla de la maison de la rue Ha'Oren qui sentait le papier moisi, les citernes humides et les épices, et me raconta que sa mère en était tombée amoureuse à sa première visite à Ein Karem, des années plus tôt, et que la première chose qu'avait faite son père quand il avait commencé à gagner de l'argent, avait été d'aller voir le propriétaire pour lui demander son prix. Un jour, il demanda à sa femme si elle avait envie de se promener et lentement, par des chemins détournés, ils arrivèrent comme par hasard dans la rue Ha'Oren ; il sortit alors la clef de sa poche et ouvrit la grille d'entrée tandis qu'elle, déroutée, restait en arrière, ainsi qu'on le fait toujours, un peu effrayé, à l'instant où un rêve devient brusquement réalité.

En y repensant, je ne crois pas avoir jamais été plus heureuse, pendant mon séjour en Angleterre, que durant ce trajet, blottie contre

Yoav qui bavardait tout en conduisant. Mais très vite nous arrivâmes à Folkestone, montâmes la voiture sur le train et laissâmes l'Angleterre derrière nous. La radio ne marchait pas dans le tunnel et la voiture n'ayant pas de lecteur de CD, nous occupâmes notre temps à nous embrasser dans le silence qui règne sous la Manche, jusqu'au moment où nous émergeâmes à Calais. Nous passâmes devant des panneaux indiquant les batailles d'Ypres et de Passendale et tournâmes vers l'est, en direction de Gand. Aux abords de Bruxelles, le temps devint brumeux et pendant que nous roulions le long d'un canal, les corbeaux se dispersèrent et disparurent complètement, tandis que surgissait la banlieue délabrée de la ville. Nous nous égarâmes dans un réseau de rues à sens unique, de ronds-points et d'avenues à la signalisation absente ou incompréhensible. Nous nous arrêtâmes pour demander notre chemin à un chauffeur de taxi africain qui éclata d'un rire moqueur à l'instant où nous partions, comme s'il savait quelque chose que nous ignorions sur notre destination. Nous descendîmes vers le sud à travers les rues résidentielles d'Uccle et nous retrouvâmes bientôt de nouveau à la campagne, sur des routes bordées d'arbres, ces merveilleuses routes bordées d'arbres, plantées à la règle et au fouet, qui n'existent que dans un lieu aussi obsédé par la beauté que l'Europe. Tout en conduisant, nous parlâmes de l'avenir comme nous le faisions rarement, pas directement, bien sûr, car il était impossible de parler directement à Yoav de quoi que ce soit touchant notre relation, alors qu'indirectement il pouvait discourir sur les sujets les plus intimes et les plus crus, les sujets les plus dangereux, les plus douloureux, les plus désespérés mais aussi les plus optimistes. Quant à ce qui fut dit, au juste, de l'avenir, tout ce que je peux affirmer c'est que, devisant ainsi indirectement, il ne passa entre nous qu'un sentiment, ou un changement de sentiment, l'impression d'être en terrain sûr après avoir marché des jours, voire des mois, dans une tourbière spongieuse, un changement que j'aurais eu du mal, alors, et que j'aurais encore du mal, aujourd'hui, surtout aujourd'hui, après toutes ces années, à décrire.

L'après-midi était très avancé quand nous arrivâmes devant un portail à deux battants en fer forgé rouillé. Yoav descendit la vitre et appuya sur la sonnette. Une longue minute s'écoula avant que quelqu'un répondît, mais à l'instant où il s'apprêtait à sonner une nouvelle fois, les portes s'animèrent et commencèrent à s'ouvrir lentement. Nous remontâmes l'allée en faisant crisser le gravier sous les roues de la Citroën. Qui habite ici ? demandai-je en essayant de ne pas paraître impressionnée par le château en pierre flanqué de tourelles aux toits d'ardoises qui apparaissait derrière les immenses chênes centenaires, parce que la chose que je craignais le plus au monde, c'était que Yoav regrette de m'avoir amenée. M. Leclercq, dit-il, ce qui ne faisait qu'ajouter à l'absurdité de la situation puisque je n'avais jamais entendu parler d'un quelconque Leclercq et n'avais pas la moindre idée de qui il pouvait être.

Je supposais qu'un individu assez riche pour vivre dans un tel endroit devait être entouré vingt-quatre heures sur vingt-quatre de maîtres d'hôtel et de femmes de chambre, d'un personnel en uniforme le protégeant contre toute possibilité d'effort physique, fût-il insignifiant. Or, lorsque nous sonnâmes et que l'énorme porte cloutée de cuivre s'ouvrit en grinçant, ce fut Leclercq lui-même qui apparut en chemise à carreaux et gilet de laine sans manches, écrasé par l'escalier en marbre à double révolution qui s'élevait derrière lui. Un monumental dispositif électrique à petits carreaux de verre, suspendu à une chaîne de cuivre, au-dessus de lui, se balançait légèrement sous l'effet d'un coup de vent. En dehors de cela, l'intérieur était sombre et immobile. Leclercq tendit la main à chacun de nous mais, pendant une seconde ou une fraction de seconde, je fus trop paralysée pour réagir, car j'essayais de me rappeler à qui exactement notre hôte me faisait penser et c'est seulement lorsque ma main fut serrée avec force par la sienne et qu'un frisson glacé me descendit le long du cou que je le sus : Heinrich Himmler. Bien sûr, le visage avait vieilli, mais le minuscule menton pointu, les lèvres minces, les lunettes rondes cerclées de métal et, juste au-dessus des montures, l'immense étendue plate du front, un plan ininterrompu qui montait très haut, contrairement à toute loi des proportions, surmonté par la touffe de cheveux ridiculement maigre, presque rabougrie – tout cela était évident. Lorsqu'il nous souhaita la bienvenue, son sourire anémique découvrit de petites dents jaunes.

Je tentai de capter le regard de Yoav qui, apparemment inconscient de la ressemblance, suivit Leclercq sans la moindre hésitation à l'intérieur. Celui-ci nous précéda dans un long couloir au parquet ciré, ses pieds squameux, enflés et parcourus de grosses veines, enfoncés dans des chaussons de velours rouge. Nous passâmes devant un gigantesque miroir tout tacheté, entouré d'un cadre doré et, l'espace d'une seconde, notre petit groupe doubla de taille, rendant le silence encore plus inquiétant. Leclercq le perçut-il, lui aussi ? Toujours est-il qu'il se tourna vers Yoav et se mit à lui parler en français – à ma connaissance, de notre voyage et des grands chênes vénérables du domaine, plantés avant la Révolution. Je calculai que même si le suicide de Himmler dans la prison de Lunebourg était une supercherie, la célèbre photo du cadavre étendu sur le sol une astuce théâtrale, il aurait eu à présent quatre-vingt-dix-huit ans, alors que l'homme ingambe que nous suivions ne pouvait en avoir beaucoup plus de soixante-dix. Mais comment savoir si ce n'était pas un parent de Himmler, comme ceux de Hitler qui prospéraient dans la banlieue verdoyante de Long Island, un neveu ou le seul cousin survivant du responsable des camps d'extermination, des Einsatzgruppen et de l'exécution de millions d'êtres humains ? Il s'arrêta devant une porte fermée, sortit de sa poche un trousseau de lourdes clefs et, ayant trouvé celle qu'il cherchait, nous introduisit dans une vaste pièce lambrissée donnant sur le jardin qui s'étendait dans toutes les directions. Je jetai un coup d'œil dehors et quand je me retournai, Leclercq m'observait avec un intérêt qui me troubla – peut-être ne faisait-il qu'apprécier enfin un peu de compagnie. Nous ayant invités à nous asseoir, il partit chercher du thé. Apparemment, il vivait seul dans cette grande maison.

Lorsque je demandai à Yoav s'il avait remarqué que notre hôte était le sosie de Himmler, il se mit à rire, mais me voyant on ne peut plus sérieuse, il me dit que non, il n'avait rien remarqué, et lorsque je le poussai dans ses retranchements, il reconnut que oui, peut-être, il y avait une petite, toute petite ressemblance si l'on regardait le vieil homme en plissant les yeux, dans une certaine lumière. En réalité, Leclercq, m'assura-t-il, descendait d'une des plus anciennes familles aristocratiques de Belgique, dont l'ascendance remontait à Charlemagne ; le père de sa mère était vicomte et avait, pendant une brève période, servi Léopold II en tant que directeur d'une plantation de caoutchouc au Congo. La famille avait perdu la plus grande partie de sa fortune pendant la guerre et ce qui en restait servait à payer leurs énormes impôts fonciers, si bien que, finalement, il avait fallu vendre tous les domaines, à l'exception de Cloudenberg, la chère maison de famille. Leclercq était le dernier survivant de la fratrie et, à la connaissance de Yoav, n'avait jamais été marié.

Quelle histoire vraisemblable, allais-je dire, lorsqu'un énorme fracas nous parvint du hall, puis le tintement de boîtes de conserve ou de casseroles qui s'entrechoquaient ou roulaient. Suivant le bruit le long du couloir, nous trouvâmes enfin la grande cuisine, derrière la salle à manger, et Leclercq, à quatre pattes parmi des récipients métalliques de différentes tailles tombés du placard, au-dessus de sa tête. Je pensai un instant qu'il pleurait ; en réalité, il avait perdu ses lunettes et n'y voyait plus. Nous nous agenouillâmes par terre pour l'aider et nous mîmes à ramper tous les trois dans tous les sens, sur le sol de la cuisine. Je découvris ses lunettes sous une chaise. L'un des verres était fêlé et Leclercq, pathétique, tenta de redresser le bout de la branche. Sur le comptoir, il y avait une boîte de gaufrettes à la vanille dans un plateau et quand Leclerc replaça les lunettes cassées sur son nez, je dus reconnaître que sa ressemblance avec Himmler, jusque-là si frappante, devenait moins évidente et s'estompait ; l'association que j'avais faite tenait sans doute à ma connaissance limitée de la nature des affaires de Weisz.

Peut-être est-ce parce qu'il percevait le monde différemment, mais maintenant qu'il avait cassé ses lunettes, Leclercq exsudait une espèce de tristesse qu'il traînait après lui, tandis que nous marchions à sa suite dans les longs corridors et les allées sinueuses du jardin, longions des haies taillées, traversions le labyrinthe de buis, montions et descendions (montions, le plus souvent) les escaliers de ce gros château en pierre, et cette tristesse qui s'épandait dans l'atmosphère comme l'eau, autour d'un phoque harponné, s'emplit d'un nuage de sang. Il paraissait avoir oublié pourquoi nous étions là et pas une fois il ne mentionna la table, ou était-ce la commode, ou la pendule, ou le fauteuil, qui motivait notre visite, et Yoav était trop poli pour aborder le sujet. Au lieu de cela, Leclercq se perdait dans les allées, les tournants et les méandres de sa propre voix qui déroulait pour nous la longue histoire de Cloudenberg remontant au douzième siècle. Le château originel avait été détruit dans un incendie qui, parti de la cuisine, avait ravagé la grande salle de banquet, puis gravi l'escalier, consumant tapisseries, tableaux, trophées de chasse et le plus jeune fils du propriétaire, piégé au troisième étage avec sa nourrice, n'épargnant que la chapelle gothique, située à une certaine distance, sur une colline. Par moments, la voix de Leclercq se réduisait presque à un chuchotement et j'avais du mal à comprendre ce qu'il disait. Je me dis alors que si nous nous étions éclipsés discrètement, si nous étions revenus sur nos pas et avions disparu comme nous étions venus, dans la Citroën, par la grande allée, Leclercq n'en aurait sans doute rien su, plongé comme il l'était dans les affaires interminables et enchevêtrées, les secrets, les triomphes et les déboires de Cloudenberg, et il me fit penser alors, avec ses lunettes ridiculement cassées, ses pieds squameux et enflés et son haut front de Judas, à une nonne, à supposer que cela soit possible, une nonne mariée, corps et âme, non pas à Dieu mais à l'austère structure de Cloudenberg.

Lorsque la visite (si on peut l'appeler ainsi) se termina, il faisait nuit. Nous nous assîmes tous les trois autour de la table de cuisine en bois toute tailladée, sur laquelle, autrefois, les cuisinières tranchaient des épaules et des échines en vue des énormes festins offerts par le vicomte. Leclercq était pâle et semblait épuisé, presque absent, comme si le Leclercq à l'intérieur de Leclercq, se dressant soudain, s'était éclipsé dans le coucher de soleil embrasé du douzième, treizième ou quatorzième siècle. Pardonnez-moi, fit-il, vous devez être affamés, et il se leva pour inspecter le réfrigérateur, un gadget assez inattendu au milieu de tant d'histoire. Il me parut atteint d'une claudication soudaine ; ou bien alors je ne l'avais pas remarquée avant, aussi improbable que cela paraisse, étant donné que je n'avais fait que le suivre tout l'après-midi. C'était peut-être l'une de ces boiteries qui s'accentuent avec la fatigue ou les conditions météorologiques. Laissez-moi vous aider, lui dis-je et il me lança un regard de gratitude. Isabel est une merveilleuse cuisinière, dit Yoav. Elle est capable de concocter un festin à partir de rien.

Leclercq sortit puis revint avec une bouteille de vin. Je préparai une quiche et pendant qu'elle était au four, je dressai la table. Par la suite, je me rendis compte que j'avais placé le couteau et la fourchette du mauvais côté de l'assiette et quand enfin arriva l'heure de manger, Leclercq se figea, comme s'il se trouvait face à une énigme qu'il n'avait aucun espoir de résoudre, mais faisant appel à toute la grâce de sa nature d'aristocrate, il croisa délicatement les poignets au-dessus de son assiette et prit les ustensiles de la bonne main. Dès la première bouchée, un soupir audible s'échappa de ses lèvres, la gêne se dissipa et après cela, en mangeant et en buvant, il redevint un peu plus lui-même.

Après dîner, il nous conduisit à notre chambre. Si l'éventualité de nous héberger pour la nuit avait été évoquée, je n'en avais rien su. Et pourtant il était dix heures passées lorsque le repas se termina et la question de l'objet, quel qu'il fût, que nous étions venus chercher restait à aborder. Nous avions apporté quelques affaires car nous comptions dormir dans un petit hôtel confortable, sur le chemin du retour. Yoav partit chercher les sacs dans la voiture, me laissant seule avec Leclercq qui s'occupait de la literie tout en marmonnant à propos de l'intendante dont c'était le jour de congé.

Yoav et moi nous brossâmes les dents côte à côte dans l'énorme salle de bains attachée à notre chambre et équipée d'une baignoire assez vaste pour un cheval. Au lit, nous commençâmes à nous embrasser. Iz, que vais-je faire de toi ? murmura-t-il dans mes cheveux. Je calai mon corps dans le sien. Mais au lieu de faire l'amour, ainsi que nous en avions l'habitude presque chaque soir, Yoav se mit à chuchoter, le visage collé à mon oreille. Il me raconta une nouvelle fois des histoires de son enfance à Jérusalem, des choses qu'il ne m'avait encore jamais dites comme si, loin de Belsize Park, il se sentait plus libre de parler. Il me confia que sa mère avait été actrice, jusqu'au jour où elle s'était retrouvée enceinte de lui. Après sa naissance, elle n'avait jamais retravaillé mais parfois, en regardant une photo d'elle datant de cette époque, il voyait dans son expression des signes de ce qu'elle aurait pu lui dire. Jusqu'à sa mort, m'expliqua-t-il, sa mère avait constitué une espèce de zone tampon entre leur père et eux. En passant par elle, les ordres de Weisz étaient adoucis et elle trouvait toujours un moyen de rendre ses exigences plus faciles à satisfaire.

Quelques heures plus tard, je me réveillai, trempée de sueur. En me levant pour boire au robinet, je me rendis compte que j'étais bien éveillée et que, comme il m'arrive souvent quand je me réveille la nuit, je ne me rendormirais pas. Craignant de déranger Yoav en allumant la lumière, je pris mon livre – un texte de Thomas Bernhard, je ne me rappelle plus lequel – et quittai la chambre sur la pointe des pieds. Je longeai le grand couloir sous le regard vitreux de six ou sept têtes de cerf empaillées. En haut de l'escalier, il y avait un petit tableau de Bruegel sur lequel Leclercq avait attiré notre attention dans l'après-midi. C'était l'une de ces scènes hivernales de glace grise, de neige blanche et d'arbres noircis, le tout envahi par une masse humaine en mouvement, délicieusement petite sans toutefois une seule vie oubliée, chacune évaluée et prise en compte : minuscules scènes de réjouissances et de désespoir, à la fois inquiétantes et comiques, vues à cette distance à travers les yeux télescopiques du maître. Je m'approchai pour l'examiner. Dans un coin, un homme pissait contre le mur d'une maison tandis qu'au-dessus de lui, à une fenêtre, une femme du peuple au teint terreux s'apprêtait à lui vider un seau d'eau sur la tête. Un peu plus loin, un homme en chapeau était tombé à travers la glace, pendant qu'autour de lui les patineurs indifférents continuaient à se divertir ; seul un petit garçon avait remarqué l'accident et essayait de tendre à l'homme qui se noyait l'extrémité de son bâton. Ici, la scène était figée : le gamin penché en avant, le bâton tendu mais pas encore saisi, l'ensemble de la scène basculant soudain vers le trou noir qui s'apprêtait à l'engloutir.

Dans la cuisine, je cherchai l'interrupteur à tâtons. Quand je le trouvai enfin, je faillis avoir une crise cardiaque : à genoux sur une chaise devant la table en bois entaillée de coups de hachoir, un jeune garçon aux cheveux pâles grignotait une cuisse de poulet. Qui es-tu ? demandai-je, ou plutôt criai-je, bien que la question fût purement rhétorique, puisqu'en cet instant de surprise, j'étais sûre qu'il n'était autre que le minuscule gamin que je venais d'examiner dans le Bruegel, venu se restaurer. Le petit, qui n'avait pas plus de huit ou neuf ans, s'essuya tranquillement le visage du revers de sa main grasse. Il portait un pyjama de Spiderman et avait aux pieds des chaussons éculés. Gigi, dit-il. C'était un drôle de prénom pour un garçon. Je ne devais pas obtenir d'autre explication, car Gigi sauta de sa chaise, jeta l'os de poulet dans la poubelle et disparut dans l'office. Il en ressortit, une minute plus tard, la main plongée jusqu'au coude dans une boîte de biscuits. Il en prit un et me le tendit, je fis non de la tête ; alors Gigi haussa les épaules et mordit lui-même dedans, puis se mit à mâcher pensivement. Ses cheveux étaient emmêlés et formaient des nœuds sur la nuque, comme si on avait négligé de le peigner depuis des semaines. *Tu as soif ?*[*1] me demanda-t-il. Quoi ? dis-je. Il fit le geste de boire dans un verre imaginaire. Oh, non dis-je. Et stupidement : Est-ce que Mr. Leclercq sait que tu es là ? Il plissa le front, perplexe. Hein ? fit-il. Mr. Leclercq ? Il sait que tu es ici ? *Tonton Claude ?*[*] demanda-t-il. J'essayai de comprendre. *Mon oncle ?*[*] dit-il. C'est ton oncle ? Ça semblait à peine croyable. Gigi mordit de nouveau dans son biscuit et releva une mèche de cheveux pâles qui lui tombait dans les yeux.

Il me précéda dans l'escalier en grignotant toujours son biscuit, terriblement agile et léger, ou peut-être le paraissait-il dans la sombre et oppressante architecture de Cloudenberg. En arrivant sur le palier, je jetai un rapide coup d'œil au Bruegel pour voir si l'enfant était parti, l'homme au chapeau, noyé. Mais les personnages étaient trop petits pour que je puisse les distinguer d'où je me trouvais et Gigi, qui marchait rapidement devant moi, tournait déjà au coin. Ayant terminé son biscuit, il en fit tomber les miettes sur son pyjama pelucheux, sortit une petite voiture Matchbox de sa poche et la fit rouler le long du mur. Puis il remit la voiture dans sa poche et prit ma main dans la sienne. Nous parcourûmes un long couloir après l'autre, plongeâmes sous des portes basses, montâmes des escaliers et pendant que nous marchions, Gigi tantôt sautant, ralentissant, accélérant, tantôt revenant sur ses pas pour me prendre la main, je me sentais perdre mes repères, ce qui n'était pas du tout désagréable. Le cadre était de plus en plus dépouillé, jusqu'au moment où nous grimpâmes une étroite volée de marches en bois qui s'élevait sans fin en colimaçon et je compris que nous étions à l'intérieur d'une des tourelles du château. Tout en haut, se

1. Les notes ou expressions en italique suivies d'un astérisque sont en français dans le texte original.

trouvait une petite pièce percée de quatre étroites fenêtres, chacune avec une orientation différente. La vitre de l'une d'elles était cassée et le vent entrait par l'ouverture. Gigi alluma une lampe à l'abat-jour couvert d'autocollants d'animaux et d'arcs-en-ciel dont quelqu'un, par ennui peut-être, avait tenté de faire disparaître certains avec l'ongle. Par terre, il y avait des couvertures, un oreiller dans une taie fleurie aux couleurs délavées et des peluches en piteux état, empilées les unes sur les autres à la façon d'une espèce de nid échevelé. Il y avait aussi une demi-miche de pain rassis et un pot de confiture ouvert. J'avais l'impression que nous nous trouvions dans l'un de ces terriers que l'on rencontre dans les livres d'enfants, remplis de meubles confortables et accueillants, pourvus de tous les accessoires de la vie humaine à une échelle miniature ; seulement, au lieu de descendre sous terre nous étions montés au ciel, et au lieu de chaleur et de confort le repaire sauvage de l'enfant puait l'isolement et la solitude. Gigi s'approcha de l'une des fenêtres, jeta un coup d'œil dehors en frissonnant et, en cet instant, je me représentai notre tourelle, vue de l'extérieur, scintillante cabine de verre habitée par deux exemples de vie humaine flottant sur une mer ténébreuse. Il y avait, sur le rebord de la fenêtre, trois ou quatre soldats de plomb à la peinture écaillée, figés en pleine bataille. J'eus envie de mettre mon bras autour de l'épaule du garçon et de lui dire que tout irait bien un jour, que ce ne serait pas parfait, peut-être même pas le bonheur, mais que ce serait suffisant. Toutefois, je ne le touchai ni ne le consolai, pas plus que je ne lui parlai, de crainte de le faire sursauter, et parce que je ne connaissais pas les mots français nécessaires. Sur un mur, était scotchée la photo d'une femme échevelée avec une écharpe autour du cou. En se retournant, Gigi me vit la regarder. Il s'approcha, enleva la photo et la plaça sous l'oreiller. Puis il se glissa sous la pile de couvertures, se roula en boule et s'endormit.

Moi aussi, je dormis. Lorsque je me réveillai pour la seconde fois de cette longue nuit, Gigi était pelotonné contre moi comme un chat et le ciel pâlissait. Ne voulant pas le laisser seul, je le soulevai dans mes bras aussi doucement que je le pus. N'ayant jamais eu de frères ni de sœurs, il était, autant que je me souvienne, le premier enfant que je soulevais et transportais dans mes bras, et sa légèreté me surprit. Des années plus tard, portant mon propre fils, le mien et celui de Yoav, je songeais parfois à Gigi. Il remua et marmonna quelque chose d'incompréhensible, soupira et se rendormit sur mon épaule. Je descendis l'escalier avec lui, tout amolli et les jambes pendantes, franchis de nouveau des portes, longeai de nouveau des couloirs et, par le jeu de quelque bizarrerie ou d'un raccourci accidentel, émergeai enfin par une porte basse ouvrant sur un petit couloir qui, à son tour, se déversait dans un autre couloir qui me déposa finalement dans la grande entrée où Leclercq nous avait accueillis, sous l'énorme dispositif électrique qui oscillait imperceptiblement au-dessus de sa tête, telle une épée de Damoclès, pensai-je alors, déroutée par le château, en pleine nuit, que je n'avais le courage de parcourir que parce que Gigi continuait à exhaler son souffle tiède et doux dans mon oreille. Je refis le chemin que Yoav, Leclercq et moi avions emprunté la veille. Passant de nouveau devant le grand miroir, je m'attendis presque à voir l'enfant sous la forme d'un fantôme, dépourvu de reflet, mais non : là, dans la semi-obscurité, je distinguai le contour de nos deux silhouettes. Quand j'arrivai à la porte, ou ce que je croyais être la porte que Leclercq avait déverrouillée afin de nous montrer le jardin, je déplaçai le poids de Gigi sur un seul bras et agitai la poignée. Elle céda facilement. Leclercq avait dû oublier de la verrouiller après nous, me dis-je, et je pénétrai dans la pièce avec l'intention de jeter un bref coup d'œil sur le jardin, dans la lumière grise de l'aube, une lumière que j'ai toujours aimée pour la pitoyable fragilité qu'elle fait ressortir en toute chose. Mais la pièce dans laquelle je me tenais était sombre et sans aucune vue, ou alors la vue avait été masquée par de lourds rideaux, et s'il était possible que Leclercq fût revenu les tirer avant d'aller se coucher, cela paraissait tout de même peu probable. Les minutes passant, je commençai à me rendre compte que la pièce était beaucoup plus grande que celle où je m'étais trouvée auparavant, plus proche d'une salle que d'une simple pièce, et je sentis une sorte de présence muette tapie dans la pénombre, une pénombre dans laquelle je ne tardai pas à discerner une foule de formes de tailles variées disposées en longues rangées, une grosse masse mélancolique qui paraissait s'étendre dans toutes les directions avant de se dissoudre dans les coins les plus reculés de la salle voûtée. Malgré le peu de visibilité, je devinai ce qu'étaient ces formes. Elles me rappelèrent soudain une photo sur laquelle j'étais tombée, des années plus tôt, en faisant des recherches sur l'œuvre d'Emanuel Ringelblum pour l'un de mes cours d'histoire, à l'université, l'image d'un important groupe de juifs sur l'Umschlagplatz, adjacente au ghetto de Varsovie, tous accroupis ou assis sur des sacs informes ou par terre, attendant leur déportation vers Treblinka. La photo m'avait frappée non seulement à cause de l'océan d'yeux tous tournés vers l'objectif, ce qui laissait penser que la scène était assez silencieuse pour que le photographe pût se faire entendre, mais à cause de la composition soignée pour laquelle le photographe s'était certainement donné du mal, observant la façon dont les visages blêmes surmontés de chapeaux et de fichus noirs se répétaient dans le motif apparemment infini de lumière et de brique sombre du mur qui, derrière eux, les tenait prisonniers. En arrière de ce mur se dressait un bâtiment rectangulaire percé de plusieurs rangées de fenêtres carrées. L'ensemble donnait l'impression d'un ordre géométrique si puissant qu'il en devenait inéluctable, chaque matériau banal – les juifs, les briques, les fenêtres – ayant sa place appropriée, irrévocable. À mesure que mes yeux s'accoutumaient à l'obscurité et que je commençais à voir, au lieu de juste deviner, grâce à un sens indéfinissable, les tables, les chaises, les commodes, les malles, les lampes et les bureaux, tous au garde-à-vous dans la salle, comme dans l'attente d'une convocation, je me rappelai pourquoi cette photo des juifs de l'Umschlagplatz m'était revenue en mémoire à ce moment précis, je me rappelai, en d'autres termes, que c'était pendant cette période de recherches que j'étais également tombée sur des photos de synagogues et de hangars juifs servant de dépôts pour les meubles et les appareils ménagers pillés par la Gestapo dans les maisons des juifs déportés ou assassinés, des photos montrant de vastes armées de chaises retournées, comme dans un réfectoire fermé pour la nuit, des monceaux de linge plié et des étagères entières de cuillers, de couteaux et de fourchettes d'argent triés.

Je ne sais combien de temps je restai là, à la lisière de ce champ de meubles inutilisés. Gigi pesait maintenant de tout son poids dans mes bras. Je refermai la porte derrière moi et retrouvai le chemin de notre chambre. Yoav dormait toujours. Je déposai Gigi sur le lit, à côté de lui, et contemplai ces deux enfants sans mère, endormis côte à côte. Quelque chose craqua et se tendit dans les profondeurs de mon estomac. Je compris que c'était à moi qu'incombait la tâche de veiller sur eux et, tandis que le ciel s'éclairait peu à peu, c'est ce que je fis. En y repensant aujourd'hui, je ne peux m'empêcher de sentir que l'âme de l'enfant que Yoav et moi aurions plus tard, l'âme du petit David, traversa en cet instant la pièce sans bruit, totalement inaperçue. Mes paupières devinrent lourdes et mes yeux se fermèrent. Quand je me réveillai, le lit était vide et la douche coulait dans la salle de bains. Yoav émergea dans un nuage de vapeur, rasé de frais. Il n'y avait aucune trace de Gigi et comme Yoav n'en parla pas, je n'en parlai pas non plus.

Le petit déjeuner fut servi dans la plus petite des deux salles à manger, à une table tout de même assez grande pour accueillir de seize à vingt personnes. Dans la nuit ou au petit matin, Kathelijn, la domestique, était rentrée. Leclercq s'assit en bout de table, vêtu du même gilet de laine que la veille, par-dessus lequel il portait aujourd'hui une veste grise. Je scrutai son visage à la recherche de quelque signe de cruauté, et n'y trouvai que les traits avachis d'un vieillard. À la lumière du jour, tout ce que j'avais imaginé à propos des meubles me parut absurde. L'évidente conclusion était que ceux-ci provenaient des nombreux domaines que la famille Leclercq possédait avant d'être ruinée et qu'elle avait été obligée de vendre, ou tout simplement qu'ils avaient été transportés des parties inhabitées du château jusque dans cette pièce.

Gigi était invisible. La domestique se montra à divers stades du petit déjeuner, avant de se retirer très vite à la cuisine. Il me sembla qu'elle me regardait avec un certain déplaisir, sans toutefois en être sûre. Vers la fin du repas, notre hôte se tourna vers moi. Je crois savoir que vous avez rencontré mon petit-neveu, dit-il. Une ombre de gêne passa sur le visage de Yoav. J'espère qu'il ne vous a pas dérangée, poursuivit Leclercq. Il a souvent faim, la nuit. Normalement Kathelijn laisse un en-cas près de son lit. J'ai dû oublier. De qui parlez-vous ? demanda Yoav, se tournant vers moi, puis vers Leclercq, puis de nouveau vers moi. Le fils de ma nièce, dit Leclercq en beurrant un toast. Il est en visite ? questionna Yoav. Il vit avec nous depuis un an, répondit Leclercq. Je l'aime beaucoup. Ça change de voir un enfant courir dans la maison. Et sa mère ? interrompis-je. Il y eut un silence gênant et Leclercq, qui remuait son café avec une petite cuiller en argent, se tendit soudain. Elle n'existe pas pour nous, dit-il.

Il était clair qu'il n'en dirait pas plus et, après un silence embarrassé, il s'excusa de devoir partir très vite, expliquant qu'il voulait se rendre sans délai en ville pour faire réparer ses lunettes. Puis il se leva brusquement et demanda à Yoav de le suivre pour pouvoir enfin discuter de ce que nous étions venus chercher si loin. Je me retrouvai seule. Je me levai alors à mon tour et jetai un coup d'œil dans la cuisine, avec l'espoir d'apercevoir Gigi. J'étais triste de me dire que je ne le reverrais plus. Un plateau était préparé avec une tasse et un bol d'enfant, mais la cuisine était vide.

Nous chargeâmes nos bagages dans le coffre de la Citroën. Une grande boîte en carton occupait le siège arrière. Leclercq sortit nous dire au revoir. C'était une journée d'hiver sans nuage, tout étincelait et se découpait avec netteté sur le ciel. Je levai les yeux vers les tourelles du château en espérant apercevoir un mouvement ou même le visage du petit, mais les fenêtres étaient blanches et aveugles dans le soleil. Revenez me voir, dit Leclerc, alors qu'il était évident que nous ne le ferions pas. Il m'ouvrit la portière côté passager et quand il la referma, ce fut avec une vigueur superflue et les vitres de la vieille voiture en tremblèrent. Alors que nous démarrions, je me retournai sur mon siège pour faire un signe d'adieu à notre hôte. Il était là, immobile, insensé et sinistre, avec ses lunettes cassées, la grande carcasse de Cloudenberg dressée derrière lui et sans cesse agrandie par l'effet de perspective, comme si un navire naufragé émergeait de nouveau des profondeurs de la mer ; puis l'allée décrivit une courbe et je le perdis de vue à travers les arbres.

Sur le chemin du retour, Yoav et moi restâmes silencieux, chacun enfermé dans ses pensées. Ce n'est que lorsqu'on dépassa la banlieue décrépite de Bruxelles pour se retrouver sur l'autoroute que je demandai à Yoav ce que son père l'avait envoyé chercher. Il jeta un coup d'œil dans le rétroviseur et se laissa dépasser par une voiture. Une table de bridge, dit-il. Nous parlâmes sans doute ensuite d'autres choses, de quoi, je ne m'en souviens plus.

Dans les mois qui suivirent, Yoav, Leah et moi, et même Bogna, qui ne nous avait pas encore quittés, nous installâmes dans une certaine routine. Leah était plongée dans l'étude d'œuvres de Bolcom et de Debussy en vue de son premier récital à la salle Purcell, moi, je passais consciencieusement du temps à la bibliothèque et Yoav s'était mis à réviser sérieusement ses examens ; Bogna, elle, arrivait et repartait, remettant chaque objet à sa place. Les week-ends, nous louions une pile de films. Nous mangions quand nous en avions envie, dormions quand bon nous semblait. J'étais heureuse, là-bas. Quelquefois, m'éveillant de bonne heure avant les deux autres, je me promenais de pièce en pièce, une couverture sur les épaules, ou buvais mon thé dans la cuisine vide. J'avais la plus exceptionnelle des sensations, celle que le monde, si constamment écrasant et incompréhensible, a en fait un ordre, aussi tortueux semble-t-il, et moi, ma place à l'intérieur de cet ordre.

Puis, un jour pluvieux du début mars, le téléphone sonna. Parfois, Yoav et Leah paraissaient savoir si c'était leur père, avant même de soulever le récepteur : ils échangèrent un rapide coup d'œil entendu. C'était Weisz qui appelait d'une gare parisienne pour dire qu'il arrivait ce soir-là. Immédiatement, une atmosphère tendue se répandit dans la maison, Yoav et Leah devinrent nerveux et agités, allant et venant d'une pièce à l'autre et montant sans cesse l'escalier. Si on part pour Marble Arch maintenant, tu pourras être à Oxford à neuf heures et demie, me dit-il. J'étais furieuse. Nous nous disputâmes et je l'accusai d'avoir honte de moi et de vouloir me cacher à son père. Dans ma tête, j'étais redevenue la fille de ceux qui recouvraient le beau canapé d'une housse en plastique enlevée uniquement pour les invités. La fille de ceux qui aspiraient à une vie plus brillante sans jamais croire qu'ils en étaient dignes, qui s'inclinaient devant une idée de tout ce qui se situait au-dessus d'eux, hors de leur portée – pas seulement sur le plan matériel, mais spirituel, cette partie de l'esprit qui tend vers la satisfaction sinon vers le bonheur –, tout en remâchant leur désenchantement. Et si je devenais tout cela dans ma tête, Yoav, lui aussi, devenait ce qu'il n'était pas : une personne née dans une vie supérieure, qui, malgré tout son amour, ne pouvait se comporter qu'en hôte envers moi. Rétrospectivement, je vois combien je me trompais et ça me navre de penser combien j'étais aveugle à la douleur de Yoav.

Nous nous querellâmes, quoique ce qui fut dit exactement, je n'en ai aucun souvenir puisque, dans nos différends, ce qui débutait de façon directe, une fois biaisé par Yoav, devenait immanquablement indirect. Je m'en avisais toujours après coup : il avait parlé de quelque chose, avait tenté de me persuader de quelque chose, s'était défendu contre quelque chose, sans jamais vraiment considérer ni nommer la chose en question. Cette fois, je tins bon et continuai. Pour finir, épuisé ou à court d'arguments, il me saisit les poignets, me força à m'asseoir sur le canapé et se mit à m'embrasser avec une force qui me réduisit au silence. Quelque temps plus tard, nous entendîmes la porte d'entrée qui s'ouvrait, puis les pas de Leah dans l'escalier. Je remontai mon jean et boutonnai mon chemisier. Yoav ne dit rien mais, même alors, l'expression douloureuse de son visage m'emplit de culpabilité.

Weisz se tenait dans l'entrée carrelée, en chaussures vernies, une canne à pommeau d'argent à la main, les épaules de son pardessus en lainage luisantes de pluie. Il était menu, plus petit et plus vieux que je ne me l'étais imaginé, un modèle réduit, comme si le fait d'occuper le moindre espace était un compromis qu'il avait accepté mais auquel il refusait d'adhérer. Il était difficile de croire que c'était là l'homme qui exerçait une telle autorité sur Yoav et Leah. Cependant, lorsqu'il tourna la tête vers moi, je vis un regard magnétique, froid et perçant. Il prononça le nom de son fils, mais sans me quitter des yeux. Yoav vint se placer rapidement devant moi pour, me parut-il, intercepter toute conclusion que pourrait tirer son père, ou l'anticiper à l'aide de quelques signes rapides dans un langage connu d'eux seuls. Weisz prit le visage de Yoav dans ses mains et l'embrassa sur les joues. L'émotion contenue dans ce geste me frappa. Je n'avais jamais vu mon père embrasser un homme, pas même son frère. Il se mit à parler tranquillement à Yoav en hébreu, tout en se retournant pour me jeter un rapide coup d'œil, lui disant, sans doute, qu'il s'était immiscé dans quelque chose, car Yoav se hâta de démentir en secouant la tête. Comme pour se faire pardonner ce grave malentendu, il aida son père à ôter son pardessus et le prit délicatement par le bras pour le guider vers l'intérieur de la maison. Pendant tout ce temps, Leah s'était tenue à l'écart afin, apparemment, de montrer que ce regrettable petit incident, cette erreur qui se tenait debout, embarrassée, sur les marches, en chemise et baskets débraillées, n'avait absolument rien à voir avec elle.

Je te présente Isabel, une amie d'Oxford, dit Yoav lorsqu'ils eurent atteint l'escalier et, l'espace d'un instant, je crus qu'il allait continuer à marcher, à conduire son père jusqu'au bout du vestibule, pour le présenter, aurait-on dit, à une foule d'invités dont j'étais, par hasard, la première. Weisz lâcha le bras de Yoav et s'arrêta devant moi. Ne sachant que faire, je descendis les marches à la façon d'une débutante intimidée.

Je suis enchantée de faire enfin votre connaissance, dis-je. Yoav m'a beaucoup parlé de vous. Weisz grimaça légèrement et m'enveloppa du regard. Je sentis mon estomac se contracter dans le silence. Alors que lui ne m'a jamais parlé de vous, dit-il. Après quoi, il sourit ou, plus exactement, souleva les coins de sa bouche dans une expression soit bienveillante, soit ironique. Mes enfants me parlent si peu de leurs amis, fit-il. Je jetai un coup d'œil à Yoav, mais l'homme qui, quelques minutes auparavant, me baisait avec fougue, s'était transformé en un être doux, faible, presque enfantin. Les épaules voûtées, il examinait les boutons du pardessus paternel.

Je m'apprêtais justement à prendre un bus pour rentrer à Oxford, dis-je. À cette heure-ci ? Weisz leva les sourcils. Il pleut des cordes. Je suis sûr que mon fils aura la gentillesse de vous préparer un lit, n'est-ce pas, Yoav ? dit-il sans me quitter des yeux. Je vous remercie, répondis-je, mais il faut vraiment que je parte – à ce moment-là j'avais perdu toute envie de rester et de prendre position. En réalité, je dus réfréner l'envie de passer devant Weisz et de me précipiter dehors afin de me retrouver dans le monde des réverbères, des voitures et des passages piétons londoniens sous la pluie. J'ai un rendez-vous demain matin, inventai-je. Vous n'aurez qu'à prendre le premier autobus, dit Weisz. Je jetai un coup d'œil à Yoav pour lui demander de m'aider ou, tout au moins, de m'indiquer un moyen de me sortir d'affaire sans blesser son père. Mais il évita mon regard. Quant à Leah, elle était plongée dans la contemplation de sa manche de chemisier. Ça ne me pose vraiment aucun problème de partir ce soir, dis-je, mais mollement, sans doute, parce que je craignais à présent de paraître grossière en continuant à protester, et parce que je commençais à sentir combien il était difficile de résister à leur père.

On alla s'asseoir dans la salle de séjour, Yoav et moi, chacun sur une chaise à haut dossier et Weisz sur un canapé de soie pâle. La canne à pommeau d'argent – une tête de bélier aux cornes enroulées – reposait sur le coussin à côté de lui. Les yeux de Yoav restaient fixés sur son père comme si le fait d'être en sa présence exigeait toute son attention et sa concentration. Weisz tendit à Leah une boîte entourée d'un ruban. Lorsqu'elle l'ouvrit, une robe argentée en tomba. Essaie-la, lui enjoignit-il. Elle l'emporta, drapée sur un bras. Quand elle revint, transformée en quelque chose de souple qui scintillait et réfléchissait la lumière, elle tenait un plateau garni d'un verre de jus d'orange et d'un bol de soupe pour son père. Tu l'aimes ? demanda Weisz. Eh, Yoav, est-ce qu'elle n'est pas superbe ? Leah esquissa un sourire et embrassa la joue de son père, mais je savais qu'elle ne la porterait jamais, que la robe serait reléguée au fond de sa penderie avec les autres. Je trouvai étrange que Weisz, avec tout ce qu'il semblait connaître de la vie de sa fille, n'eût pas encore compris qu'elle n'éprouvait aucun intérêt pour les vêtements extravagants qu'il lui offrait toujours, des vêtements convenant à une vie qui n'était pas la sienne.

Tout en mangeant, Weisz posait à ses enfants des questions auxquelles ils répondaient avec empressement. Il était au courant du prochain récital de Leah et savait qu'elle travaillait une transcription par Liszt d'une cantate de Bach. Également que l'un de ses professeurs de musique, un Russe qui avait formé Evgeny Kissin, s'était mis en congé et avait été remplacé par un autre. Il s'enquit du nouveau professeur, demandant d'où il venait, s'il était bon, si elle l'aimait, et il écoutait les réponses avec une gravité qui me frappa ; il écoutait, apparemment, d'une façon impliquant que si les réponses de sa fille ne suggéraient pas une entière satisfaction, les responsables devraient lui en rendre compte, comme si, avec un seul coup de téléphone ou une vague menace, il était capable de faire renvoyer l'infortuné nouveau professeur ou de forcer le Russe absent, parti se remettre dans le sud de la France d'une dépression nerveuse, à reprendre du service. Leah se donna beaucoup de mal pour lui assurer que son nouveau professeur était excellent. Lorsqu'il lui demanda si elle avait des projets pour le week-end, elle dit qu'elle était invitée à l'anniversaire de son amie Amalia. Je n'avais jamais entendu parler d'une quelconque Amalia et pendant tout le temps que j'avais passé dans la maison, je n'avais jamais vu Leah se rendre à une fête.

Il y avait peu de ressemblance avec ses enfants dans les traits allongés et affaissés de Weisz. Ou, si elle avait jadis existé, elle avait été déformée au point de disparaître, après tout ce qu'il avait vécu au cours de son existence. Ses lèvres étaient minces, ses yeux humides à demi dissimulés par les paupières, les veines de ses tempes, saillantes et bleuâtres. Seul le nez était identique, long avec de grandes narines dilatées, toujours palpitantes. Il était impossible de dire si les cheveux auburn de Yoav et de Leah venaient de lui : ceux qui lui restaient, fins et délavés, étaient coiffés en arrière au-dessus du haut front uni. Non, le poids de son héritage génétique n'était pas facile à détecter chez ses enfants.

Satisfait des réponses de Leah, Weisz se tourna vers Yoav et l'interrogea sur la préparation de ses examens. Les réponses de Yoav furent fluides et impeccables, comme s'il récitait quelque chose qu'il avait composé en vue de ce genre d'entretien. À l'instar de Leah, il s'efforça d'assurer à son père que tout allait pour le mieux et qu'il n'y avait aucune raison de s'émouvoir ni de s'alarmer. En l'écoutant, j'étais abasourdie, car je savais fort bien que Yoav prenait son tuteur pour un arrogant imposteur et que le tuteur, de son côté, menaçait d'imposer à Yoav un stage probatoire s'il ne fournissait pas une preuve tangible du travail qu'il prétendait effectuer.

Yoav mentait avec grâce sans se culpabiliser le moins du monde, et je me demandai si, au besoin, il serait capable de me mentir de la même manière. Pire encore, tandis que je regardais Weisz manger goulûment sa soupe à la cuiller en tenant le récipient entre ses longs doigts crochus, je fus remplie de honte à la pensée des mensonges que j'avais racontés à mes propres parents. Non seulement à propos de toutes les choses merveilleuses que j'étais censée faire à Oxford, mais aussi du simple fait que j'y étais. Exploitant l'incapacité innée de mon père à laisser passer une bonne affaire, j'avais inventé une histoire de méthode économique pour appeler les États-Unis à l'aide d'une carte de téléphone spéciale. Grâce à ce stratagème, c'était moi, et non pas eux, qui appelais tous les dimanches. Je savais qu'étant des êtres d'habitude, ils n'interrompraient jamais un rituel, à moins d'une catastrophe. Pour plus de sécurité, j'appelais chaque soir mon répondeur de Little Clarendon Street. Pendant qu'assise en face de Weisz je me les représentais, attendant impatiemment près du téléphone, tous les dimanches matin, ma mère à son poste dans la cuisine et mon père dans la chambre, je ressentis un pincement de regret et de tristesse.

Enfin, Weisz s'essuya la bouche et se tourna vers moi. Un filet de transpiration coula au creux de ma poitrine. Et vous, Isabel ? Qu'étudiez-vous ? La littérature, dis-je. Un étrange sourire zébra ses lèvres exsangues. La littérature, répéta-t-il, comme s'il essayait de mettre un visage sur un nom qu'il connaissait depuis longtemps.

Pendant le quart d'heure qui suivit, Weisz m'interrogea sur mes études, sur l'endroit d'où je venais, sur le lieu d'origine de mes parents et sur ce qu'ils faisaient, et sur la raison pour laquelle j'étais venue en Angleterre. Du moins, c'est ainsi qu'étaient formulées les questions, mais en vérité (croyais-je), les mots qui sortaient de sa bouche n'étaient qu'un code visant à découvrir autre chose. J'avais l'impression de passer un examen dont j'ignorais les règles et de me démener pour donner les bonnes réponses, sachant qu'à chaque agencement fantaisiste de la vérité, je piétinais davantage l'amour et le dévouement de mes parents. Je leur avais menti et mainte-nant je mentais à leur propos. Weisz devenait leur représentant, le conseiller commis d'office auprès des pauvres et des opprimés aux-quels on ne peut faire confiance pour se défendre. Tandis que nous parlions, tous les nobles et sinistres meubles de la pièce, parmi eux, l'horloge de parquet bavaroise et la table de marbre, s'étaient éva-nouis, ainsi que Yoav et Leah, et tout ce qui restait, dans cet espace caverneux et froid, c'était Weisz et moi et quelque part, planant au-dessus de nous, mes parents bafoués et meurtris. Il fabrique des chaussures ? demanda Weisz. Quel genre de chaussures ? D'après la description que je fis du métier de mon père, on aurait été en droit de penser que Manolo Blahnik se traînait à ses pieds quand il avait besoin de quelqu'un pour exécuter ses modèles les plus extrava-gants et les plus compliqués. En réalité, mon père fabriquait les chaussures d'uniforme des nonnes et des élèves catholiques de Harlem. Alors que je m'évertuais à enjoliver le travail de mon père, le parant d'éclat et de prestige, me revint le souvenir d'un après-midi passé dans la vieille usine de mon grand-père, que mon père avait continué à superviser jusqu'au moment où elle avait fait faillite et où son seul choix avait été de devenir un intermédiaire entre Harlem et les usines chinoises vomissant leur camelote. Je revis mon père me soulevant de terre pour m'asseoir à son gigan-tesque bureau Herman Miller, pendant que, de l'autre côté du mur, les machines cliquetaient nerveusement sous ses ordres.

Cette nuit-là, je dormis sur un étroit lit de camp, dans une petite pièce du vestibule, non loin de la chambre de Leah. Toute seule à présent, et bien éveillée, je fus submergée, d'abord par l'humilia-tion puis par la fureur. Qui donc était Weisz pour m'interroger de la sorte, pour me donner l'impression que je devais prouver ma valeur ? Quel besoin avait-il de se renseigner sur ma famille et sur la façon dont mon père gagnait sa vie ? Il était déjà assez navrant de voir la condition pitoyable dans laquelle il maintenait ses enfants par la crainte, les rendant incapables de voler de leurs propres ailes.

Assez navrant qu'il eût réussi à les enfermer de force dans une forme d'incarcération de son cru, dans une situation contre laquelle ils ne se révoltaient pas parce qu'il était inimaginable pour eux de s'opposer à leur père. Il régnait sur eux, non d'une poigne de fer, ni par la colère, mais plutôt par la menace implicite, beaucoup plus obsédante, des conséquences que pourrait entraîner le plus infime différend. Or, par ma présence, je défiais l'ordre de Weisz, je déséquilibrais le délicat triangle de la famille Weisz. Et il n'avait pas perdu de temps pour me prouver que j'avais tort de nous imaginer, Yoav et moi, poursuivant notre relation à son insu ou sans son consentement. De quel droit ? pensai-je avec colère, en m'agitant sur le lit étroit. Il était peut-être capable de contrôler ses enfants, mais je ne lui permettrais pas de m'intimider. Qu'il essaie : je ne me laisserais pas faire.

Comme sur un signal, la porte s'ouvrit tout à coup en grinçant et Yoav fut sur moi, m'attaquant de toutes parts, telle une meute de loups. Après en avoir terminé avec tous les orifices possibles, il me retourna sur le ventre et me pénétra de force. C'était la première fois que nous faisions cela. À la première poussée, je mordis mon oreiller pour m'empêcher de hurler. Quand ce fut fini, je me rendormis contre la chaleur de son corps, d'un sommeil profond dont je me réveillai seule. Ce dont j'avais pu rêver se dissipa et tout ce que je me rappelais, c'était la découverte de Weisz pendu, la tête en bas, dans l'office, telle une chauve-souris.

Il était presque sept heures du matin. Je m'habillai et me lavai le visage dans la salle de bains de Leah, au minuscule lavabo de style victorien décoré de fleurs roses. Longeant le vestibule sur la pointe des pieds, je m'arrêtai devant sa chambre. Par la porte entrebâillée, j'aperçus l'énorme lit à baldaquin blanc et virginal, un lit vaste et majestueux comme un vaisseau et, du coup, je me la représentai assise dessus, au milieu d'une immensité d'eau. Je sus soudain que lui aussi devait être un cadeau de son père, un cadeau chargé du même subtil message sur la vie qu'il espérait la voir mener. Elle n'invitait jamais d'amis à la maison, alors qu'elle en avait sûrement eu quelques-uns à l'université. Je ne l'avais pas non plus entendue faire référence à un quelconque petit copain, passé ou présent. Les exigences de son père et de son frère concernant sa loyauté et son amour rendaient toute relation extérieure avec un homme pratiquement impossible. Je songeai à la fête d'anniversaire que Leah avait inventée, la veille au soir. Je n'avais pas compris l'intérêt d'un mensonge aussi gratuit, mais maintenant je me demandais si ce n'était pas là l'unique façon qu'elle avait de résister à son père.

Yoav dormait encore, à l'étage inférieur. Ma fureur de la veille s'était atténuée, et avec elle mon assurance. Je me posai une nouvelle fois la question de savoir quelle serait la durée de notre liaison. Ce n'était peut-être qu'une question de temps avant que Weisz gagnât la partie. J'avais forcé Yoav à affronter pour la première fois son père à mon sujet et il n'était pas plutôt entré dans la bataille qu'il avait rendu les armes, était devenu docile comme un petit garçon, puis s'était jeté sur moi dans la nuit, toutes griffes dehors. L'image de Weisz pendu me revint à l'esprit. Se libère-t-on jamais d'un tel père ?

J'écrivis un mot à Yoav et le posai sur son bureau, impatiente de partir avant de me trouver nez à nez avec Weisz. Dehors, il bruinait toujours, le brouillard était bas et épais, et quand j'atteignis la gare, l'humidité avait traversé le manteau acheté par ma mère. Je pris le métro jusqu'à Marble Arch et là, montai dans un bus qui me ramena à Oxford. Dès que j'ouvris la porte de ma chambre, une terrible tristesse s'abattit sur moi. Loin de Yoav, ma vie à Belsize Park prenait l'incertaine qualité d'une pièce de théâtre dont la scène pouvait aisément se démonter, les acteurs se disperser et l'héroïne se retrouver seule, en tenue de ville, dans le théâtre aux lumières éteintes. Je me glissai sous les couvertures et dormis pendant plusieurs heures. Yoav ne m'appela ni ce jour-là ni le suivant. Ne sachant que faire, je me traînai au Phoenix où je regardai deux fois *Les Ailes du désir*. Il faisait nuit lorsque je rentrai chez moi par

Walton Street. Je m'endormis en attendant la sonnerie du téléphone. Je n'avais rien mangé de la journée et, à trois heures du matin, la faim qui me tenaillait l'estomac me réveilla. Tout ce que j'avais, c'était une tablette de chocolat, qui me donna encore plus faim.

Pendant trois jours, le téléphone ne sonna pas. Je dormais ou restais assise sans bouger dans ma chambre, ou bien me traînais au Phoenix où je demeurais pendant des heures devant les lueurs vacillantes de l'écran. J'essayais de ne pas penser et vivais de popcorn et de bonbons que j'achetais à l'anarchiste punk peu curieux qui tenait le stand de confiseries. Je lui étais reconnaissante d'adhérer au principe selon lequel il était normal de tuer le temps toute seule, au cinéma. Souvent, il me donnait des bonbons gratis, ou un grand soda quand j'avais payé pour un petit. Si j'avais vraiment cru que tout était fini entre Yoav et moi, je me serais sentie beaucoup plus mal. Non, mon tourment était celui de l'attente, le fait d'être coincée entre la fin d'une phrase et le commencement d'une autre qui pouvait, ou non, déclencher une averse de grêle, un accident d'avion, un exemple de justice immanente ou un retournement de situation miraculeux.

Un jour, enfin, le téléphone sonna. Une phrase se termine et une autre commence toujours, mais pas forcément à l'endroit où s'achevait la précédente, pas forcément dans le prolongement des anciennes conditions. Reviens, me dit Yoav d'une voix proche du chuchotement. S'il te plaît, reviens-moi. En ouvrant la porte de Belsize Park, je trouvai la maison plongée dans l'obscurité et vis son profil illuminé par la lueur bleuâtre de la télévision. Il regardait un film de Kieślowski que nous avions déjà vu une vingtaine de fois. C'était la scène où Irène Jacob arrive chez Jean-Louis Trintignant pour lui remettre le chien qu'elle a renversé avec sa voiture, et trouve le vieil homme en train d'écouter les communications téléphoniques de son voisin. *Vous étiez quoi ? Flic ?* demande-t-elle, dégoûtée. *Pire… Juge,* dit-il. Je me glissai sur le canapé à côté de Yoav et il m'attira à lui sans un mot. Il était seul dans la maison. Par la suite, j'appris que leur père avait dépêché Leah à New York afin de récupérer un bureau qu'il avait recherché pendant quarante ans. Durant la semaine où elle fut absente, on baisa dans toutes les pièces, sur tous les meubles possibles et imaginables. Il ne parla pas de son père, mais il y avait de la violence dans son désir et je savais que quelque chose de douloureux s'était passé entre eux. Je dormais mal et, une nuit, je me réveillai en sursaut avec la sensation qu'une ombre venait de passer au-dessus de nous en silence, et lorsque je descendis sans bruit l'escalier et allumai la lumière du vestibule, Leah était là, avec un air des plus étranges, un air que je ne lui avais jamais vu auparavant, comme si elle avait coupé les liens fragiles avec ce qui avait pu nous amarrer. Nous l'avions sous-estimée, son père encore plus que nous.

II

La vraie bonté

Où es-tu, Dov ? L'aube est déjà levée depuis longtemps. Dieu sait ce que tu fabriques au milieu des herbes et des orties. D'une minute à l'autre, tu vas apparaître à la grille, couvert d'épillets. Cela fait dix jours que nous vivons ensemble sous le même toit, pour la première fois depuis vingt-cinq ans, et c'est à peine si tu as ouvert la bouche. Non, ce n'est pas vrai. Il y a eu le long et unique monologue sur les travaux routiers, en bas de chez nous, avec des histoires de tuyaux d'écoulement et de puisards. J'ai pensé un moment qu'il s'agissait d'un code dissimulant ce que tu essayais de me dire. À propos de ta santé, peut-être ? Ou de notre santé à tous les deux, père et fils ? J'ai essayé de te suivre mais tu m'as complètement égaré. Désarçonné, mon garçon. Abandonné dans les eaux d'égout. J'ai fait l'erreur de te le dire, et une expression de tristesse est apparue sur ton visage, puis tu t'es renfermé dans le silence. Par la suite, je me suis dit que c'était un test que tu avais concocté à mon intention, auquel je ne pouvais qu'échouer, te laissant libre de rentrer dans ta coquille comme un escargot, de continuer à me blâmer et à me mépriser.

Dix jours seuls dans cette maison et tout ce que nous sommes arrivés à faire, c'est à marquer nos territoires et mettre en place un ensemble de rituels. Pour nous permettre de prendre pied. Pour nous fournir une direction, à la façon des bandes lumineuses le long du couloir central, dans les avions en détresse. Chaque soir, je me couche avant toi et chaque matin, quelle que soit l'heure matinale à laquelle je me lève, tu es réveillé avant moi. Je vois ta longue silhouette grise penchée sur le journal. Je tousse avant d'entrer dans la cuisine afin de ne pas te surprendre. Tu fais bouillir l'eau et tu sors deux tasses. Nous lisons, grognons et rotons. Je te demande si tu veux des toasts. Tu refuses. Tu es même au-dessus de la nourriture, maintenant. Ou est-ce leur croûte brûlée que tu rejettes ? C'était toujours ta mère qui grillait le pain. La bouche pleine, je commente l'actualité. Sans un mot, tu essuies les miettes que j'ai crachotées et tu continues à lire. Pour toi, mes propos sont au mieux des bruits d'ambiance, ils te parviennent vaguement, comme le pépiement des oiseaux et le craquement des vieux arbres et, autant que je sache, comme ces bruits, ils ne requièrent aucune réponse. Après le petit déjeuner, tu te retires dans ta chambre pour dormir, épuisé par tes pérégrinations nocturnes. Peu avant midi, tu apparais dans le jardin avec ton livre et t'appropries le seul transat dont le siège ne soit pas défoncé. Moi, je revendique le fauteuil devant la télé. Hier, j'ai vu un reportage sur la mort d'une femme obèse, à Sfat. Elle n'avait pas bougé de son canapé depuis une décennie et quand on a découvert son cadavre on s'est aperçu que sa peau était incrustée dedans. Comment les choses avaient pu en arriver là, on ne le disait pas. Le reportage mentionnait simplement qu'on avait dû décoller son corps du canapé et le sortir par la fenêtre à l'aide d'une grue. Le journaliste décrivait la lente descente de l'énorme dépouille envelop-pée dans un morceau de plastique noir parce que, ultime humilia-tion, il n'y avait pas, dans tout Israël, de sacs mortuaires assez grands pour elle. À deux heures tapantes, tu rentres pour prendre, seul, ton repas monastique : une banane, une tasse de yaourt et une petite salade. Demain, tu apparaîtras peut-être en cilice. À deux heures et quart, je m'endors dans mon fauteuil. À quatre, je m'éveille au son des travaux de bricolage que tu t'es choisis, ce jour-là – rangement de l'abri de jardin, ratissage, réparation de la gouttière du toit – comme pour payer ton hébergement. Afin que les choses soient claires et nettes, de façon à ne rien me devoir. À cinq heures, au thé, je te résume les toutes dernières nouvelles. J'attends une ouverture, une lézarde, dans le glacis de ton silence. De ton côté, tu attends que j'aie fini, tu laves les tasses, tu les essuies et tu les remets dans le placard. Tu plies le torchon. Tu m'évoques un personnage qui marcherait à reculons et effacerait la trace de ses pas. Tu remontes dans ta chambre et fermes la porte. Hier, je me suis posté devant et j'ai écouté. Que croyais-je entendre ? Le grincement d'une plume ? Mais il n'y avait aucun bruit. À sept heures, tu émerges pour écouter les nouvelles. À huit, je dîne et à neuf et demie je m'endors. Beaucoup plus tard, vers deux ou trois heures du matin, tu sors marcher. Dans l'obscurité, dans les collines, dans les bois. Il est loin le temps où, réveillé par une faim qui me tirait du lit, je descendais me gaver devant le réfrigérateur ouvert. Cet appétit, que ta mère qualifiait de biblique, m'a quitté depuis longtemps. À présent, je me réveille pour d'autres raisons. Une faiblesse de la vessie. De mystérieuses douleurs. De potentielles crises cardiaques. Un caillot de sang. Et, toujours, je trouve ton lit vide et fait. Je me recouche et quand je me lève, le matin, aussi tôt soit-il, je trouve tes chaussures alignées près de la porte et ta longue silhouette grise penchée au-dessus de la table. Et je tousse pour que nous puissions recommencer.

Écoute-moi, Dov. Parce que je ne te le redirai pas. Nous n'avons plus beaucoup de temps devant nous. Aussi misérable que soit ta vie, il t'en reste davantage. Tu peux en faire ce que tu veux. Tu peux la gâcher à vagabonder dans la forêt en suivant une piste de crottes laissées par un animal fouisseur. Pas moi. J'approche rapidement de ma fin. Je ne reviendrai pas sous la forme d'un oiseau migrateur, d'une poussière de pollen ou de quelque affreuse créature déchue conforme à mes péchés. Tout ce que je suis, tout ce que j'ai été, se fossilisera en géologie ancienne. Et tu resteras seul avec elle. Seul avec ce que j'étais, avec ce que nous avons été et seul avec ton chagrin qui n'aura plus aucune chance d'être allégé. Alors, réfléchis bien. Réfléchis longtemps et soigneusement. Parce que si tu es venu ici pour confirmer ce dont tu as toujours été persuadé à mon propos, c'est gagné. Je t'y aiderai même, mon garçon. Je serai l'enfoiré pour lequel tu m'as toujours pris. Il est vrai que ça m'est facile.

Peut-être cela te dispensera-t-il de tout regret. Mais surtout ne te fais pas d'illusions : Tandis que je serai enterré dans un trou sans plus rien sentir, toi, tu continueras à vivre dans la souffrance.

Tu le sais tout ça, non ? Je devine que c'est pour cela que tu es venu. Avant que je meure, il y a des choses que tu veux me dire. Alors mettons cartes sur table. Ne te retiens pas. Qu'est-ce qui t'arrête ? La pitié ? Je la vois dans tes yeux : quand je m'envole dans mon fauteuil mécanique, je te vois effaré devant mon délabrement. Le monstre de ton enfance vaincu par un banal escalier. Et pourtant je n'ai qu'à ouvrir la bouche pour faire rentrer dare-dare ta pitié sous la pierre où elle était. Juste quelques mots bien choisis pour te rappeler qu'en dépit des apparences, je suis toujours le même con arrogant et obtus.

Écoute, j'ai une proposition à te faire. Laisse-moi te l'exposer jusqu'au bout et tu pourras ensuite l'accepter ou la rejeter, à ta guise. Que dirais-tu d'une trêve, le temps de nous dire ce que nous avons sur le cœur, toi d'abord, puis moi ensuite ? Afin de nous écouter mutuellement, comme cela ne nous est jamais arrivé, de laisser parler l'autre sans être sur la défensive et prêt à l'attaque, de nous accorder un moratoire sur l'amertume et la colère ? De voir quel effet cela fait de se mettre à la place de l'autre ? Sans doute diras-tu qu'il est trop tard pour nous, que le temps de la compassion est passé depuis longtemps. Tu pourrais bien avoir raison, mais nous n'avons plus rien à perdre. Pour moi, la mort est au coin de la rue. Si nous laissons les choses en l'état, ce n'est pas moi qui en paierai le prix. Je ne serai plus rien. Je n'entendrai plus, je ne verrai plus, je ne penserai plus, je ne sentirai plus. Peut-être te dis-tu que j'enfonce des portes ouvertes, mais je suis prêt à parier que l'état de non-existence n'est pas un sujet auquel tu réfléchis beaucoup. Il se peut que cela te soit arrivé autrefois, il y a bien longtemps, et s'il est une idée que l'esprit ne peut supporter, c'est celle de son propre anéantissement. Peut-être les bouddhistes en sont-ils capables, ou les moines tantriques, mais pas les juifs. Les juifs, qui ont toujours donné tant d'importance à la vie, n'ont jamais su que faire de la mort. Demande à un catholique ce qui se passe quand il meurt et il te décrira les cercles de l'enfer, le purgatoire, les limbes, les portes du paradis. Le chrétien a si bien peuplé la mort qu'il peut totalement se dispenser d'enrouler son esprit autour de la fin de son existence. Mais demande à un juif ce qui se passe quand il meurt et tu verras quel est le sort misérable d'un homme resté seul pour tenter de résoudre son problème. D'un homme perdu et désorienté. Qui erre comme un aveugle. Car le juif a beau avoir parlé de tout, investigué, discouru, exprimé ses opinions, discuté, argumenté jusqu'à l'épuisement, grignoté jusqu'au dernier lambeau de viande l'os de chaque interrogation, il est toujours resté largement silencieux sur ce qui se passe quand il meurt. Il consent, tout simplement, à ne pas en discuter. Lui qui, par ailleurs, ne tolère pas la moindre imprécision, accepte de laisser la question la plus importante dans une grisaille nébuleuse et confuse. Tu vois l'ironie de la chose ? Son absurdité ? Quel est l'intérêt d'une religion qui tourne le dos à la question de ce qui se passe quand la vie se termine ? Privé de réponse privé de réponse *et en même temps* maudit en tant que peuple qui, depuis des milliers d'années, génère chez les autres une haine infernale – le juif n'a d'autre choix que de vivre chaque jour avec la mort. De vivre avec elle, de construire sa maison dans son ombre et de ne jamais discuter ses conditions.

Où en étais-je ? Énervé, j'ai perdu le fil, tu vois comme j'écume ? Attends, oui. Une proposition. Qu'en dis-tu, Dov ? Ou plutôt, ne dis rien. Ton silence sera pour moi un acquiescement.

Bon. Je commence. Vois-tu, mon enfant, un petit peu chaque jour, je me retrouve en train de contempler ma mort. De l'explorer. D'y tremper un orteil, en quelque sorte. Non pas de pratiquer ses modalités, mais plutôt de les interroger, tant que j'ai encore la faculté d'interroger et suis encore en état de sonder l'oubli. Au cours de l'une de ces petites excursions dans l'inconnu, j'ai découvert une chose te concernant, que j'avais pratiquement oubliée. Pendant les trois premières années de ta vie, tu n'as rien su de la mort. Tu croyais que tout continuerait jusqu'à la fin des temps. Le premier soir où tu as quitté ton berceau pour dormir dans un lit, je suis venu te dire bonsoir. Maintenant je vais dormir pour toujours dans un lit de grand garçon ? as-tu demandé. Oui, ai-je dit et nous sommes restés tous les deux assis sur ton lit, moi t'imaginant volant à travers les immenses espaces de l'éternité, accroché à ton doudou, et toi imaginant ce que peut imaginer un enfant lorsqu'il essaie de concevoir le temps infini. Quelques jours plus tard, installé à table, tu jouais avec la nourriture que tu refusais de manger. Eh bien, ne mange pas, t'ai-je dit. Mais si tu ne manges pas, tu ne quitteras pas la table. C'est aussi simple que ça. Tes lèvres se sont mises à trembler. Continue et dors là, si tu veux, je m'en moque. Maman ne fait pas comme ça, as-tu pleurniché. Je me fiche de comment elle fait, c'est comme ça que je fais, moi, et tu ne bougeras pas tant que tu n'auras pas mangé ! Tu as éclaté en sanglots, protestant et te démenant comme un beau diable. Je n'ai fait aucune attention à toi. Au bout d'un moment, le silence a empli la pièce, ponctué seulement par tes petits gémissements. Puis tout à coup, tu as annoncé, Quand Yoella mourra, on prendra un chien. J'ai été surpris. Par le caractère abrupt de la déclaration et parce que je n'avais jamais pensé que tu connaissais la mort. Tu ne seras pas triste lorsqu'elle mourra ? ai-je demandé, la bataille de la nourriture provisoirement oubliée. Et toi, très pragmatique, tu as répondu, Si, parce qu'alors, on n'aura plus de chat à câliner. Une minute s'est écoulée. C'est comment quand les gens meurent ? as-tu demandé. C'est comme s'ils dormaient, seulement ils ne respirent plus. Tu as réfléchi. Est-ce que les enfants meurent ? Une douleur m'a déchiré la poitrine. J'ai dit, Quelquefois. J'aurais sans doute dû choisir d'autres mots. *Jamais,* ou simplement, *Non.* Mais je ne t'ai pas menti. Tu peux au moins le reconnaître. Tournant ton petit visage vers moi, sans ciller, tu m'as demandé, Et moi, est-ce que je mourrai ? À ces mots, une horreur inconnue m'a envahi, des larmes brûlantes me sont montées aux yeux et au lieu de dire ce que j'aurais dû dire, *Pas avant très, très longtemps*, ou bien, *Pas toi, mon enfant, toi seul vivras éternellement*, j'ai juste dit, Oui. Et parce que, quelle que soit ta souffrance, au plus profond de toi tu étais un animal comme un autre, qui voulait vivre, sentir la chaleur du soleil et être libre, tu as dit, Mais je ne veux pas mourir. La terrible injustice de tout cela t'a submergé et tu m'as regardé comme si c'était moi le responsable.

Tu serais surpris de voir combien de fois, au cours de mes petits vagabondages dans la vallée de la mort, je rencontre l'enfant que tu étais jadis. Moi aussi, j'ai été surpris au début, mais bientôt, je me suis mis à désirer ces rencontres. J'ai essayé de concevoir pourquoi tu apparaissais ainsi, alors que le sujet de mes réflexions était si éloigné de toi. J'ai fini par me rendre compte que cela était lié à certains sentiments que j'avais éprouvés pour la première fois quand tu étais enfant. Je ne sais pas pourquoi Uri, avant toi, n'a pas suscité les mêmes émotions. Peut-être avais-je d'autres préoccupations lorsqu'il était bébé, ou étais-je trop jeune. Il n'y avait que trois ans d'écart entre vous, mais à cette époque-là je devenais adulte, ma jeunesse se terminait officiellement et j'entrais dans une nouvelle phase de ma vie, en tant que père et en tant qu'homme. Lorsque tu es né, j'ai compris, comme je n'aurais pu le faire avec Uri, ce que signifie exactement la naissance d'un enfant. Comment il grandit, comment son innocence se détériore peu à peu, comment ses traits changent définitivement, la première fois qu'il éprouve de la honte, comment il apprend le sens des mots déception, dégoût. Comment tout un monde est contenu en lui – celui que je devrais perdre. Je me suis retrouvé sans force devant tout cela. Et, bien sûr, tu étais différent d'Uri. Dès le début, tu semblais savoir des choses et m'en tenir responsable. Comme si, curieusement, tu comprenais qu'élever un enfant entraîne inévitablement des actes de violence contre lui. Regardant au fond du berceau ton visage minuscule déformé par des hurlements de souffrance – il n'y a pas d'autre mot, je n'ai jamais entendu un bébé pleurer comme toi – je me sentais coupable avant même d'avoir commencé. Je sais ce que l'on peut penser : après tout, tu n'étais qu'un bébé. Mais quelque chose en toi a attaqué mon côté le plus faible et j'ai fait marche arrière.

Oui, toi, tel que tu étais alors, avec tes cheveux blonds avant qu'ils deviennent noirs et épais. J'ai entendu des gens dire qu'à la naissance de leurs enfants, ils avaient entrevu pour la première fois leur propre mortalité. Pas moi. Ce n'est pas la raison pour laquelle je te trouve caché dans les hauts-fonds de ma mort. J'étais trop obsédé par moi-même, par les combats de ma vie, pour remarquer le petit messager ailé qui me prenait la torche des mains pour la passer sans bruit à Uri et à toi. Pour remarquer qu'à partir de ce moment-là, je ne serais plus le centre de tout, le creuset dans lequel la vie, pour se maintenir vivante, brûle avec le plus vif éclat. Le feu s'est calmé peu à peu en moi, sans que je le remarque. J'ai continué à vivre comme si c'était la vie qui avait besoin de moi et non l'inverse.

Et pourtant tu m'as appris quelque chose sur la mort. Presque sans que je m'en aperçoive, tu m'en as fait subrepticement prendre conscience. Peu de temps après que tu m'as demandé si tu allais mourir, j'ai entendu parler à voix haute dans la pièce d'à côté ; Quand on mourra, disais-tu, on aura faim. Une simple constatation, puis tu as continué à chantonner, faux, en faisant rouler tes petites voitures sur le plancher. Mais ça m'est resté. J'avais l'impression que personne n'avait jamais résumé la mort ainsi : un état perpétuel de désir sans le moindre espoir de gratification. J'étais presque effrayé par l'équanimité avec laquelle tu considérais une réalité aussi épouvantable. Par la manière dont tu la regardais, dont tu la tournais dans ta tête du mieux que tu pouvais, finissant par découvrir une espèce de clarté qui te permettait de l'accepter. J'attribue peut-être trop de sens aux paroles d'un enfant de trois ans. Mais même si elles étaient fortuites, elles avaient une certaine beauté : Dans la vie, nous nous asseyons à table et refusons de manger, et dans la mort, nous sommes éternellement affamés.

Comment l'expliquer ? Cette façon dont tu m'épouvantais un peu. Dont tu paraissais juste un tout petit peu plus proche que le reste d'entre nous de l'essence des choses. En entrant dans une pièce, il m'arrivait de te trouver en train de contempler un coin du mur. Qu'est-ce qui te fascine donc comme ça ? Je voulais savoir. Seulement, j'avais troublé ta concentration et tu te tournais vers moi, les sourcils froncés, l'air un peu surpris d'être dérangé. Après ton départ, j'allais voir à mon tour. Une toile d'araignée ? Une fourmi ? Une répugnante boule de poils vomie par Yoella ? Mais il n'y avait jamais rien. Qu'est-ce qu'il a ? ai-je demandé-je un jour à ta mère. Il n'a pas d'amis. À cette époque, Uri s'était déjà fait des copains dans tout le voisinage. C'étaient des allées et venues continuelles de gamins qui venaient le voir. Les seuls moments qu'Uri passait dans le coin, c'était quand, les bras enroulés autour du torse, il se trémoussait en feignant d'embrasser quelqu'un sur la bouche. Il montait et descendait ses mains le long de son dos, rentrait son cul et émettait un petit jappement en agitant la tête d'avant en arrière dans une imitation qui nous faisait tous rouler par terre de rire. Mais au milieu des rires, tu étais absent. Plus tard, en taillant les plants de tomates, j'ai découvert un endroit où tu avais mystérieusement assemblé des rangées de petits tas de terre alternant avec des carrés et des cercles tracés dans le sol à l'aide d'un bâton. Bon Dieu, qu'est-ce que c'est que ça ? ai-je demandé à ta mère. Elle a penché la tête de côté pour l'examiner. C'est une ville, a-t-elle déclaré sans l'ombre d'une hésitation dans la voix. Voici les portes de la cité, a-t-elle dit en pointant le doigt, et les fortifications, et ça, c'est une citerne. Puis elle est partie, me laissant une fois de plus déconfit. Là où je voyais de misérables petits tas de terre, elle voyait une ville entière. Dès le départ, tu lui avais donné les clefs de ta personnalité. Pas à moi. Jamais à moi, mon fils. Je t'ai aperçu, tapi près du tuyau d'arrosage. Viens ici. Tu t'es approché d'un pas lourd sur tes petites jambes, le visage outrageusement barbouillé de glace à l'eau. Qu'est-ce que ça veut dire ? ai-je demandé en agitant le taille-haie. Tu as baissé les yeux en reniflant. Puis tu t'es accroupi et tu as effectué quelques restaurations éclair – balayant, tapotant, refaçonnant hâtivement une motte de terre. Tu t'es relevé pour juger de l'effet d'en haut, penchant la tête selon le même angle que ta mère. C'était donc ça le secret. Il faut tourner la tête selon un certain angle pour comprendre ! Je n'avais pas plus tôt absorbé cette précision que tu as levé un pied et, en quelques secondes, tu as nivelé l'ensemble avant de rentrer dans la maison.

Qu'est-ce qui est advenu en premier ? Est-ce moi qui ai fait marche arrière, ou bien toi ? Un enfant étrange, au savoir secret, que j'ai fini par avoir du mal à accepter, puis un jeune homme dont l'univers m'était interdit. Tu veux connaître la vérité, Dov ? Le jour où tu es venu m'entretenir du livre que tu projetais d'écrire, j'ai été dérouté. Je n'arrivais pas à comprendre ce qui t'avait poussé à t'adresser à moi – moi avec qui tu partageais si peu de toi, à qui tu ne parlais qu'en dernier ressort, par nécessité. J'ai été trop lent à répondre comme j'aurais peut-être aimé le faire. Je ne pouvais pas changer aussi vite. J'ai donc repris l'ancienne attitude. Un certain ton de voix, une rudesse qui m'avait toujours servi de défense contre tout ce qui m'échappait en toi. Pour te rejeter avant que tu me rejettes. Ensuite, je l'ai regretté. À l'instant où tu quittais la pièce, je me suis rendu compte que j'avais manqué une occasion unique. J'ai senti que tu m'avais accordé un sursis et que j'étais passé à côté. Et j'ai su que cela ne se reproduirait plus.

Un requin, dépositaire de toute la tristesse humaine. Qui se charge de tout ce que ne peuvent supporter les rêveurs, qui assume la violence de leurs émotions accumulées. J'ai si souvent pensé à cet animal et à la chance que j'avais gâchée. Parfois, j'avais l'impression que j'étais sur le point de saisir tout ce que symbolisait ce grand squale. Un jour, je suis entré dans ta chambre à la recherche d'un tournevis que tu m'avais emprunté et j'ai trouvé sur ton bureau les premières pages de ton livre. J'ai d'abord été soulagé de ne t'avoir pas dissuadé, finalement. J'étais seul à la maison, mais j'ai tout de même fermé la porte et je me suis assis pour lire l'histoire du terrible animal au rictus menaçant, en suspens dans un aquarium qui luisait dans une pièce par ailleurs plongée dans l'obscurité. Électrodes et fils fixés à son corps verdâtre. Machines ronronnant à toute heure du jour et de la nuit. Quelque part, aussi, le bruit persistant d'une pompe qui maintenait le requin en vie. L'animal s'agitait et virevoltait nerveusement et des expressions – peut-on parler d'expressions chez un requin ? – passaient sur sa face à un rythme rapide, tandis que dans de petites pièces sans fenêtres, les patients continuaient à dormir et à rêver.

Inutile de te dire que je ne suis pas un grand lecteur. C'est ta mère qui a toujours aimé lire. Il me faut du temps, j'avance lentement. Parfois les mots sont pour moi une énigme et je dois m'y reprendre à deux ou trois fois avant de pénétrer leur sens. À la fac de droit, il me fallait toujours plus de temps qu'aux autres pour étudier. J'avais l'esprit vif, la langue encore plus vive, j'étais capable de débattre avec les meilleurs d'entre nous, mais je devais travailler plus dur sur mes livres. Quand tu as appris à lire si facilement, presque tout seul, j'étais stupéfait. Il était impossible qu'un enfant comme toi ait pu venir de moi. Encore une compréhension sans effort entre ta mère et toi à laquelle j'étais étranger et dont l'entrée m'était interdite. Et pourtant, à ton insu et sans ton consentement, j'ai lu ton livre. Lu comme je n'en avais jamais lu aucun auparavant et n'en ai plus jamais lu depuis. Pour la première fois, j'avais libre accès à toi. Et j'ai été terriblement impressionné, Dovik. Effrayé et bouleversé par ce que j'y ai trouvé. Quand tu t'es engagé dans l'armée et que tu es parti faire tes classes, je me suis affolé à l'idée que mes lectures secrètes étaient terminées, que les portes de ton monde m'étaient de nouveau fermées. Et puis, chose incroyable, tu t'es mis à envoyer des paquets toutes les deux semaines, scellés par du ruban adhésif marron et décorés des mots PERSONNEL !!! NE PAS OUVRIR, avec l'injonction expresse à ta mère de les ranger dans le tiroir de ton bureau. J'étais heureux. Je me suis persuadé que tu savais, que tu avais toujours su et que ton extravagante parodie de secret n'était qu'un moyen de m'épargner – de nous épargner à tous les deux – de la gêne.

Au début, je lisais les pages dans ta chambre. Toujours pendant que ta mère faisait les courses, effectuait son travail de bénévole à la WIZO[1] ou rendait visite à Irit. Avec le temps, je me suis enhardi, allant jusqu'à m'asseoir dans la cuisine ou à m'installer confortablement dans un fauteuil de jardin, à l'ombre de l'acacia. Un jour, elle est rentrée plus tôt que prévu et m'a pris en flagrant délit. Craignant d'éveiller ses soupçons, j'ai continué à lire, comme s'il s'agissait d'un dossier concernant un de mes procès. Un propriétaire qui veut mettre quelqu'un à la porte, ai-je marmonné en la regardant par-dessus mes lunettes. Elle s'est contentée d'acquiescer d'un signe de tête et de m'adresser le demi-sourire dont elle me gratifiait toujours quand elle avait la tête ailleurs – pensant à Irit peut-être, à ses besoins pathologiques et ses urgences tonitruantes vers lesquelles elle se précipitait toujours comme une ambulance. Pas plus difficile que ça, ai-je pensé mais, ne souhaitant pas tenter le sort, je me suis glissé furtivement dans ta chambre et j'ai replacé les pages dans le tiroir de ton bureau.

Je ne comprenais pas toujours ce que tu écrivais. Je reconnais qu'au départ, je me suis senti frustré par ton refus de dire les choses simplement. Que mange-t-il, ce requin ? Où se trouve ce lieu, cette institution, cet hôpital – à défaut d'un meilleur mot – équipé de cet énorme aquarium ? Pourquoi ces gens dorment-ils tant ? N'ont-ils pas besoin de manger ? Personne ne mange, dans ce livre ? J'ai eu beaucoup de mal à m'empêcher d'inscrire une note en marge. Bien des fois, tu m'as égaré. Juste au moment où je m'y retrouvais un peu dans la loge de Beringer, le portier, avec sa toute petite fenêtre en haut du mur (et pourquoi pleuvait-il toujours dehors ?) et ses chaussures alignées, tels des soldats, sous son lit étroit et dur, juste au

---

1. Organisation internationale de femmes sionistes.

moment où je commençais à sentir l'atmosphère de la pièce, à sentir l'odeur qu'exhale un homme qui dort seul dans une petite chambre, tu me jetais brutalement dehors et commençais à me traîner à travers la forêt où Hannah avait pris l'habitude de se cacher de tous quand elle était enfant. Mais je me suis efforcé d'étouffer mes doléances. J'ai renoncé à mes questions et j'ai laissé de côté mes suggestions de réécriture. Je me suis remis entre tes mains. Au fil des pages, mes objections se sont espacées. Je me suis abandonné à ton histoire et elle m'a pris en charge, m'a emporté avec elle, avec le pauvre Beringer tâtant du doigt la fissure dans la paroi de l'aquarium tandis que dans les petites pièces, reliées par des fils électriques à la grande salle renfermant l'aquarium, les rêveurs rêvaient, avec le jeune Benny, et avec Rebecca qui rêvait de son père (dis-moi, Dovik, était-ce moi que tu avais pris pour modèle ? Me voyais-tu réellement comme ça ? Aussi dur, aussi arrogant et cruel ? Ou bien suis-je aussi égocentrique que lui pour penser que j'occupe la moindre place dans ton livre ?). Je me suis découvert un faible pour le fébrile petit Benny et son éternelle croyance dans la magie, et j'ai pris un intérêt particulier aux rêves de Noa, le jeune écrivain qui, de tous, me faisait le plus penser à toi. J'éprouvais même, Dieu sait pourquoi, une étrange compassion pour le grand requin malade. Lorsque la pile de feuillets arrivait à sa fin, j'étais toujours un peu frustré. Que se passerait-il ensuite ? Et qu'en serait-il de la terrifiante fissure que Beringer observe sans pouvoir agir, et du bruit de l'eau, *plic, plic, plic,* qui s'infiltre dans tous leurs rêves, la nuit, qui les envahit, qui devient cent échos différents des choses les plus tristes ? Je devais parfois attendre des semaines, voire des mois, le chapitre suivant, quand tu étais très occupé, à l'armée. Je restais dans le noir, ignorant ce qui allait se passer ensuite. Sauf que le requin était de plus en plus malade. Sachant ce que savait Beringer, mais qu'il cachait aux rêveurs dans leurs pièces sans fenêtres, c'est-à-dire que le requin ne vivrait pas éternellement. Et alors, Dovik ? Où iraient-ils ces gens ? Comment vivraient-ils ? Ou bien étaient-ils déjà morts ?

Je ne l'ai jamais découvert. Le dernier chapitre que tu as expédié à la maison, ce fut trois semaines avant d'être envoyé dans le Sinaï. Après cela, plus rien.

Ce samedi d'octobre, ta mère et moi étions à la maison lorsque nous avons entendu les alarmes antiaériennes. Nous avons allumé la radio, mais comme c'était Yom Kippour, elle n'était que silence. Elle a crépité dans le coin de la pièce pendant une demi-heure jusqu'au moment où une voix a annoncé qu'il ne s'agissait pas d'une fausse alerte et que si nous entendions de nouveau les sirènes, nous devions descendre aux abris. Puis on a joué la *Sonate au clair de lune* de Beethoven – pour quoi faire ? Pour nous calmer ? –, l'annonceur est revenu ensuite à l'antenne dire que nous avions été attaqués. Le choc était terrible : nous nous étions persuadés que nous en avions fini avec les guerres. Encore un peu de Beethoven, interrompu par des messages de mobilisation codés à l'adresse des réservistes. Uri a appelé de Tel-Aviv en parlant très fort, comme s'il s'adressait à des gens durs d'oreille ; même au milieu de la pièce, j'entendais ce qu'il disait à ta mère. Il a plaisanté avec elle ; on aurait dit qu'il s'apprêtait à monter un numéro de magie pour les Égyptiens. Uri tout craché. Peu après, l'armée appela en disant qu'elle te recherchait. Nous pensions que tu étais avec ton unité sur le mont Hermon mais on nous a dit que tu étais en permission pour le week-end. J'ai pris en note le lieu où tu devais te présenter dans les prochaines heures.

Nous avons appelé tout le monde, personne ne savait où tu te trouvais, même pas ta petite amie de la fac. Ta mère s'est rendue malade d'angoisse. Ne tire pas trop vite des conclusions, lui ai-je dit. Moi qui étais au courant depuis des années de tes vagabondages nocturnes, qui connaissais ta façon d'échapper au reste d'entre nous, de trouver le moyen de vivre un peu dans le monde quand il n'était pas pollué par les gens. Ça m'a fait plaisir de savoir quelque chose de toi que ta mère ignorait.

Puis nous avons entendu la clef tourner dans la serrure et tu as déboulé, nerveux et surexcité. Nous ne t'avons pas demandé où tu étais et tu ne nous l'as pas dit. Cela faisait longtemps que je ne t'avais pas vu et j'ai constaté avec étonnement combien tu avais forci, au point d'être imposant. Le soleil t'avait tanné la peau et donné une nouvelle robustesse, ou peut-être une espèce de dynamisme que je ne t'avais jamais vu auparavant. En te regardant, j'ai eu le regret de ma jeunesse perdue. Ta mère, une vraie boule de nerfs, s'affairait dans la cuisine en préparant de la nourriture. Mange, tu ne sais pas quand tu prendras ton prochain repas. Mais tu as refusé de manger. Tu allais sans cesse à la fenêtre où tu scrutais le ciel, à la recherche d'avions.

Je t'ai conduit au lieu de rendez-vous. Tu te souviens de ce trajet en voiture, Dov ? Après, il y a eu des choses que tu ne te rappelais pas, alors je ne sais si tu as gardé ce souvenir. Ta mère n'est pas venue. Elle n'en a pas eu la force. Ou peut-être ne voulait-elle pas te communiquer son anxiété. Ton fusil reposait sur tes genoux, à côté d'un paquet de nourriture qu'elle t'avait préparé. Nous savions tous les deux que tu le jetterais ou que tu le donnerais, même elle le savait. Dès que nous avons débouché sur la route, tu as regardé à travers la vitre, pour bien me montrer que tu n'étais pas d'humeur à bavarder. Bon, d'accord, nous ne parlerons pas, me suis-je dit, il n'y a rien là de nouveau. Et pourtant j'étais déçu. Je pensais que, d'une certaine façon, les circonstances, l'urgence des événements qui se préparaient autour de nous, le fait que je te livrais à la guerre – je pensais que toutes ces pressions feraient sauter le bouchon et qu'un peu de toi commencerait à filtrer. Je me trompais. Tu as été on ne peut plus clair lorsque tu as tourné carrément la tête pour regarder dehors. Et en même temps que de la déception, j'ai éprouvé, je le reconnais, un certain soulagement. Parce que moi qui avais tout le temps quelque chose à dire, qui me précipitais pour avoir le premier mot et m'arrangeais toujours pour avoir le dernier, j'étais dérouté. Je voyais la façon dont ton corps avait grandi autour du fusil, avec quelle désinvolture tu le tenais, combien tu étais à l'aise avec cette arme à la main, comme si tu avais absorbé son mécanisme – tout ce qu'il exigeait de toi, sa puissance, ses contradictions – jusque dans ta chair. L'enfant dont les bras et les jambes lui étaient autrefois étrangers avait disparu et, à sa place, assis à côté de moi en lunettes noires, les manches relevées exhibant ses avant-bras bronzés, il y avait un homme. Un soldat, Dova'leh. Mon petit garçon était devenu un soldat et j'allais le livrer à la guerre.

Oui, il y avait des choses que j'aurais voulu te dire, mais j'en étais incapable à ce moment-là, alors nous avons roulé en silence. Un énorme convoi de camions était déjà sur place, avec des soldats impatients et excités. Nous nous sommes dit au revoir – ce fut aussi simple que ça : une espèce de bourrade expéditive dans le dos – et je t'ai perdu dans l'océan d'uniformes. En cet instant, tu n'étais plus mon fils. Mon fils était parti se cacher provisoirement quelque part. Quel que fût l'endroit où tu étais avant de rentrer à la maison – seul sur un sentier ou un autre, dans les collines – on aurait dit que tu savais ce qui devait arriver et que tu étais parti te terrer dans un trou. Te cacher dans le sol frais, aussi longtemps que durerait le danger. Et ce qui restait, une fois que tu t'étais défalqué de l'équation, c'était un soldat qui avait grandi en mangeant des fruits d'Israël, avec la terre de ses ancêtres sous les ongles, et qui partait aujourd'hui défendre son pays.

Pendant ces semaines-là, ta mère a à peine dormi. Elle évitait de parler au téléphone de façon à ne pas occuper la ligne. Mais c'était le coup de sonnette à la porte que nous craignions le plus. De l'autre côté de la rue, on était venu chez les Biletski dire que Itzhak, le petit Izzy avec lequel Uri et toi jouiez étant enfants, avait été tué dans le Golan. Il était mort, carbonisé à l'intérieur d'un char. Après ça, les Biletski ont disparu dans leur maison. Des herbes folles se sont mises à pousser tout autour, les rideaux étaient toujours tirés, parfois, très tard le soir, une lumière s'allumait et on entendait quelqu'un jouer deux notes au piano, toujours les mêmes, *pling, plong, pling, plong, pling, plong.* Un jour où j'allais leur porter une lettre déposée chez nous par erreur, j'ai vu une tache claire sur le chambranle de la porte, à l'endroit de la mezouzah. Ça aurait pu être nous. Il n'y avait aucune raison que cela arrive à leur fils et pas aux nôtres, pourquoi était-ce Biletski qui jouait deux notes au piano et pas moi. Chaque jour, des fils étaient sacrifiés. Un autre garçon du voisinage fut déchiqueté par un obus. Un soir, nous étions couchés et avions éteint la lumière quand ta mère m'a dit d'une voix étouffée et tremblante, Si j'en perds un, je serai incapable de continuer. Je pouvais répondre, *Tu continueras,* ou *Nous ne les perdrons pas.* J'ai dit, Nous ne les perdrons pas, en serrant son poignet mince. Elle ne dit pas, *Je ne te le pardonnerai pas,* mais elle n'avait pas vraiment à le dire. Uri était stationné sur une montagne dominant la vallée du Jourdain. Il a réussi à nous appeler une fois, nous savions où il était. Beaucoup plus tard, des années plus tard, il m'a dit qu'il entendait sur l'émetteur radio les unités de chars israéliennes qui combattaient avec acharnement dans le Golan. Réduites au silence, elles disparaissaient l'une après l'autre du réseau, et il ne pouvait s'empêcher d'écouter, sachant qu'il entendait les dernières paroles de ces soldats. Il nous a appris que ta brigade avait été envoyée dans le Sinaï. Tous les jours, nous attendions le coup de sonnette mais il ne venait pas, et chaque aube qui se levait sans qu'il résonne signifiait que tu avais survécu une nuit de plus. Il y a beaucoup de choses dont ta mère et moi n'avons pas parlé, tous ces jours-là. Nos craintes nous emmuraient de plus en plus dans le silence. Je savais que si un malheur vous arrivait, à Uri ou à toi, elle ne me permettrait pas de souffrir comme elle, et je lui en voulais.

Ce soir-là, deux semaines après le début de la guerre, le téléphone a sonné un peu avant onze heures. Ça y est, me suis-je dit et, dans les profondeurs de moi-même, quelque chose s'est déchiré. Ta mère, qui s'était endormie sur le canapé, dans l'autre pièce, était maintenant debout dans l'embrasure de la porte, les yeux remplis de sommeil et les cheveux électriques. Comme si j'avançais dans du ciment, je me suis levé de mon siège et j'ai répondu. Mes yeux et mes poumons me brûlaient. Il y a eu un silence, assez long pour que j'imagine le pire. Puis ta voix m'est parvenue. Tu as dit, C'est moi. Pas plus : *C'est moi.* Dans ces deux syllabes, j'ai entendu que ta voix était légèrement différente, on aurait dit qu'un élément minuscule mais vital s'était rompu, tel le filament d'une ampoule. Mais sur l'instant, je n'y ai pas attaché d'importance. Tu as dit, Je vais bien. Je ne pouvais pas parler. Je ne crois pas que tu m'avais jamais entendu pleurer. Ta mère s'est mise à hurler. C'est lui, ai-je dit. C'est Dov. Elle s'est précipitée sur moi et nous avons collé tous les deux notre oreille au récepteur. Nos deux têtes réunies, nous écoutions ta voix. J'aurais voulu t'entendre parler jusqu'à la fin des temps. Parler de n'importe quoi, je m'en moquais. Comme nous t'écoutions gazouiller dans ton berceau, le matin, avant que tu nous appelles. Mais tu ne voulais pas parler beaucoup. Tu nous as informé que tu étais dans un hôpital, près de Rechovot. Que ton char avait été touché et que tu avais reçu un éclat d'obus dans la poitrine. Ce n'est pas grave, as-tu dit. Tu as demandé des nouvelles d'Uri. Je ne peux pas m'éterniser, as-tu dit. Nous allons venir te chercher, a dit ta mère. Non, as-tu dit. Mais si, bien sûr, a dit ta mère. J'ai dit non, as-tu répondu sèchement, presque avec colère. Puis, te radoucissant : On me ramène demain ou après-demain.

Cette nuit-là, ta mère et moi sommes restés dans les bras l'un de l'autre. Dans notre sursis, agrippés l'un à l'autre, nous nous sommes tout pardonné.

Lorsque tu es enfin rentré, tu n'étais ni le soldat que j'avais vu disparaître dans la foule, ni le garçon que je connaissais. Tu étais une espèce de coquille vidée de ces deux personnes-là. Tu restais assis, muet, sur une chaise, dans un coin de la salle de séjour, une tasse de thé intacte sur la petite table à côté de toi, et tu grimaçais quand je venais te toucher. À cause de ta blessure, naturellement, mais aussi, je le sentais, parce que tu ne pouvais supporter ce contact. Donne-lui du temps, me chuchotait ta mère, dans la cuisine, tout en préparant des comprimés, du thé, des bandages. Je m'asseyais avec toi dans le séjour. Nous regardions les nouvelles, sans dire grand-chose. Lorsqu'il n'y avait pas de nouvelles, nous regardions les dessins animés, des poursuites de chats et de souris, Combien de morceaux de sucre veux-tu ? Puis le coup de maillet sur la tête. Tu as fini par parler – pas à moi, bien sûr, seulement à elle : deux de tes camarades étaient morts dans le char. Le mitrailleur, qui n'avait que vingt ans, et le commandant, à peine plus âgé. Le mitrailleur était mort sur le coup, tandis que le commandant, qui avait perdu une jambe, s'était jeté hors du char. Tu étais sorti derrière lui. Le réseau de communications ne fonctionnait plus, il y avait de la fumée, c'était le chaos, et le conducteur qui, au milieu de tout ça, n'avait peut-être pas compris que les autres avaient évacué, avait remis le char en marche arrière pour partir dans les sables. Peut-être avait-il paniqué, qui sait, tu ne l'avais pas revu.

Le commandant blessé et toi étiez seuls dans les dunes. Combien de fois ai-je tenté de m'imaginer à ta place. Rien que les dunes sans fin et les fils laissés sur le sol par les missiles égyptiens. Le bruit des explosions. Toi qui essayais de transporter le blessé sur ton dos mais qui ne pouvais avancer dans le sable. Le commandant, sous le choc, qui te demandait de ne pas l'abandonner. Si vous restiez là, vous mouriez tous les deux. Si tu le quittais pour chercher du secours, lui pouvait mourir. Tu avais appris qu'il ne fallait jamais laisser un soldat blessé sur le champ de bataille. C'était une règle capitale que l'armée t'avait enfoncée dans le crâne. Comme tu avais dû lutter avec toi-même. Seulement, tu n'étais plus là pour lutter. L'expression de stupeur sur son visage quand il a compris que tu t'en allais. La difficulté avec laquelle il a enlevé sa montre et te l'a tendue : C'est celle de mon père. Cela te surprend-il que j'aie imaginé tout cela, que j'aie tenté, réellement, de me mettre à ta place ? Il ne restait plus personne en toi, donc, comme un mort-vivant, tu as abandonné le commandant. Tu l'as étendu doucement sur le sable, tu es devenu la dernière chose qu'il verrait jamais, en dehors de l'infini du sable, et tu es parti. Tu as marché, marché, marché. Dans le désert, dans la chaleur, avec le bruit des explosions, au loin, et les missiles au-dessus de ta tête. De plus en plus assommé, perdant toutes tes sensations, espérant que tu allais dans la bonne direction. Jusqu'au moment où, enfin, comme dans un mirage, une unité de secours est apparue, qui t'a déposé parmi les morts et les à peine vivants. Le camion était rempli de blessés et de mourants, alors ils ne pouvaient pas aller le rechercher, t'ont-ils dit, ils retourneraient plus tard. Soit ils y sont retournés sans le trouver, soit ils n'y sont pas retournés. On n'a plus eu de nouvelles de lui et il fut classé parmi les disparus. Même après la guerre, on n'a jamais retrouvé son corps.

La montre est restée sur ton bureau pendant des jours. Quand tu as obtenu enfin l'adresse de la famille à Haïfa, tu as emprunté la voiture et tu t'y es rendu tout seul. Je ne sais pas ce qui s'est passé là-bas. Toujours est-il qu'à ton retour, tu t'es enfermé dans ta chambre sans un mot. En faisant la vaisselle, ta mère se mordait les lèvres pour ne pas pleurer. Tout ce que je sais, c'est que le commandant était fils unique et que tu avais rendu la montre à ses parents. Nous avons pensé que l'affaire était terminée. Dans les semaines qui ont suivi, ton état s'est amélioré. Uri venait te voir tous les deux ou trois jours et vous partiez vous promener. Mais environ trois semaines plus tard, une lettre est arrivée à la maison, elle était du père du sol-dat mort. Je l'ai découverte dans une pile de courrier et je l'ai mise de côté pour toi. J'ai à peine jeté un coup d'œil au nom de l'expédi-teur, j'ignorais totalement son contenu, mais c'est moi qui te l'ai remise et moi, qui, pour finir, me suis trouvé impliqué dans ses accusations. Un père écrivait à un fils, seulement il n'était pas ton père et tu n'étais pas son fils, et pourtant, au travers d'associations contre lesquelles je ne pouvais rien, j'y fus mêlé malgré moi.

Sa lettre n'était pas éloquente mais, par sa brutalité, elle était encore pire. Il te rendait responsable de la mort de son fils. *Vous avez pris sa montre*, accusait-il d'une écriture en pattes de mouche, *et vous avez laissé mourir mon fils. Comment pouvez-vous vous suppor-*

ter ? Il avait survécu à Birkenau et mettait les deux situations en abyme. Il évoquait le courage des déportés juifs face aux SS et te traitait de lâche. À la dernière ligne de la lettre sur laquelle la plume avait appuyé si fort qu'elle avait troué le papier, il écrivait : *Ça aurait dû être vous.*

La lettre t'a anéanti. Le fragile équilibre que tu étais parvenu à préserver s'est écroulé à sa lecture. Tu restais désormais allongé dans ton lit, la tête tournée vers le mur, refusant de te lever, refusant de manger. Refusant de voir qui que ce soit et t'anesthésiant à l'opium du silence. Ou peut-être essayais-tu d'affamer l'infime partie encore vivante de toi-même. Ta mère a craint de nouveau pour ta vie, d'une autre façon, cette fois. (Combien de façons y a-t-il de craindre pour la vie de son enfant ? Passons.) Au début, ta petite amie est venue te voir régulièrement, mais un jour, tu l'as chassée et elle est partie en pleurant. Elle avait de longs cheveux bruns, des dents irrégulières et portait des chemises d'homme, ce qui ne faisait que renforcer, en quelque sorte, sa vitalité et sa beauté. Tu penses sans doute que j'insiste trop sur la beauté de tes petites amies, mais je m'appuie sur le fait que, jusque-là, malgré tes souffrances, tu n'avais jamais été indifférent à la beauté, on pourrait même dire que tu y trouvais une sorte d'abri. Seulement, c'était fini ; tu as chassé cette fille superbe qui t'aimait. Tu refusais même de parler à ta mère. Pour être honnête, je dois admettre qu'une partie de moi se réjouissait de la voir subir un traitement comparable au mien, ressentir ce que j'avais ressenti toute ma vie à cause de toi, obligée d'exister tant soit peu du même côté de la clôture que moi et de se rendre compte de ce que cela faisait de se jeter contre cette barrière impénétrable. Et comme si elle percevait ma satisfaction, la douceur qui nous avait habités après la nouvelle que tu étais vivant, le bénéfice du doute que nous avions tacitement décidé de nous accorder l'un à l'autre, tout cela s'est tari. Nos discussions à ton sujet – à voix basse, dans la cuisine ou le soir, au lit, sont devenues tendues. Un jour, ta mère s'est mis en tête d'appeler le père à Haïfa, de l'insulter et de prendre ta défense. Je ne l'ai pas laissée faire. Je lui ai attrapé le poignet et lui ai arraché de force le téléphone. Ça suffit, Eve, lui ai-je dit. Son fils est mort. Ses parents ont été massacrés et maintenant il a perdu son fils unique. Et tu voudrais qu'il soit juste ? Qu'il soit *raisonnable* ? Ses yeux se sont durcis. Tu as plus de compassion pour lui que tu n'en as pour ton propre fils, a-t-elle dit rageusement, et elle est sortie de la pièce.

Nous avions donc failli l'un envers l'autre. Nous avions failli au devoir de nous soutenir mutuellement. Au lieu de cela, nous nous sommes murés chacun dans notre propre anxiété, dans l'enfer particulier, unique, qui consiste à regarder souffrir son enfant sans pouvoir rien faire pour lui. Sans doute avait-elle raison, d'une certaine façon. Pas sur mon manque de compassion – tu étais mon fils, Bon Dieu, et tu es toujours mon fils, même maintenant. Mais raison sur un certain manque de générosité dans la manière dont je considérais ta réaction à la catastrophe qui s'était abattue sur toi. Tu as cessé de vivre. Ta mère pensait que quelque chose t'avait été confisqué. Moi, j'avais l'impression que tu y avais déjà renoncé. Comme si, toute ta vie, tu avais attendu que la vie te trahisse, qu'elle prouve ce dont tu l'avais toujours soupçonnée, à savoir combien peu elle te réservait, en dehors de la déception et de la souffrance. Tu avais désormais une raison parfaitement valable de t'en détourner, de rompre enfin avec elle de la même façon que tu avais rompu avec Shlomo, avec tant d'amis et de petites amies et, depuis longtemps, avec moi.

De terribles malheurs s'abattent sur les gens mais tous n'en sont pas anéantis. Pourquoi ce qui anéantit une personne en laisse une autre indemne ? Il y a la volonté, bien sûr… un droit inaliénable, le droit à l'interprétation, demeure. Un autre aurait pu dire : ce n'est pas moi l'ennemi. Votre fils est mort à cause de lui, pas de moi. Je suis un soldat qui a combattu pour son pays, ni plus ni moins. Un autre aurait pu fermer la porte aux tourments causés par le doute de soi. Toi, tu l'as laissée ouverte. Et j'avoue que je n'ai pas compris.

Lorsque au bout de deux ou trois mois, ton état ne s'est pas amélioré, la douleur de te regarder souffrir a tourné à la frustration. Comment aider quelqu'un qui refuse de s'aider ? Passé un certain seuil, on ne peut s'empêcher d'y voir un apitoiement sur soi-même. Tu avais abdiqué toute ambition. Parfois, je m'arrêtais devant ta porte de chambre fermée. Et le requin, alors, mon fils ? Et Beringer, avec sa serpillière, et le bruit incessant de la goutte d'eau s'échappant de l'aquarium ? Et le docteur, et Noa, et le petit Benny ? Que deviendront-ils sans toi ? Au lieu de cela, quand je te découvrais penché au-dessus de ton assiette à laquelle tu refusais de toucher, je te demandais, Qui veux-tu punir ? Crois-tu vraiment que la vie souffrira si tu la renies ?

Où que tu ailles, ta souffrance cognait en toi, les anciennes blessures se mêlant aux nouvelles. J'ai fini par me trouver profondément impliqué dans tout cela. Sous tous les angles, je ne voyais que ton dos. Ma rancœur grandissait contre ta mère et toi qui aviez formé un club sélect dont vous m'excluiez, moi, la brute, afin de me punir de ma profonde incompréhension et de bien d'autres choses dont je m'étais rendu coupable. Il se sent agressé par toi, m'a-t-elle dit un jour, alors qu'au cours d'une dispute sans motif je la fustigeais pour sa complicité dans ton silence, ce silence particulier, glacé, que tu réservais à moi seul. Et tu penses que ce sentiment est justifié ? lui ai-je demandé. Tu penses qu'il a raison de croire... quoi ? Que je l'ai injustement traité ? Aaron, a-t-elle répondu d'un ton sec, retenant sa respiration sous l'effet de l'agacement. Je l'ai aimé du mieux que j'ai pu, ai-je hurlé, conscient, en cet instant précis, que je ne faisais que renforcer sa conviction grandissante, la tienne et la sienne. J'ai peut-être même envoyé une coupe – de fraises, je me rappelle – à travers la pièce et le verre a explosé. C'est bien possible. Si ma mémoire est bonne. C'est vrai que je me laissais parfois emporter par la colère. Le verre a explosé et, à la suite de ce fracas, le silence indigné de ta mère s'est infiltré dans la pièce. J'aurais aimé jeter encore autre chose.

Je n'avais qu'à ouvrir la bouche pour te mettre en colère et te peiner. Il se comporte continuellement en victime, à présent, ai-je dit à ta mère. Il s'évertue à cultiver son droit à la souffrance. Comme toujours, elle a pris ton parti contre moi. Un soir, exaspéré, j'ai crié, Alors, maintenant c'est moi qui suis responsable de la mort de son commandant ? C'était injuste et je l'ai aussitôt regretté. Une seconde après, en entendant claquer la porte d'entrée j'ai su que tu m'avais entendu. Je t'ai immédiatement suivi pour te ramener à la maison. Dans la rue, tu pleurais et tu as tenté furieusement de me repousser. Je t'ai saisi et je t'ai collé la tête sur ma poitrine, jusqu'au moment où tu as cessé de te débattre. Je t'ai serré contre moi pendant que tu sanglotais et si j'avais pu parler je t'aurais dit, *Je ne suis pas ton ennemi. Je ne suis pas celui qui t'a écrit cette lettre. Je préférerais en voir mille mourir à ta place.*

Les mois passaient et rien ne changeait. Puis un jour, tu es venu me voir à mon cabinet. Rentrant d'une entrevue avec un client, je t'ai trouvé assis à mon bureau, griffonnant mélancoliquement sur mon bloc-notes. J'étais surpris. Cela faisait longtemps que tu n'étais pratiquement pas sorti et voilà que tu étais assis en face de moi, tel un mort-vivant. Je ne me souvenais pas de la dernière fois que tu m'avais rendu visite sur mon lieu de travail. Pris de court, j'ai dit, Je ne savais pas que tu venais. Je voulais t'annoncer que j'ai pris une décision, as-tu déclaré gravement. Bien, ai-je dit, toujours debout, c'est formidable, sans avoir la moindre idée de la décision en question. Le simple fait que tu puisses enfin envisager l'avenir me suffisait. Tu es resté silencieux. Alors ? ai-je fait. Je vais quitter Israël, as-tu dit. Pour où ? ai-je demandé, tentant de réprimer un mouvement de colère. Pour Londres. Pour y faire quoi ? Jusque-là, tu n'avais pas encore rencontré mon regard, mais tu as relevé enfin la tête et, me fixant dans les yeux, Pour étudier le droit.

Je suis resté muet. Non seulement tu n'avais jamais manifesté le moindre intérêt pour le droit, mais depuis que tu étais enfant, tu avais toujours veillé à ne pas me prendre pour modèle, non, pire que ça… en réalité, à te définir par opposition à moi. Si je parlais fort, tu étais celui qui parlait doucement, si j'aimais les tomates, tu les détestais. J'étais sidéré par ce brusque revirement et je me suis efforcé d'en comprendre la possible signification. Si tu n'avais pas été quelqu'un d'aussi sérieux, j'aurais pensé que tu te moquais de moi. J'avoue que je te voyais mal en magistrat, il est vrai que te voir en quoi que ce soit, à cette époque, n'était vraiment pas facile.

J'attendais que tu poursuives mais tu n'en as rien fait. Te levant brusquement, tu m'as dit que tu avais rendez-vous avec un ami. Toi qui refusais depuis des mois de voir qui que ce soit. Après ton départ, j'ai appelé ta mère. Que signifie tout ça ? ai-je demandé. Tout quoi ? a-t-elle demandé. Un jour, il est prostré dans sa chambre, et le lendemain, il s'inscrit en fac de droit à Londres ? Ça fait un moment qu'il en parle, a-t-elle dit. Je croyais que tu le savais. Savais ? *Savais ?* Comment pouvais-je le savoir ? Dans ma propre maison, personne ne me parle. Arrête, Aaron, a-t-elle dit. Tu es ridicule. Alors maintenant je n'étais plus seulement brutal et grossier, j'étais ridicule. Un idiot auquel personne ne se souciait plus de parler, de même qu'on sort un chat grincheux et encombrant et qu'on oublie de le nourrir, dans l'espoir qu'il s'en ira peu à peu et trouvera une autre famille pour s'occuper de lui.

Tu es parti. Je n'ai pas eu le courage de te conduire à l'aéroport. Je t'avais conduit à la guerre mais je n'ai pas pu te livrer à l'avion qui t'emmenait loin de ton pays. J'avais un procès, ce jour-là. J'aurais sans doute pu l'annuler, je ne l'ai pas fait. La veille au soir, ta mère ne s'est pas couchée avant d'avoir terminé le pull-over qu'elle t'avait tricoté. L'as-tu un jour porté ? Même moi, je voyais qu'il était peu seyant, trop épais – elle avait tellement peur que tu meures de froid, là-bas. Nous avons reporté nos adieux au matin de ton départ, mais quand il fut l'heure pour moi d'aller travailler, tu dormais encore.

Dès le début, tes notes ont été faramineuses. Tu t'es placé sans peine en tête de classe. Si ta souffrance n'avait pas disparu, elle semblait en rémission. Tu la maintenais enfouie sous un travail incessant, obsessionnel. Quand tu as obtenu ton diplôme, nous avons pensé que tu rentrerais à la maison, mais il n'en fut rien. Tu es devenu avocat et tu as intégré un cabinet prestigieux. Tu travaillais un nombre d'heures impossible, en excluant tout le reste, et tu t'es très vite fait un nom dans le domaine pénal. Tu accusais, tu défendais, tu maintenais en équilibre les deux plateaux de la balance de la justice. Les années passant, tu t'es marié, tu as divorcé, tu es devenu juge. Et c'est seulement plus tard que j'ai compris ce que tu avais peut-être voulu me dire ce jour-là, si lointain : tu ne reviendrais jamais.

Tout cela remonte à un passé révolu. Et pourtant, contre ma volonté, m'y voici revenu. Comme pour toucher rituellement une dernière fois, une à une, toutes les poches de souffrance tenaces. Non, les puissantes émotions de la jeunesse ne s'émoussent pas avec le temps. On les tient en main, on brandit la cravache, on les dompte. On se construit des défenses. On impose l'ordre. Mais la vigueur des sentiments ne s'atténue pas, elle est simplement endiguée. Seulement, maintenant, les murs commencent à se gauchir. Je me mets à penser à mes parents, Dovi. À certaines images de ma mère dans la cuisine, éclairée par la lumière indécise du soir, et je vois que son expression signifiait autre chose que ce que je croyais, étant enfant. Elle s'enfermait souvent dans la salle de bains et n'était plus alors que des sons. Étouffés, que j'écoutais, l'oreille collée à la porte. Pour moi, ma mère était par-dessus tout une odeur. Indescriptible. Passons. Puis un contact : ses mains sur mon dos, le lainage doux de son manteau contre ma joue. Puis un son et, loin derrière, en quatrième position, ma vision d'elle. La façon dont elle ne m'apparaissait que par fragments, jamais entière. Si grande, et moi si petit qu'en une seule fois je ne parvenais à apercevoir qu'une courbe, la chair gonflée au-dessus d'une ceinture, la pluie de taches de rousseur dans le décolleté ou les jambes gainées de bas. Davantage était impossible. Trop. Après sa mort, mon père lui a survécu presque dix ans. Immobilisant d'une main l'autre, agitée de tremblements. Je le trouvais souvent en sous-vêtements, pas rasé, avec les stores baissés. Un homme méticuleux, vaniteux, même, en maillot de corps taché. Il lui fallut toute une année pour recommencer à s'habiller. D'autres fonctions, elles, ne se rétablirent ni ne se réparèrent jamais. Quelque chose en lui avait basculé. Sa conversation était pleine de trous béants. Un jour, je le trouvai à quatre pattes en train d'examiner une éraflure dans le plancher. Marmonnant et lui appliquant quelque formule talmudique qu'il avait apprise dans sa jeunesse et, n'en ayant aucun usage, avait oubliée jusqu'alors. Je n'imagine pas, mais pas du tout, ce qu'il pensait de la vie après la mort. Nous n'abordions jamais les sujets personnels. Nous nous saluions de très loin, d'un pic montagneux à un autre. Le tintement de la cuiller dans la tasse, un raclement de gorge. Une discussion sur la meilleure laine, son origine, l'animal dont elle provenait, sa méthode de fabrication – quand discussion il y avait. Il mourut paisiblement dans son lit, sans une assiette sale dans l'évier. Après avoir rempli un verre au robinet, il essuyait celui-ci pour que l'inox reste, fidèle à sa réputation, impeccable. Pendant plusieurs années, j'ai allumé pour eux deux la bougie yahrzeit, puis j'en ai perdu l'habitude. Je peux compter sur les doigts d'une main le nombre de fois où je suis allé sur leur tombe. Les morts sont morts, et si je veux leur rendre visite, j'ai mes souvenirs, c'est ainsi que je considérais alors cette réalité, si tant est qu'il m'arrive de la considérer. Même les souvenirs, je les tenais à distance. N'y a-t-il pas toujours, dans la mort des êtres proches, un léger mais indéniable reproche ? Est-ce ainsi que tu verras ma mort, Dov ? Le dernier épisode du long reproche que fut pour toi ma vie ?

J'approchais de la fin, et tu es revenu. Tu étais là, dans le vestibule, ta valise à la main et j'ai pensé… que ça ressemblait… à un commencement. Est-ce que j'arrive trop tard ? Où es-tu ? Tu devrais être là depuis des heures. Qu'est-ce qui te retient ? Il se passe quelque chose, je le sens. Ta mère n'est plus là pour s'inquiéter. C'est maintenant à moi que cela incombe. Pendant dix jours, en me réveillant, je t'ai trouvé assis à cette table. Si peu de temps et, déjà, cela m'était devenu indispensable. Mais ce matin, ce matin où je suis descendu, prêt à rompre le silence et à te proposer enfin une trêve, la table était vide.

Une angoisse croissante me serre la poitrine. Je ne peux pas passer outre. Pendant dix jours, nous avons vécu sous le même toit et c'est à peine si tu as ouvert la bouche, Dov. Nous parcourons la journée comme les deux aiguilles d'une pendule : tantôt nous nous rencontrons une seconde pour nous éloigner aussitôt l'un de l'autre et poursuivre notre chemin, chacun de notre côté. Chaque jour exactement identique : le thé, les toasts carbonisés, les miettes, le silence. Toi, sur ta chaise, moi, sur la mienne. Sauf aujourd'hui où, pour la première fois, après m'être réveillé, avoir toussé dans le couloir et pénétré dans la cuisine, je n'ai trouvé personne. Ta chaise était vide, le journal encore dans son enveloppe, sur le seuil. Je me suis promis d'attendre que tu sois prêt, de ne pas m'impatienter. Hier, je t'ai rencontré dans le jardin, debout, avec une étrange raideur dans le maintien, comme si tu portais une palanche en bois sur tes épaules, à la manière des Hollandais de jadis, seulement, à la place de l'eau, c'était une grande réserve de sentiments que tu craignais de renverser. J'ai essayé de ne pas te déranger. Par peur de dire ce qu'il ne fallait pas, je n'ai rien dit. Mais chaque jour, il y a un petit peu moins de moi. Un tout petit peu, presque impossible à mesurer, pourtant je sens la vie qui m'échappe. Tu n'es pas obligé de me révéler ce que tu ne veux pas me révéler de la tienne. Je ne te demanderai pas ce qui s'est passé, pourquoi tu as démissionné, pourquoi tu as brusquement renoncé à la seule chose qui t'a raccroché à la vie toutes ces années. Je peux vivre sans le savoir. Ce que j'ai besoin de savoir, c'est pourquoi tu es revenu vers moi. J'ai besoin de te le demander. Me rendras-tu visite quand j'aurai disparu ? Viendras-tu t'asseoir près de moi ? Allons, c'est absurde, je ne serai plus rien, juste une poignée de matière inerte et pourtant, ça m'aiderait à partir si je savais que tu viendras quelquefois. Balayer autour de la pierre tombale et ramasser un caillou pour le mettre à côté des autres. S'il y en a d'autres. Simplement penser que tu viendras, ne serait-ce qu'une fois par an. Je sais de quoi j'ai l'air en disant ça, étant donné l'oubli qui m'attend, et dont je n'ai jamais douté. Quand j'ai entamé mes petites excursions dans la vallée de la mort et découvert en moi ce désir, j'ai été surpris, moi aussi. Je me rappelle exactement comment ça s'est passé. Un matin, Uri est venu me chercher pour m'emmener chez l'ophtalmo. En une nuit, une petite tache sombre était apparue dans la vision de mon œil droit. Ce n'était qu'un point, mais ce petit vide me rendait fou, tout ce que je regardais en était dénaturé. Je fus pris de panique. Et si une autre tache survenait, puis encore une autre ? C'était comme être enterré vivant, une pelletée de terre après l'autre, jusqu'à ce qu'il ne reste qu'un point lumineux, puis plus rien. Complètement affolé, j'ai appelé Uri. Une heure plus tard, il me rappelait en disant qu'il avait un rendez-vous et qu'il passerait me prendre. Nous sommes allés chez le médecin – mais tout ceci est sans importance – puis nous somme remontés en voiture pour rentrer à la maison. Nous roulions quand une pierre, venue de nulle part, heurta le pare-brise. Le bruit fut terrible. Nous avons sursauté tous les deux violemment et Uri a freiné à mort. Nous sommes restés assis, immobiles, silencieux, osant à peine respirer. La route était vide, il n'y avait personne alentour. Par un miracle qu'il nous a fallu un moment pour saisir pleinement, la vitre n'était pas cassée. La seule trace était une motte de terre de la taille d'une empreinte digitale, presque entre mes deux yeux. Un instant plus tard, j'ai aperçu la pierre dans le logement des essuie-glaces. Si elle avait traversé la vitre, elle aurait pu me tuer. Je suis sorti de la voiture, les jambes tremblantes, et j'ai pris la pierre en main. Elle remplissait ma paume et lorsque j'ai refermé les doigts, elle s'est logée parfaitement dans mon poing. Voici la première, me suis-je dit. La première pierre marquant ma tombe. La première pierre placée, tel un point final, au terme de ma vie. Les parents et les amis vont bientôt arriver, munis chacun d'une pierre pour amarrer la longue phrase que fut ma vie à sa dernière syllabe étranglée…

Et alors, mon enfant, j'ai pensé à toi. Je me suis rendu compte que peu m'importait que les autres viennent, la seule pierre que je voulais, c'était la tienne. La pierre qui signifie tant de choses pour un juif mais qui, dans ta main, ne pourrait avoir qu'un sens.

Mon enfant. Mon amour et mon regret, comme tu l'étais quand je t'ai regardé pour la première fois, petit vieillard qui n'avait pas encore eu le temps de gommer son ancienne expression, tout nu et difforme dans les bras de l'infirmière. Le docteur Bartov, un vieil ami à moi qui avait enfreint les règles pour me permettre d'être présent, se tourna vers moi et me demanda si je voulais couper le cordon, gonflé, d'un bleu blanchâtre et entortillé, tellement plus gros que je ne me l'étais imaginé, assez proche d'une corde à bateau et, sans réfléchir, j'acceptai. Juste comme ça, me dit-il, lui qui l'avait fait des milliers de fois. Je m'exécutai et soudain le cordon se mit à danser entre mes mains à la façon d'un serpent et le sang jaillit dans toute la pièce, éclaboussant les murs comme dans une épouvantable scène de crime et tu ouvris les yeux, mon enfant, je le jure, tes petits yeux larmoyants, tu me regardas pour fixer dans ta mémoire, pour toujours, le visage de celui qui t'avait séparé d'elle. En cet instant, quelque chose m'envahit. J'avais la sensation qu'une pression s'était engouffrée en moi, dilatant tout mon corps, poussant les parois de l'intérieur, comme si j'étais assiégé du dedans, en admettant que cela soit possible, et je pensai exploser sous l'effet de tout cela, de l'amour et du regret, Dov, de l'amour et du regret, comme je ne l'aurais pas cru possible. Je compris alors avec étonnement que j'étais devenu ton père. L'étonnement ne dura pas plus d'une minute, car ta mère faisait une hémorragie et une infirmière t'emporta rapidement, tandis qu'une autre me poussait dehors et me déposait dans la salle d'attente où les hommes qui n'avaient pas encore vu leur enfant regardèrent mes chaussures ensanglantées, mes lèvres frémissantes et se mirent à tousser et à trembler.

Je veux que tu saches que je n'ai jamais renoncé à être ton père, Dovik. Parfois, en me rendant au travail, je me surprenais à parler tout fort avec toi, dans la voiture, à t'implorer, à argumenter avec toi. Ou à te demander conseil au sujet d'une affaire pénale particulièrement difficile. Ou bien juste à t'entretenir des aphidés qui attaquaient mes plants de tomates ou de l'omelette toute simple que je m'étais confectionnée, un matin, avant le réveil de ta mère, et que j'avais mangée tout seul, dans le silence lumineux de la cuisine. Et lorsqu'elle est tombée malade, c'est à toi que je parlais, en attendant sur une chaise en plastique dur qu'elle en termine avec une nouvelle intervention, un nouveau traitement, de nouveaux examens. J'avais fait de toi, dans ma tête, un petit bonhomme et je te parlais comme si tu pouvais m'entendre. La deuxième fois que le bus numéro dix-huit fut bombardé, je me trouvais à deux rues de là. Du sang, tellement de sang, Dovi. Des restes humains partout. J'ai observé les orthodoxes venus ramasser les morts éparpillés, gratter à la pince à épiler les morceaux de chair sur le trottoir, grimper à une échelle pour enlever un lambeau d'oreille collé sur une haute branche, récupérer un pouce d'enfant sur un balcon. Après, j'ai été incapable d'en parler à quiconque, même pas à ta mère, mais à toi, j'en ai parlé. La Vraie Bonté, c'est le nom qu'ils se donnent, ceux qui arrivent avec leurs kippas et leurs gilets jaunes fluorescents, toujours là les premiers pour tenir les mourants qui s'en vont dans un silence abasourdi, pour ramasser l'enfant sans bras ni jambes. La Vraie Bonté, parce que les morts ne peuvent pas remercier pour le service rendu. Oui, c'est à toi que je parlais quand je me réveillais après un cauchemar. À toi que je m'adressais quand je me regardais dans la glace en me rasant. Je te trouvais partout, caché dans les endroits les plus invraisemblables et si, au début, je me suis demandé pourquoi, je me suis bientôt rendu compte que c'était parce que je croyais pouvoir tirer une leçon de toi, de ton exemple. Toi qui avais toujours été si doué pour renoncer, pour lâcher prise, pour te faire de plus en plus léger, de plus en plus petit : un ami à la fois, un père en moins, une épouse en moins. Et maintenant que tu as même renoncé à être juge, presque plus rien ne te rattache au monde, tu ressembles à un pissenlit, à l'aigrette duquel il ne reste qu'un ou deux poils, comme il te serait facile, d'un toussotement, d'un petit soupir, de faire envoler le dernier…

Soudain j'ai peur, Dovi. Je sens une espèce de frisson, un froid s'infiltre dans mes veines. Pour une fois, je crois que je comprends. Qu'est-ce que je comprends ? Est-il possible que tu sois venu me dire une nouvelle fois au revoir ? Que tu aies l'intention d'en terminer… enfin ?

Attends, Dovik. Ne pars pas. Tu te rappelles comme je t'aidais à t'endormir, le soir, quand tu étais petit, et comme tu voulais toujours poser une autre question ? Où va le soleil, le soir ? Qu'est-ce que mangent les loups ? Pourquoi est-ce qu'il n'y a qu'un seul moi ?

Encore une question, Dovik. Encore une chanson. Encore cinq minutes.

Que ferait-elle ?

Où es-tu ? Je te l'ai demandé toute ta vie.

Je vais mettre mes chaussures. Je vais me mettre à genoux. Je n'en parlerai plus jamais.

Je vais faire ce qu'aurait fait ta mère. Je vais appeler tous les hôpitaux.

L'audience est ouverte

Dans ma chambre sombre et glaciale, je dormis comme la survivante d'un typhon, Votre Honneur. Une agitation inquiète, l'intuition d'un malheur voltigeait à la lisière de mes rêves, mais j'étais trop épuisée pour l'analyser. Elle s'amassa et se coagula pendant mes longues heures de sommeil, jusqu'au moment où, alors que j'ouvrais les yeux, elle atteignit brusquement ma conscience sous la forme d'une frayeur presque frénétique. Juste hors de ma portée se posait une question insistante qui exigeait une réponse, mais quelle était donc la question ? J'avais une soif terrible et cherchai à tâtons dans le noir les petites bouteilles d'eau froide. Je n'avais aucune idée de l'heure ; à travers la fente des persiennes, je vis qu'il faisait encore jour ou qu'il faisait de nouveau jour. La question devenait plus lancinante, et quand je tentais de la saisir, elle m'échappait. Je cherchai à l'aveuglette la clef de la véranda, renversant en même temps une bouteille qui vola en éclats sur le sol. La serrure, bloquée, finit par s'ouvrir sur la violente lumière de Jérusalem. Je contemplai les murailles de la Vieille Ville, profondément émue par la vue, et pourtant la question était toujours là et mon esprit y retournait comme la langue fouille l'endroit sensible d'une dent manquante ; c'était douloureux mais je voulais savoir. Lorsque le soleil descendit et que l'obscurité, telle une cagoule, enveloppa les collines, tout s'amplifia dans ma tête comme dans un théâtre à l'acoustique parfaite, une moiteur épouvantable s'y infiltra de nouveau et la question urgente se posa encore, seulement qu'était-elle, qu'était-elle donc ? Jusqu'au moment où, avec un soudain écœurement, je la sentis enfin remonter à la surface :

Et si je m'étais trompée ?

Aussi loin que je me souvienne, Votre Honneur, je me suis toujours sentie à part. Ou, du moins, je croyais occuper une place à part, avoir été élue. Je vous épargnerai les blessures de l'enfance, mon sentiment de solitude ou la peur et la tristesse des années passées dans l'étouffante capsule du mariage de mes parents, sous le règne de la fureur paternelle ; après tout, qui n'est pas le survivant du naufrage de son enfance ? Je n'ai aucune envie de décrire la mienne, je veux simplement dire que pour pouvoir survivre à cette phase sombre et souvent terrifiante de ma vie, j'en vins à me convaincre de certaines choses me concernant. Je ne m'attribuais pas des pouvoirs magiques ni ne me croyais sous la protection de quelque force bienveillante – rien d'aussi tangible que ça –, je ne perdis jamais de vue, non plus, la réalité immuable de ma situation. Je finis simplement par croire que primo, les circonstances factuelles de ma vie, plus ou moins accidentelles, n'étaient pas nées de mon âme, secundo, que je possédais une qualité unique, une force particulière et une profondeur de jugement qui me permettraient de résister aux blessures et à l'injustice, sans en être brisée. Aux pires moments, il me suffisait de m'enfouir sous la surface, de plonger et de toucher l'endroit où vivait en moi cette mystérieuse faculté et, du moment que je le trouvais, je savais qu'un jour j'échapperais à leur monde et construirais ma vie dans un autre. Il y avait, dans notre immeuble, une trappe qui menait au toit et je montais souvent en courant les quatre étages, puis escaladais un mur d'où j'apercevais la lumière vive du pont routier où circulaient les trains. Et là, où je savais que personne ne me trouverait, un secret frisson de joie me parcourait délicieusement les veines et les poils se dressaient sur ma nuque parce que je sentais, dans l'absolue sérénité de cet instant, que le monde me révélait, à moi seule, un peu de lui-même. Lorsque je ne pouvais monter sur le toit, je me cachais sous le lit de mes parents et, bien qu'il n'y eût rien à voir, j'éprouvais la même excitation, la même impression d'un accès privilégié à la structure du monde, aux courants d'émotions sur lesquels repose délicatement toute l'existence humaine, à la beauté quasiment insupportable de la vie, pas la mienne ni celle des autres, celle de la chose elle-même, indépendamment de ceux qui y entrent en naissant et la quittent en mourant. Je regardais mes sœurs trébucher et tomber : l'une apprit à mentir, à voler et à tricher, l'autre fut détruite par le dégoût de soi et se déchira, jusqu'au jour où elle ne se rappela plus comment recoller les morceaux ; moi, en revanche, je tins bon. Oui, Votre Honneur, je me croyais en quelque sorte élue, non point tant protégée que tenue pour exceptionnelle, pourvue d'un don qui me gardait entière mais n'était rien de plus qu'un potentiel, en attendant le jour où je m'en servirais et, au fil du temps, dans les profondeurs de moi-même, cette conviction devint une loi et cette loi finit par gouverner ma vie. Bref, Votre Honneur, c'est ainsi que je suis devenue écrivain.

Comprenez-moi : je n'ai pas été préservée du doute, loin de là. Toute ma vie, il m'a pourchassée, ce doute lancinant et le dégoût qui l'accompagnait, un dégoût particulier que je me réservais à moi seule. Parfois, il cohabitait en pénible opposition avec l'idée que j'étais élue, il allait et venait, me tourmentant jusqu'à ce que la secrète conviction de qui j'étais l'emporte enfin invariablement. Je me rappelle la façon dont, il y a bien des années, je renâclai presque lorsque les déménageurs passèrent le bureau de Daniel Varsky par la porte. Il était tellement plus gros que dans mon souvenir, j'avais le sentiment qu'il avait grandi ou s'était multiplié (y avait-il vraiment tous ces tiroirs ?) depuis que je l'avais vu, deux semaines plus tôt, dans son appartement. Je ne pensais pas qu'il irait chez moi, et puis ensuite, je redoutai le départ des déménageurs parce que j'avais peur, Votre Honneur, de rester seule avec l'ombre qu'il projetait dans la pièce. C'était comme si mon appartement était soudain plongé dans le silence, ou comme si la qualité du silence avait changé, tel le silence d'une scène de théâtre vide, opposé à celui d'une scène sur laquelle quelqu'un a placé un seul instrument étincelant. J'étais accablée et au bord des larmes. Comment espérer pouvoir écrire sur un bureau pareil ? Le bureau d'un grand esprit, dit S, quand il vint pour la première fois chez moi, des années plus tard. Peut-être, mon Dieu, le bureau de Lorca ? En tombant, il était capable de tuer quelqu'un. Si mon appartement m'avait paru petit auparavant, à présent il m'apparaissait minuscule. Mais alors que j'étais là, assise, tremblante, dans son ombre, je me rappelai soudain, curieusement, un film que j'avais vu un jour sur les Allemands affamés, après la guerre, forcés d'abattre tous les arbres des forêts pour en faire du bois de chauffe afin de ne pas mourir de froid. Quand il ne resta plus un seul arbre, ils attaquèrent à la hache leurs meubles – lits, tables, armoires, souvenirs de famille, rien n'y échappa – oui, ils se dressaient tout à coup devant mes yeux, enveloppés de manteaux semblables à des bandages sales, s'acharnant sur les pieds des tables et les accoudoirs des fauteuils, un maigre feu crépitant déjà à leurs pieds, et je sentis un petit rire gargouiller dans mon ventre : vous imaginez ce qu'ils auraient fait avec un tel bureau ? Ils auraient fondu dessus, tels des vautours sur une carcasse de lion – quel feu de joie, du bois pour plusieurs jours –, et je me mis à glousser pour de bon, tout fort, en me rongeant les ongles et en souriant largement à ce pauvre bureau démesuré qui avait bien failli être réduit en cendres mais qui s'était hissé à la hauteur de Lorca, ou tout au moins de Daniel Varsky, et se trouvait désormais abandonné aux mains de gens tels que moi. Tandis qu'il était là, voûté, sous le plafond, je passai mes doigts sur sa surface balafrée et levai un bras pour caresser les boutons de ses nombreux tiroirs, car maintenant que je le voyais sous un jour différent, l'ombre qu'il projetait était presque séduisante, Allons, viens, semblait-il me dire, tel un géant maladroit qui tend la patte, et la petite souris saute dedans et ils s'en vont ensemble par les champs et les coteaux, par monts et par vaux. Je traînai une chaise à travers la pièce (je me rappelle encore le bruit qu'elle fit, un long raclement qui creusa le silence), et découvris avec étonnement combien elle paraissait petite à côté du bureau – une chaise d'enfant, ou bien celle de l'ourson, dans l'histoire de Boucles d'or ; elle se briserait sûrement si j'essayais de m'y asseoir, mais non, elle résista parfaitement. Je plaçai mes mains sur le bureau, d'abord l'une, puis l'autre, dans le silence qui semblait peser sur les fenêtres et les portes. Levant les yeux, je le ressentis, Votre Honneur, ce frisson de joie secrète et, soit à ce moment-là, soit juste un peu plus tard, le fait immuable de ce bureau, la première chose que je voyais chaque matin en ouvrant les yeux, renouvela mon sentiment qu'avait été reconnu en moi un potentiel, une certaine qualité qui faisait de moi un être à part et à laquelle j'étais redevable.

Parfois le doute s'éloignait pendant des mois, voire des années, puis revenait soudain, m'accablant au point de me paralyser. Un soir, un an et demi après l'arrivée du bureau à ma porte, Paul Alpers m'appela au téléphone : Qu'est-ce que tu fais ? me demanda-t-il, Je lis Pessoa, dis-je, alors qu'en vérité je dormais sur le canapé, et en disant cela, mes yeux tombèrent sur une tache sombre de salive. J'arrive, dit-il et, un quart d'heure plus tard, il était sur le seuil, très pâle, tenant serré dans sa main un sac en papier froissé. Cela devait faire un certain temps que je ne l'avais pas vu, car je fus surprise de constater combien ses cheveux s'étaient clairsemés. Varsky a disparu, dit-il. Quoi ? dis-je, alors que j'avais très bien entendu, et nous nous tournâmes simultanément vers l'imposant bureau comme si, à tout instant, notre ami efflanqué aux longues jambes et au grand nez pouvait jaillir en riant de l'un des nombreux tiroirs. Mais rien ne se passa, excepté qu'une tristesse s'infiltra peu à peu dans la pièce. Ils sont venus chez lui à l'aube, chuchota Paul. Je peux entrer ? Et sans attendre la réponse, il passa devant moi, ouvrit le placard et revint en tenant deux verres qu'il remplit avec la bouteille de whisky qu'il avait dans le sac en papier. Nous levâmes notre verre à Daniel Varsky, puis Paul remplit de nouveau les verres et nous portâmes un second toast, cette fois à tous les poètes chiliens kidnappés. Lorsque la bouteille fut vide et pendant que Paul, toujours en manteau, restait assis, recroquevillé, dans le fauteuil en face de moi, le regard dur mais vague, je fus submergée par deux émotions : primo, le regret que rien ne demeure jamais tel quel et, secundo, le sentiment que le fardeau que je portais péniblement s'était infiniment alourdi.

Obsédée par Daniel Varsky, je n'arrivais plus à me concentrer. Mon esprit revenait sans cesse sur le soir où je l'avais rencontré et où, pendant que j'examinais sur le mur les cartes de toutes les villes où il avait séjourné, il avait évoqué des lieux aux noms inconnus : un fleuve, près de Barcelone, couleur d'aigue-marine, dans lequel on pouvait plonger par un trou sous l'eau, refaire surface dans un tunnel, mi air, mi-eau, et marcher pendant des kilomètres en écoutant l'écho de sa propre voix, ou bien les tunnels des collines de Judée, pas plus larges que la taille d'un homme, où les disciples de Bar Kokhba avaient perdu l'esprit en attendant les Romains et dans lesquels Daniel s'était faufilé, sans rien d'autre qu'une allumette pour s'éclairer – tandis que moi, qui ai toujours été légèrement claustrophobe, j'approuvais docilement de la tête et, peu après, l'écoutais réciter son poème, ce qu'il fit sans ciller ni détourner les yeux. *Oublie tout ce que j'ai dit.* Il était vraiment très bon, ce poème, Votre Honneur, en vérité il était extraordinaire et je ne l'ai pas oublié. Il avait une spontanéité que, me sembla-t-il, je ne posséderais jamais. C'était difficile à admettre, mais je l'avais toujours soupçonné chez moi, ce petit mensonge, sous mes vers, la façon dont j'empilais les mots à la manière d'une décoration alors que, pour lui, c'était comme s'il se dépouillait de tout, jusqu'au moment où il restait totalement exposé et se tordant, telle une petite larve blanchâtre (il y avait là quelque chose de presque indécent qui rendait le poème d'autant plus fascinant). Assise en face de Paul qui s'était endormi, je ressentis, à ce souvenir, une douleur dans l'estomac, juste sous le cœur, une espèce de coup profond donné par un canif minuscule, et je me pliai en deux sur son canapé, le canapé sur lequel je m'étais moi-même si souvent endormie, l'esprit vacant, ou occupé de menus soucis, comme par exemple du jour de la semaine où tomberait mon anniversaire ou de la nécessité d'acheter une savonnette, pendant que quelque part dans le désert, dans les plaines ou les sous-sols du Chili, Daniel Varsky mourait sous la torture. Après ce jour-là, la seule vue du bureau, le matin, me donnait envie de pleurer, pas seulement parce qu'il représentait le sort cruel de mon ami, mais aussi parce que maintenant, il ne servait plus qu'à me rappeler qu'il n'avait jamais vraiment été à moi et qu'il ne le serait jamais et que je n'étais qu'une gardienne accidentelle qui s'était sottement imaginé posséder une chose, une qualité quasi magique qu'elle n'avait en réalité jamais eue et que le véritable poète qui aurait dû y être installé était, selon toute vraisemblance, mort. Une nuit, je rêvai que Daniel Varsky et moi étions assis sur un pont étroit, au-dessus de l'East River. Pour une raison ou une autre, il portait un bandeau sur l'œil, comme Moshe Dayan. Mais ne sens-tu pas, au fond de toi, que tu es spéciale ? me demanda-t-il en balançant négligemment les jambes, tandis qu'au-dessous de nous, des nageurs, ou peut-être des chiens, tentaient péniblement de remonter le courant. Non, chuchotai-je en essayant de retenir mes larmes, Non, je ne le pense pas, et Daniel Varsky me considéra avec un mélange de stupéfaction et de pitié.

Pendant un mois, je n'écrivis pratiquement rien. À cette époque, l'un de mes nombreux petits boulots consistait à confectionner des origamis, des oiseaux en papier plié, pour un traiteur chinois qui était l'oncle d'une de mes amies. Je me surpassai : je pliai tellement d'oiseaux, des grues de toutes les couleurs, que j'en eus d'abord les mains tout engourdies, puis si ankylosées que, ne pouvant plus saisir un verre entre mes doigts, je dus boire au robinet. Mais ça m'était égal, il y avait quelque chose de presque réconfortant dans la façon dont je voyais, dans tous les objets autour de moi, une variation des onze plis nécessaires pour confectionner une grue, le vol de mille grues, que j'emballais dans des boîtes occupant le minuscule espace laissé libre par le bureau. Pour atteindre le matelas sur lequel je dormais, je devais me tortiller entre les boîtes et le bureau, si bien que mon corps se trouvait un instant pressé contre lui et que j'inhalais l'odeur du bois, à la fois impossible à situer et douloureusement familière. Je ressentais alors un élancement de tristesse si aigu que je renonçai au matelas et dormis sur le canapé, jusqu'au jour où l'homme vint chercher les boîtes (il émit un petit sifflement de surprise avant de compter l'argent qui me revenait), et mon appartement fut de nouveau vide. Ou, plus exactement, vide à l'exception du bureau, du canapé et des chaises de Daniel Varsky. Après cela, je m'efforçai d'ignorer la présence du bureau, mais moins je lui prêtais attention, plus il paraissait grossir, et je ne tardai pas à souffrir de claustrophobie ; je me mis alors à dormir avec les fenêtres ouvertes en dépit du froid, ce qui donnait à mes rêves une étrange austérité. Puis, un soir, en passant devant le bureau, mes yeux tombèrent sur une phrase que j'avais écrite, quelques mois auparavant. La phrase me resta en tête sur le chemin des toilettes, quelque chose clochait, et pendant que j'étais assise sur le siège, la bonne constellation de mots m'apparut brusquement. Je revins au bureau, barrai ce que j'avais écrit et écrivis la nouvelle phrase. Ensuite, je commençai à retravailler une autre phrase, puis une autre, les pensées crépitaient sous mon crâne, les mots s'attiraient, tels des aimants, et bientôt, sans plus de cérémonie, je m'oubliai dans mon travail. Je me souvenais de nouveau de moi.

Cela se reproduisit maintes et maintes fois, la secrète conviction revenant sans cesse et l'emportant sur l'incertitude inquiète. Et même si, les années passant, les livres échouaient les uns après les autres – chacun, un échec différent – je demeurais accrochée à une croyance implicite selon laquelle je finirais par respecter ma promesse, jusqu'au jour où, simplement avec une âpre lucidité, comme si un coup sur la tête avait changé mon angle de vision et que tout se mettait en place, elle me rattrapa : *Et si je m'étais trompée ?* Trompée depuis des années, Votre Honneur. Dès le départ. C'était soudain tellement évident. Et tellement insupportable. La question me taraudait, obsédante. Agrippée à mon matelas comme à un radeau, précipitée dans le maelström de la nuit, je me tournai et m'agitai frénétiquement, dévorée par une fièvre panique, attendant avec impatience la première lueur du jour au-dessus de Jérusalem. Au matin, épuisée, rêvant encore à moitié, j'errai dans les rues de la Vieille Ville et, l'espace d'un instant, me sentis au bord d'une délicieuse intuition comme si, en tournant au coin de la rue, j'allais enfin découvrir le centre des choses, ce que j'avais tenté en vain de dire toute ma vie et que, désormais, il ne serait plus nécessaire d'écrire, plus nécessaire même de parler, et que, telle cette religieuse qui marchait devant moi et disparaissait par un trou dans le mur, enveloppée du mystère de Dieu, je vivrais le reste de mes jours dans la plénitude du silence. Mais la seconde d'après, l'illusion vola en éclats : jamais je n'en avais été aussi éloignée, jamais l'ampleur de mon échec n'avait été aussi stupéfiante. Je m'étais toujours considérée comme à part, me croyant en contact avec l'essentiel, pas avec le mystère de Dieu, issue verrouillée et prévue d'avance, mais – comment l'appeler autrement, Votre Honneur ? – le mystère de l'existence, et pourtant, tandis que je longeais une autre petite rue d'un pas trébuchant sous un soleil torride, butant sur les pavés inégaux, la peur croissante de m'être trompée monta en moi. Si je m'étais trompée, les conséquences de cette erreur seraient si grandes qu'elles n'épargneraient rien, les colonnes du Temple s'abattraient sur moi, le toit s'effondrerait, un gouffre s'ouvrirait, qui avalerait tout. Vous voyez, Votre Honneur ? J'ai consacré ma vie à cette conviction. J'ai renoncé à tout et aux autres pour elle, et maintenant c'est la seule chose qui me reste.

Il n'en a pas toujours été ainsi. À une époque, je croyais que ma vie se déroulerait de façon différente. Il est vrai que, dès le début, je m'accoutumai à ces longues heures d'isolement. Je découvris que j'avais moins besoin de compagnie que les autres. Après toute une journée passée à écrire, faire la conversation me demandait un gros effort, j'avais l'impression de marcher dans du ciment, je préférais alors souvent m'abstenir et dîner dans un restaurant avec un livre ou faire une longue promenade à pied, dévidant l'isolement de la journée au fil des rues. Mais la solitude, la véritable solitude, on ne s'y habitue pas, et tant que j'étais jeune, je croyais ma situation, disons, temporaire, espérant et imaginant sans cesse que je rencontrerais un jour quelqu'un dont je tomberais amoureuse et que lui et moi unirions nos vies, tout en restant chacun libre et indépendant et pourtant liés par notre amour. Oui, il fut un temps où je ne m'étais pas encore fermée aux autres. Quand R me quitta, il y a bien longtemps, je fus abasourdie. Que savais-je de la véritable solitude ? J'étais jeune et pleine de vie, débordante d'émotions, pleine de désirs ; j'existais alors davantage à la surface de moi-même. Un soir, en rentrant, je découvris R roulé en boule sur le matelas. Quand je le touchai, son corps se crispa et la boule se resserra, Laisse-moi tranquille, dit-il ou s'étrangla-t-il, d'une voix qui semblait venir du fond d'un puits. Je t'aime, dis-je en lui caressant les cheveux, et la boule se resserra encore un peu plus, à la façon d'un porc-épic affolé ou malade. Combien peu je le comprenais, en ce temps-là, combien peu je savais que plus l'on se cache, plus il devient nécessaire de se replier sur soi et qu'il devient vite impossible de vivre parmi les autres. J'essayai de discuter avec lui, croyant, dans ma superbe, que mon amour le sauverait, lui démontrerait sa propre valeur, sa beauté, sa bonté, Reviens, reviens où que tu sois, lui chantonnais-je à l'oreille, jusqu'au jour où il se leva et partit en emportant tous ses meubles. Est-ce à ce moment-là qu'elle commença pour moi ? La véritable solitude ? Que, moi aussi, je me mis, non pas à me cacher, mais à me replier sur moi-même, si graduellement qu'au début je m'en aperçus à peine, pendant ces nuits tumultueuses où je restais assise, le petit tourne-à-gauche en main, me levant d'un bond pour aller resserrer les écrous des fenêtres, me claquemurant pour me protéger du vent hurlant ? Oui, c'est peut-être là, ou presque, que ça a débuté, je ne sais pas vraiment, mais il me fallut des années pour effectuer ce voyage vers l'intérieur, pour bloquer toutes les issues de secours ; il y eut d'abord d'autres amours, d'autres ruptures et mes dix ans de mariage avec S. À l'époque où je le rencontrai, j'avais déjà publié deux romans et ma vie d'écrivain était bien établie, tout comme l'accord que j'avais passé avec mon travail. Le soir où je le ramenai pour la première fois chez moi, on fit l'amour sur la moquette, à moins d'un mètre du bureau tapi dans l'ombre. La bête est jalouse, dis-je en plaisantant et je crus l'entendre grogner, mais c'était seulement S qui, à cet instant, subodorait peut-être quelque chose ou reconnaissait le petit grain de vérité dissimulé sous la boutade, à savoir que mon travail l'emporterait toujours sur lui, m'éloignerait de lui, ouvrirait sa grande gueule noire pour que je me faufile à l'intérieur et que je descende, descende dans le ventre de la bête, où tout était silence et immobilité. Et pourtant, pendant longtemps, je continuai à croire qu'il me serait possible de me consacrer à mon travail et de partager ma vie avec quelqu'un, je ne pensais pas que l'un exclue l'autre, tout en sachant peut-être, au fond de moi, qu'en cas de nécessité je ne prendrais pas parti contre mon travail, pas plus que je ne pourrais prendre parti contre moi-même. Non, si j'avais été acculée, dos au mur, et que j'avais dû faire un choix, ce n'est pas pour S que j'aurais opté, ni pour *nous*, et s'il l'avait pressenti dès le début, il ne tarda pas à le savoir réellement. Ce qui fut pire encore, car je n'ai jamais été acculée, Votre Honneur, c'est la façon moins spectaculaire et plus cruelle dont peu à peu, je perdis l'envie de faire l'effort nécessaire pour soutenir et maintenir notre relation, l'effort de partager une vie. Parce que cela ne finit pas vraiment quand on tombe amoureux. Bien au contraire. Je n'ai pas besoin de vous le dire, Votre Honneur, je sens que vous comprenez la véritable solitude. On tombe amoureux, et c'est là que le travail commence : jour après jour, année après année, il faut s'exhumer, exhumer le contenu de son esprit et de son âme pour permettre à l'autre de le trier afin de mieux vous connaître, et vous aussi, il vous faut passer des jours et des années à patauger dans tout ce que, de son côté, il remonte à la surface pour vous seule, l'archéologie de son être, et c'était épuisant de creuser et de patauger ainsi, alors que mon travail, mon vrai travail, m'attendait. Oui, j'avais toujours pensé qu'il me resterait du temps, qu'il nous resterait du temps, pour nous et pour l'enfant que nous aurions peut-être un jour, mais je n'eus jamais l'impression de pouvoir mettre mon travail de côté, ainsi que je le faisais pour mon mari et pour l'idée de notre enfant, un petit garçon ou une petite fille que j'essayais parfois d'imaginer, toujours de façon assez vague pour qu'il ou elle reste un émissaire fantomatique de notre avenir, juste son dos à elle, tandis qu'elle jouait avec ses cubes sur le tapis, ou juste ses pieds à lui, de tout petits pieds, sortant de la couverture de notre lit. Il y aurait un temps pour eux, pour la vie qu'ils représentaient, celle que je n'étais pas encore prête à vivre parce que je n'avais pas encore fait ce que je me proposais de faire dans celle-ci.

Un jour, trois ou quatre ans après notre mariage, S et moi fûmes invités pour la Pâque chez un couple de notre connaissance. Je ne me rappelle même pas leur nom, c'était le genre de gens qui entrent aisément dans votre vie et en sortent tout aussi aisément. Le Seder commença tard, après que les parents eurent couché leurs deux jeunes enfants et nous, les invités, au nombre d'environ une quinzaine, bavardions et rions autour de la longue table, à la façon légèrement honteuse et outrageusement enjouée des juifs qui reprennent une tradition dont ils sont assez éloignés pour se sentir gênés, mais pas assez éloignés pour y renoncer. Soudain, dans cette pièce bruyante remplie d'adultes, entre une enfant. Nous étions si occupés de nous que nous ne la remarquâmes pas tout de suite ; âgée d'à peine plus de trois ans, sans doute, vêtue d'un de ces pyjamas à pieds, le derrière alourdi par une couche, elle serrait contre sa joue un morceau de tissu ou de chiffon, les restes d'une couverture, je suppose. Nous l'avions réveillée. Affolée par cet océan de visages inconnus et le tumulte des voix, elle poussa un cri, un hurlement de véritable terreur qui déchira l'air et réduisit la pièce au silence. L'espace d'un instant, tout se figea, avec le cri suspendu au-dessus de nous comme la question destinée à mettre un terme à toutes les questions qui ce soir-là, plus que tout autre, est censée se poser. Une question qui, parce que muette, n'a pas de réponse et doit donc être posée jusqu'à la fin des temps. Ça ne dura peut-être pas plus d'une seconde, mais dans ma tête ce cri s'attarda et s'attarde encore maintenant, quelque part. Cependant, ce soir-là, il s'arrêta lorsque la mère se leva d'un bond en renversant sa chaise et, d'un seul mouvement fluide, se précipita vers l'enfant qu'elle enveloppa de ses bras et souleva de terre. Instantanément, l'enfant se calma. Puis, renversant la tête en arrière, elle regarda sa mère avec une expression illuminée par l'étonnement et le soulagement de retrouver un réconfort infini, le seul qu'elle ait au monde. Elle enfouit son visage dans son cou, dans l'odeur de ses longs cheveux brillants et, petit à petit, ses cris diminuèrent, cependant que la conversation autour de la table reprenait, puis elle finit par se taire, enroulée autour de sa mère, tel un point d'interrogation – tout ce qui restait de la question qui, pour l'instant, ne se posait plus – et s'endormit. Le repas se poursuivit et, à un certain moment, la mère se leva et transporta le corps amolli de l'enfant dans sa chambre. Mais je prêtai à peine attention à la conversation qui allait bon train autour de moi, tellement j'étais absorbée par l'expression que j'avais entrevue avant que la petite fille enfouisse son visage dans la chevelure de sa mère, et qui m'avait remplie d'admiration et de tristesse aussi, et je sus, Votre Honneur, que je ne serais jamais cela pour personne, celle qui, d'un seul mouvement, secoure et apaise.

S aussi avait été ému par ce qui s'était passé et ce soir-là, après notre retour à la maison, il parla de nouveau d'avoir un enfant. La conversation nous ramena, comme toujours, aux vieux obstacles dont le nom et la forme m'échappent à présent, en dehors du fait que nous les connaissions bien tous les deux et que, les ayant identifiés, nous devions trouver des solutions avant de songer à mettre au monde notre enfant, celui que nous imaginions séparément et ensemble. Encore sous le charme de cette mère et de sa petite fille, S, ce soir-là, argumenta plus énergiquement. Ce ne sera peut-être jamais le moment, me dit-il, et malgré la douleur que l'expression de l'enfant avait déclenchée en moi, ou à cause d'elle, parce que j'avais peur, j'argumentai aussi fort, dans le sens contraire. Il serait si facile de tout gâcher, lui dis-je, de détruire notre enfant, de la même façon que nos parents nous avaient détruits tous les deux. Si nous devions le faire, il nous faudrait être prêts, insistai-je, et nous ne l'étions pas, loin de là et, comme pour apporter la preuve de ce que j'avançais – il faisait déjà jour et il n'était plus question de dormir –, je me levai, fermai la porte de mon cabinet de travail et m'assis au bureau.

Combien de discussions, de difficiles conversations et même d'instants de grande passion se terminèrent-ils ainsi, au cours des années ? Il faut que je travaille, avais-je coutume de dire en me dépêtrant des draps, en me séparant de son corps, en quittant la table, et quand je m'éloignais, je sentais son regard triste qui me suivait, tandis que je fermais ma porte et me penchais sur mon bureau, remontant mes genoux jusqu'à ma poitrine, me courbant sur mon travail, me répandant dans tous les tiroirs, les dix-neuf, grands et petits ; il m'était si facile de me verser en eux, alors que je ne pouvais le faire ou n'essayais pas de le faire avec S, il était si facile de me mettre en réserve ; j'oubliais parfois des parties entières de moi-même, gardées en attente pour le livre que j'écrirais un jour, celui qui contiendrait tout. Les heures passaient, la journée passait, jusqu'au moment où, tout à coup, il faisait nuit dehors et il y avait un coup timide à la porte, le léger frottement de ses chaussons, ses mains sur mes épaules qui, malgré moi, se crispaient à leur contact, sa joue contre mon oreille, Nada, chuchotait-il – c'est ainsi qu'il m'appelait –, Nada, reviens, reviens, où que tu sois, jusqu'au jour où il se leva et partit, emportant tous ses bouquins, ses sourires tristes, l'odeur de son sommeil, ses boîtes à pellicules remplies de pièces de monnaie étrangères et notre enfant imaginaire. Et je les laissai partir, Votre Honneur, comme je les avais laissés partir pendant des années, me disant que j'avais été choisie pour autre chose, et je me consolai avec tout le travail qui me restait à faire et je me perdis dans un labyrinthe de ma fabrication sans remarquer que les murs se rapprochaient et que l'air se raréfiait.

Complètement désorientée, la nuit, m'égarant dans la ville, le jour, presque une semaine passa, perdue à l'intérieur d'une question qui n'avait pas plus de réponse que la question muette posée par l'enfant dans son hurlement de terreur, encore que, pour moi, il n'existe aucun réconfort, aucune force bienveillante et aimante pour me prendre dans ses bras et alléger le besoin d'interroger. Les jours qui suivirent mon arrivée à Jérusalem forment dans mon esprit une longue nuit et une longue journée, et tout ce que je me rappelle, c'est qu'un après-midi, je me retrouvai assise dans la salle à manger de la pension Mishkenot Sha'ananim qui avait la même vue que celle de la véranda, derrière ma chambre : les murailles, le mont Sion, la vallée du Hinnom où les disciples de Moloch sacrifièrent leurs enfants par le feu. Je mangeais là chaque jour, voire deux fois par jour, car c'était plus facile que d'essayer de prendre mes repas dehors (plus j'avais faim, plus il me paraissait impossible d'entrer dans un restaurant) – si souvent, en réalité, que le gros serveur de l'endroit commença à s'intéresser à moi. Tout en brossant les miettes sur les autres tables, il me jetait des coups d'œil en coin et, renonçant bientôt à cacher sa curiosité, il se mit à m'observer, appuyé sur son bar. Lorsqu'il venait prendre mon assiette, il le faisait avec lenteur et me demandait si j'étais satisfaite, question qui semblait concerner moins la nourriture, à laquelle fréquemment je ne touchais pas, que d'autres choses, plus impalpables. Cet après-midi-là, quand la salle à manger fut vide, il s'approcha de moi avec, à la main, une boîte remplie de divers sachets de thé. Prenez, me dit-il. Je n'avais pas commandé de thé, mais je sentis que je n'avais pas le choix. J'en sélectionnai un, sans regarder. Je n'avais de goût pour rien et plus vite j'aurais choisi un sachet, pensai-je, plus vite il me laisserait tranquille. Cependant il ne me laissa pas tranquille. Il apporta une théière d'eau chaude, défit lui-même le sachet et le plongea dedans. Puis il se laissa tomber sur une chaise, en face de moi. Américaine ? me demanda-t-il. Je fis oui de la tête en pinçant les lèvres, dans l'espoir qu'il percevrait mon désir d'être seule. Écrivain, on m'a dit, oui ? J'inclinai de nouveau la tête et, cette fois, un petit cri involontaire m'échappa. Il versa le thé dans ma tasse. Buvez, dit-il c'est bon pour la santé. Je lui adressai un sourire contraint, plus proche d'une grimace. Là-bas, là où vous regardiez, dit-il, désignant le panorama d'un doigt crochu. Cette vallée, sous les murailles, était autrefois un no man's land. Je sais, répondis-je en froissant ma serviette d'exaspération. Il cilla puis continua. Quand je suis arrivé ici en 1950, j'allais souvent me poster à la frontière. De l'autre côté, à cinq cents mètres de là, je voyais des autobus et des voitures, des soldats jordaniens. J'étais dans la ville, dans la rue principale de Jérusalem, et je contemplais une autre ville, une Jérusalem que je pensais ne jamais pouvoir toucher. J'étais curieux, je voulais savoir, comment était-ce, là-bas ? Mais c'était réconfortant aussi de penser que je n'atteindrais jamais cet autre bord. Puis il y a eu la guerre de 67. Tout a changé. Au début, je n'en étais pas mécontent, c'était excitant de parcourir ces rues. Mais par la suite, mes sentiments se sont modifiés. Je regrettais le temps où j'allais regarder, sans rien savoir. Il s'interrompit et considéra ma tasse encore pleine. Buvez, me pressa-t-il de nouveau. Écrivain, hein ? Ma fille adore lire. Un sourire timide flotta sur ses lèvres épaisses. Elle a dix-sept ans maintenant. Elle étudie l'anglais. Je peux acheter un de vos livres ici ? Vous lui écririez quelques mots dessus, elle pourrait le lire. Elle est intelligente. Plus intelligente que moi, dit-il avec un sourire irrépressible qui révéla un grand vide entre ses dents de devant déchaussées. Il avait des paupières lourdes, des paupières de grenouille. Quand elle était petite, je lui disais toujours, Yallah, va dehors jouer avec tes copines, les livres t'attendront, alors qu'un jour, ton enfance aura disparu pour de bon. Seulement elle ne m'écoutait pas, elle restait toute la journée, le nez dans un bouquin. Ce n'est pas normal, dit ma femme, qui voudra l'épouser, les garçons n'aiment pas ce genre de fille et elle gifle Dina en lui disant que si elle continue, il lui faudra des lunettes et alors qu'est-ce qui se passera ? Je ne lui ai pas dit que si j'étais jeune, j'aimerais peut-être rencontrer une fille comme elle, une fille plus intelligente que moi, qui connaîtrait des choses sur le monde, qui aurait une certaine expression dans les yeux en réfléchissant à toutes ces histoires, dans sa tête. Peut-être pourriez-vous écrire pour elle dans un de vos livres, À Dina, Bonne chance. Ou peut-être, Continuez à lire, enfin ce que vous voulez, vous êtes écrivain, vous trouverez les termes appropriés.

Il était évident qu'il était arrivé au bout de la longue suite de mots enroulée en lui et il attendait à présent que je parle. Mais cela faisait des jours que je n'avais pas parlé à quiconque et j'avais l'impression d'un poids attaché à ma langue. J'inclinai la tête et marmonnai quelque chose d'incompréhensible, même pour moi. Le serveur regarda la nappe et essuya d'un bras velu sa lèvre supérieure trempée de sueur. Avec regret, je compris qu'il était gêné, mais j'étais incapable de nous sortir, lui et moi, du silence inconfortable qui se déposait, tel du ciment, autour de nous. Vous n'aimez pas le thé ? demanda-t-il enfin. Si, si, ça va, répondis-je en m'efforçant d'avaler une autre gorgée. Il n'est pas très bon, dit-il. Quand vous l'avez pris, j'allais vous le dire. Personne ne l'aime, celui-là. À la fin de la journée, tous les petits compartiments sont vides, à l'exception d'un ou deux sachets, tandis que le compartiment de celui-ci est toujours plein. Je ne sais pas pourquoi nous continuons à le faire. La prochaine fois, choisissez le jaune. Tout le monde aime le jaune. Il se leva en toussant, emporta ma tasse et disparut dans la cuisine.

L'histoire aurait pu s'arrêter là, Votre Honneur, et alors je ne serais pas ici, à discourir dans la demi-obscurité, et vous ne seriez pas allongé sur un lit d'hôpital si, ce soir-là, incapable d'oublier l'air dépité du serveur, preuve de mon indifférence chronique à tout sauf à mon travail, je n'étais retournée dans le restaurant en serrant dans ma main un exemplaire de l'un de mes romans, acheté une heure plus tôt et dédicacé à Dina. Il devait être près de sept heures et demie, assez tard pour que le soleil soit déjà couché, mais la ville était encore illuminée comme un lit de braises. En arrivant au restaurant, je ne vis pas le serveur et craignis que son service ne soit terminé pour la journée, jusqu'au moment où un autre serveur désigna d'un geste la terrasse extérieure. En contrebas des tables en plein air, il y avait une route, une extension de la voie menant à la pension de famille et à laquelle on ne pouvait accéder qu'en passant la barrière de sécurité. Là, debout au bord du trottoir, près d'une moto à l'arrêt, se tenait le gros serveur, échauffé par une discussion, ou une dispute, avec le conducteur.

Le serveur me tournait le dos et je ne voyais pas le visage du conducteur dissimulé derrière la visière de son casque, seulement sa mince silhouette en blouson de cuir. Mais lui me vit parce que, tout à coup, la bruyante discussion s'interrompit et le conducteur défit prestement la lanière de son casque, le retira, secoua ses cheveux noirs et pointa le menton dans ma direction pour avertir le serveur de ma présence. La vue de son jeune visage, de son grand nez et de ses lèvres charnues, de ses cheveux longs qui, je le savais, devaient sentir la rivière boueuse, me fit un choc terrible, aussi grand que si le garçon que j'avais connu le temps d'une nuit, il y avait bien des années de cela, m'était enfin apparu, parfaitement préservé, après s'être caché pendant un quart de siècle dans les tunnels souterrains de Bar Kokhba. Un élancement douloureux me coupa le souffle. Le serveur pivota sur les talons pour voir qui était là. Lorsqu'il m'aperçut, il se retourna vers le motard et prononça rapidement quelques paroles de mise en garde, puis il m'aborda. Bonjour, mademoiselle, vous aimeriez commander quelque chose ? Je vous en prie, asseyez-vous, je vous apporte le menu. Non, fis-je, incapable de détacher mes yeux du jeune homme à califourchon sur sa moto, dont les lèvres s'ourlaient à présent d'un léger sourire malicieux. Je viens juste vous apporter ceci, dis-je en tendant le livre. Le serveur recula d'un pas, porta la main à sa bouche d'un air de surprise exagéré, fit mine de le prendre, puis retira sa main et recula de nouveau, frottant ses joues mal rasées. Vous plaisantez, dit-il, vous l'apportez vraiment ? Je ne peux pas le croire. Tenez, dis-je à mon tour, en lui mettant le livre dans les mains, Pour Dina. Les narines du jeune homme se mirent soudain à frémir comme s'il avait capté une certaine odeur. Vous connaissez Dina ? Le serveur se retourna et lui parla encore d'un ton cassant. Ne faites pas attention à lui, il s'en va. Venez vous asseoir, comment puis-je vous remercier, prenez une tasse de thé. Le jeune homme ne faisait pas mine de partir. Qu'est-ce que c'est ? demanda-t-il. Écoutez-le, il demande ce que c'est, ce barbare, c'est un livre, probable qu'il n'en a jamais lu un seul, et il cracha d'une voix différente quelques mots au motard qui maintenait sa machine en équilibre, une jambe reposant sur le cale-pied et l'autre au sol. C'est vous qui l'avez écrit ? demanda celui-ci sans se troubler. L'air du soir embaumait, comme si, quelque part, une fleur nocturne venait de s'ouvrir. Oui, répondis-je, retrouvant ma voix à la dernière seconde. Excusez-moi, mademoiselle, interrompit le serveur, il vous ennuie, venez à l'intérieur, nous serons plus au calme, mais le motard descendit la béquille d'un coup de talon et en trois rapides enjambées fut sur nous. De près, il ressemblait toujours autant à Daniel Varsky, au point que je fus presque surprise qu'il ne paraisse pas me reconnaître, malgré le nombre d'années écoulées. Voyons, dit-il. Fous le camp d'ici, gronda le serveur, tenant le livre hors de sa portée, seulement le jeune homme, qui était leste et dominait le serveur aux formes courtes et épaisses, s'en empara d'un seul geste. Ouvrant avec précaution la couverture, il me regarda, puis regarda le serveur, puis de nouveau le livre. Pour Dina, lut-il à haute voix, Avec tous mes vœux de réussite. Bien à vous, Nadia. Très chouette, dit-il, je le lui donnerai.

Le serveur lâcha alors un torrent d'invectives, les veines de son cou palpitant comme si elles allaient éclater, et le jeune homme fit un pas en arrière ; une grimace de tristesse erra un instant sur son visage, ce n'était qu'un infime frémissement, mais je le vis. Avec des doigts délicats, en prenant son temps, il feuilleta l'ouvrage. Puis, ignorant la main tendue du serveur, il me le rendit. Il semble que je ne sois pas le bienvenu ici, dit-il. Peut-être qu'un jour vous me direz de quoi ça parle – ses lèvres esquissèrent un sourire – Nadia. Cela me ferait plaisir, murmurai-je et une porte s'ouvrit dans la chambre de ma vie. Sans un regard au serveur, il remit son casque, monta sur sa moto, donna un coup d'accélérateur et disparut dans la nuit.

Quelques minutes plus tard, j'étais assise et le serveur s'empressait autour de moi, dressant la table à mon intention. Acceptez mes excuses, dit-il, ce garçon est une plaie. Un cousin du côté de ma femme, un faiseur d'histoires, il n'en sortira jamais rien de bon. Ses parents sont morts, il n'a plus personne, alors il vient nous voir. Il rôde autour de la maison et nous ne pouvons pas le chasser. Comment s'appelle-t-il ? demandai-je. Le serveur examina mon verre, le tint dans la lumière et, remarquant une tache, l'échangea contre un autre qu'il prit sur la table d'à côté. Quel cadeau, continua-t-il, si seulement vous étiez là pour voir le visage de ma Dina quand je le lui donnerai. J'aimerais connaître son nom, répétai-je, Son nom ? Adam. Tout ce que je souhaite, c'est ne plus l'entendre. Pourquoi est-il venu ici ? demandai-je. Pour me faire tourner en bourrique, voilà pourquoi. Oubliez-le, que diriez-vous d'une omelette ? Vous aimez l'omelette, ou bien des pâtes primavera ? Consultez le menu, choisissez ce que vous voudrez, c'est la maison qui offre. Je m'appelle Rafi. Je vais vous apporter du thé, prenez le jaune, cette fois-ci, vous verrez, tout le monde aime le jaune.

Mais je ne l'oubliai pas, Votre Honneur, je n'oubliai pas le grand jeune homme mince en blouson de cuir qui s'appelait Adam et qui, je le savais, était également mon ami, le poète disparu Daniel Varsky. Vingt-sept ans plus tôt, il était dans son appartement new-yorkais qu'on aurait dit traversé par un ouragan, discutant poésie et se balançant d'avant en arrière sur les talons comme s'il allait brusquement sauter, à la façon d'un pilote éjecté de son siège, pour, l'instant d'après, s'évaporer, avalé par un trou, tombé au fond d'un gouffre et resurgir ici, à Jérusalem. Pourquoi ? La réponse me semblait évidente : pour récupérer son bureau. Le bureau qu'il avait laissé derrière lui comme garantie, qu'il m'avait confié – à moi ! –, qui avait, pendant toutes ces années, pesé sur ma conscience, sur lequel j'avais tenu ma conscience en éveil et dont il n'avait pas davantage souhaité le départ dans d'autres mains que je n'avais souhaité cesser d'y travailler. Du moins, c'est ainsi que, dans mon esprit confus, je m'autorisai à l'imaginer même si, à un autre niveau, je savais que cette histoire n'était qu'une hallucination.

Ce soir-là, dans ma chambre, j'échafaudai diverses raisons à fournir au serveur, Rafi, pour revoir Adam : je souhaitais visiter la vallée de la mer Morte à moto et j'avais besoin d'un conducteur doublé d'un guide, oui, il fallait absolument que ce soit à moto, et je pouvais le rémunérer généreusement pour ce service. Ou : j'avais besoin de quelqu'un pour porter un paquet urgent à ma cousine Ruthie qui habitait Herzliya, que je n'avais pas revue depuis quinze ans et que je n'aimais pas, un paquet que je ne pouvais confier à n'importe qui, pourrait-il y envoyer Adam, ce n'était qu'une petite faveur en contrepartie du livre offert à Dina, et j'étais prête, naturellement, à offrir un généreux etc., etc., en échange. J'étais même prête à « aider » Rafi en prodiguant au cousin dévoyé de sa femme, à la brebis galeuse de la famille, les conseils d'une personne extérieure bienveillante, la femme de lettres américaine, proposant de le prendre sous mon aile quelque temps, de lui insuffler une petite dose de sagesse et de le remettre sur le droit chemin. Toute la nuit et toute la journée du lendemain, j'essayai de concevoir une façon de provoquer coûte que coûte une autre rencontre avec Adam, mais finalement ce ne fut pas nécessaire car, le soir suivant, rentrant à pied à la pension le long de Keren Hayesod, perdue dans mes pensées, j'attendais que le feu de signalisation passe au vert quand une moto s'arrêta le long du trottoir. C'est le bruit du moteur qui pénétra ma rêverie et je ne fis pas le lien avec le jeune homme qui avait hanté mes pensées tout le jour, jusqu'au moment où, toujours couché sur sa moto, il releva d'une chiquenaude sa visière sombre et me lança un long regard, les yeux brillant d'une plaisanterie soit personnelle, soit à partager avec moi, je n'aurais su le dire ; pendant ce temps, les automobilistes impatients klaxonnaient et se frayaient un chemin autour de lui. Il dit quelque chose que le bruit du moteur m'empêcha d'entendre. Je sentis ma respiration qui s'accélérait et quand je m'approchai, je vis ses lèvres remuer : Vous voulez faire une promenade ? La pension n'était qu'à dix minutes à pied, mais je n'eus aucune hésitation, du moins, pas dans ma tête ; cependant, après avoir accepté la proposition, je ne vis pas immédiatement la façon de monter sur la moto et restai là, désarmée, contemplant la portion de siège laissée libre par Adam, incapable d'imaginer comment sauter en selle. Il tendit le bras et je lui donnai ma main gauche, mais il la laissa retomber et, saisissant fermement la droite d'un geste élégant et expert, il m'aida sans effort à m'installer. Il enleva son casque, découvrant le même sourire indéchiffrable que j'avais vu la veille, et me l'enfila délicatement sur la tête, écartant en douceur mes cheveux pour en fixer l'attache. Puis, me prenant la main, il la guida résolument vers sa taille et le fourmillement qui avait démarré dans les profondeurs de mon bas-ventre monta et s'embrasa, ramenant brusquement mon corps à la vie. Il se mit à rire en ouvrant grand la bouche, ce n'était rien pour lui de rire ainsi, et la moto, après une embardée, s'élança sur la chaussée. Il prit la direction de la pension et, arrivé à la sortie de la grande route, il me cria quelque chose, Quoi ? hurlai-je, des profondeurs assourdies du casque et il cria autre chose, dont j'entendis juste assez pour comprendre que c'était une question et, comme je tardais à répondre, il dépassa l'entrée de la pension et continua sa route. Un instant, je me demandai avec inquiétude si je ne m'étais pas montrée un peu naïve en me remettant ainsi entre les mains de ce faiseur d'histoires qui hantait les parages de la famille de Rafi, mais il se retourna et me sourit et c'était Daniel Varsky qui se retournait et j'avais de nouveau vingt-quatre ans, nous avions la nuit devant nous, et tout ce qui avait changé, c'était la ville.

Je m'accrochais à sa taille, le vent faisait voler ses cheveux, nous roulions dans les rues où vivent les résidents religieux de la ville, que j'avais fini par bien connaître : les haredim[1] en manteau et chapeau noir poussiéreux, les mères avec leurs troupeaux d'enfants dont les vêtements laissaient traîner des centaines de fils, comme si les bambins avaient été arrachés, encore inachevés, au métier à tisser, la bande d'élèves de la yeshiva traversant bruyamment à un stop, éblouis comme s'ils venaient juste d'être lâchés des profondeurs d'une caverne, le vieillard courbé sur son déambulateur, avec la jeune Philippine accrochée à la manche distendue de son pull-over et tirant un fil de laine qu'elle enroulait autour de sa main, détricotant le vieux jusqu'à ce que ses dernières paroles lui sortent du corps à la façon d'un nœud, lui et elle, et l'Arabe qui balayait le caniveau, tous inconscients du fait que nous, qui passions devant eux à la vitesse du vent, n'étions qu'une apparition, des fantômes davantage hors du temps qu'eux tous. J'aurais aimé continuer à rouler ainsi jusqu'à l'immensité sauvage du désert, mais bientôt nous quittâmes la nationale et entrâmes dans un parc de stationnement

---

1. Les « Craignant-Dieu », juifs ultra-orthodoxes.

qui donnait sur la ville, au nord, et d'où l'on découvrait un large panorama. Adam coupa le moteur, je lâchai sa taille à regret et me débarrassai péniblement du casque. En voyant mon pantalon froissé et mes sandales couvertes de poussière, ma petite rêverie s'évapora et j'éprouvai une certaine gêne. Mais Adam, qui paraissait ne s'être aperçu de rien, me fit signe de le suivre vers l'allée où de petits groupes de touristes et de promeneurs s'étaient rassemblés pour voir le soleil couchant faire son show extravagant sur toute la Judée.

Nous nous appuyâmes à la rambarde. Les nuages tournèrent au jaune cuivré puis au violet. C'est joli, non ? Les premiers mots de lui que je comprenais, depuis le début de la soirée. Je contemplai la multitude de toits de la Vieille Ville, le mont Sion, le mont Scopus, au nord, la colline du Mauvais Conseil, à l'ouest, le mont des Oliviers, à l'est et, était-ce la lumière aveuglante, ou le vent qui nettoyait tout, ou le relief d'une perspective sans obstacle, peut-être était-ce l'odeur des pins ou de la pierre qui dégageait la chaleur avant d'absorber la nuit, ou encore la proximité du fantôme de Daniel Varsky, toujours est-il que je me sentis transportée, Votre Honneur, et en cet instant je les rejoignis tous, si je ne les avais déjà rejoints, ceux qui, venus en foule dans cette ville depuis trois mille ans, lâchèrent prise, à leur arrivée, perdirent l'esprit, devenant le rêve d'un rêveur qui tente d'arracher la lumière à l'obscurité et de la recueillir dans un récipient cassé. J'aime bien cet endroit, dit-il. Quelquefois, j'y viens avec mes copains, quelquefois tout seul. Nous restâmes silencieux, en contemplation. C'est vous qui avez écrit ce livre ? demanda-t-il. Celui pour Dina ? Oui. C'est ce que vous faites ? C'est votre métier ? J'acquiesçai d'un signe de tête. Il réfléchit, s'arrachant d'un coup de dent un ongle cassé puis le recrachant, et je grimaçai en pensant aux ongles qu'on avait arrachés aux longs doigts de Daniel Varsky. Comment vous êtes devenue ça ? Vous êtes allée à l'école pour apprendre ? Non, répondis-je, je m'y suis mise étant jeune. Pourquoi me posez-vous cette question ? Vous écrivez ? Il fourra ses mains dans ses poches et serra les mâchoires. Je n'y connais rien, fit-il. Il y eut un silence embarrassé et je vis que c'était lui maintenant qui était gêné, peut-être d'avoir eu l'audace de m'entraîner ici. Je suis contente que vous m'ayez amenée, dis-je, c'est magnifique. Un sourire adoucit son visage. Alors, ça vous plaît ? Je m'en doutais. Nouveau silence. Essayant de faire la conversation, je dis sottement, Votre oncle Rafi aussi aime les jolies vues. Il se rembrunit. Ce con ? Mais il n'en dit pas plus. Dina aime vos livres ? demanda-t-il. Je doute qu'elle les ait jamais lus, répondis-je. C'est son père qui m'a demandé de lui en dédicacer un. Oh, fit-il, déçu. Mon regard tomba sur une petite cicatrice qu'il avait au-dessus de la lèvre et cette minuscule ligne, qui ne dépassait pas deux centimètres, déchaîna en moi un torrent de sentiments doux-amers. Vous êtes célèbre ? demanda-t-il en souriant. Rafi m'a dit que vous l'étiez. Je fus surprise mais ne pris pas la peine de le corriger. Cela me convenait de le laisser continuer à croire que j'étais quelqu'un d'autre. Alors, qu'est-ce que vous écrivez ? Des romans policiers ? Des histoires d'amour ? Quelque fois. Pas toujours. Vous écrivez sur les gens que vous connaissez ? Quelquefois. Il fit un large sourire qui découvrit ses gencives. Vous écrirez peut-être sur moi. Peut-être, dis-je. Il mit la main dans sa poche de blouson, tira une cigarette d'un paquet tout froissé et la protégea du vent pour l'allumer. Je peux en avoir une ? Vous fumez ?

La fumée me brûla la gorge et les poumons, le vent fraîchissait. Je me mis à frissonner et il me prêta son blouson qui sentait le vieux bois et la transpiration. Il me posa d'autres questions sur mon travail qui, provenant de quelqu'un d'autre, m'auraient fait bougonner (Vous avez déjà écrit un roman policier ? Non ? Alors, quoi ? Vous écrivez sur des choses qui vous arrivent ? Sur votre vie ? Ou bien quelqu'un vous dit quoi écrire ? Ils vous emploient, comment vous appelez ça, les éditeurs ?), mais qui, venant de lui dans la nuit tombante, ne m'importunaient pas. Lorsque lui aussi se mit à frissonner et que le silence entre nous s'épaissit, il fut temps de partir et je me surpris à chercher un prétexte pour le revoir. Il me tendit le casque, cette fois sans proposer de m'aider. Écoutez, fis-je, en fouillant dans mon sac, il faut que j'aille quelque part demain. Je sortis le papier froissé qui avait émigré de ma valise sur ma table de nuit, d'entre les pages de mes livres jusqu'au fond de mon sac, mais ne s'était pas encore égaré. Voici l'adresse, dis-je. Pourriez-vous m'emmener là-bas ? J'aurai sans doute besoin d'un interprète, je ne sais pas s'ils parlent anglais. Il parut étonné mais content, et prit le morceau de papier. Rue Ha'Oren ? À Ein Karem ? Nos yeux se rencontrèrent. Je lui dis que je voulais voir un certain bureau. Vous avez besoin d'un bureau pour écrire ? demanda-t-il, intéressé à présent, excité, même. Oui, quelque chose comme ça, répondis-je. Vous en avez besoin ou pas ? demanda-t-il avec force. Oui, j'ai besoin d'un bureau, dis-je. Et ils en ont un là, dit-il en pointant le doigt sur le papier, rue Ha'Oren ? Je fis signe que oui. Il se mit à réfléchir, se passant de nouveau la main dans les cheveux, tandis que j'attendais. Il plia le papier et le mit dans la poche arrière de son pantalon. Je viendrai vous chercher à cinq heures, OK ?

Cette nuit-là, je rêvai de lui. Plus exactement, c'était parfois lui, parfois Daniel Varsky et parfois encore, la générosité des rêves faisait que c'étaient eux deux côte à côte, et nous marchions dans Jérusalem, je savais que ce n'était pas du tout Jérusalem mais, curieusement, j'étais persuadée que c'était Jérusalem, une Jérusalem qui s'ouvrait sans cesse sur des champs gris fumée qu'il nous fallait traverser pour rentrer dans la ville, de la même façon que quelqu'un essaie de rentrer dans une mélodie entendue autrefois. Pour une raison ou une autre, Adam ou Daniel portait une petite valise, une petite valise contenant une espèce d'instrument dont il avait l'intention de jouer pour moi – à condition de trouver l'endroit qu'il cherchait – un genre de cor, qui aurait aussi bien pu être une arme. Enfin, le rêve se transporta dans une chambre. La valise avait disparu et, tandis que je regardais Adam, ou Daniel, il enleva lentement ses vêtements et les plia sur le lit avec le soin obsessionnel d'un homme qui a longtemps vécu sous une forte autorité, en prison, peut-être, où on lui a appris cette façon rigoureuse de plier ses vêtements. Le spectacle de sa nudité était déchirant, triste et doux à la fois et je m'éveillai, pleine de tendresse et de désir.

À cinq heures moins le quart, le lendemain, j'attendais dans le hall de la pension après m'être trop souvent contemplée dans la glace, puis avoir choisi une rangée de perles de bois rouges et des boucles d'oreilles en argent. Il avait vingt minutes de retard et je me mis à marcher de long en large, malade à l'idée de ce qui m'attendait dans ma chambre s'il avait changé d'avis et ne venait pas, la nuit interminable que je passerais à me déchirer. Mais lorsque j'entendis enfin la moto au loin et qu'il apparut dans le tournant, ma rancœur sombra dans un grand lac étale de plaisir lumineux que rien ne pouvait ternir, pas même le deuxième casque qu'il me tendit cette fois-ci, d'un rouge étincelant, dont je n'avais besoin de personne pour savoir qu'il coiffait habituellement des filles de son âge qui écoutaient les mêmes musiques que lui et parlaient le même langage, des filles qui pouvaient se déshabiller en plein jour, des filles aux pieds aussi lisses que ceux des bébés.

Nous descendîmes les rues de la colline en roue libre et j'étais heureuse, Votre Honneur, heureuse comme je ne l'avais pas été depuis des mois, voire des années. Chaque fois qu'il se penchait dans un tournant, je sentais sa taille bouger sous mes mains et c'était suffisant, plus que suffisant pour quelqu'un à qui il restait si peu de choses, et je ne pensais guère à ce que je dirais en arrivant chez Leah Weisz, la jeune fille qui était venue cinq semaines plus tôt prendre le bureau. Quand nous atteignîmes le village endormi d'Ein Karem, Adam s'arrêta pour demander son chemin. Nous nous installâmes à la terrasse d'un café et il passa commande dans un hébreu rapide et brusque, plaisantant avec la jeune serveuse, faisant craquer la jointure de ses doigts, jetant négligemment son téléphone sur la table. Un chien galeux traversa la rue en clopinant, mais lui aussi fut incapable d'assombrir mon humeur ou d'altérer la beauté de l'endroit. Adam remua un sucre dans sa tasse de café et accompagna de la voix la chanson pop qui sortait des haut-parleurs du bistrot. La lumière frappait son visage et je vis combien il était jeune. Derrière le fredonnement guilleret et dissonant, je perçus l'ombre inquiète de l'incertitude et compris qu'il ne savait pas quoi me dire. Parlez-moi de vous, fis-je. Il se redressa, alluma une cigarette, me décocha un grand sourire et s'humecta les lèvres. Vous allez écrire sur moi, finalement ? Ça dépend, répondis-je. Sur quoi, alors ? Sur ce que je découvrirai à propos de vous. Il renversa la tête et souffla un nuage de fumée. Allez-y, dit-il. Vous pouvez m'utiliser dans votre livre. C'est gratuit. Qu'est-ce que vous voulez savoir ?

Que voulais-je savoir ? À quoi ressemblait l'endroit où il rentrait chaque soir. Ce qu'il y avait aux murs et s'il avait un poêle qu'il fallait allumer avec une allumette, si le sol était recouvert de carrelage ou de linoléum et s'il marchait dessus en chaussures et quelle était son expression quand il se regardait dans la glace en se rasant. Sur quoi donnait sa fenêtre et quel aspect avait son lit, oui, Votre Honneur, j'imaginais déjà son lit, avec ses couvertures froissées et ses oreillers bon marché, son lit sur lequel, quand il passait ses nuits seul, il dormait parfois en diagonale. Mais je ne lui posai aucune de ces questions. Je pouvais attendre, je pouvais prendre mon temps. Parce qu'il chantait, voyez-vous, et que le soir n'allait pas tarder à tomber et que je voyais qu'il avait quelque chose de différent, oui, il s'était lavé les cheveux.

Il avait fini son service militaire deux ans plus tôt, dit-il. D'abord il avait été engagé par une agence de sécurité, seulement le patron l'avait accusé de certaines choses (il ne précisa pas lesquelles), alors il était parti, il avait ensuite trouvé un emploi de peintre en bâtiment chez un ami qui avait monté sa propre affaire, seulement les émanations de peinture l'incommodaient et il avait dû arrêter. Il travaillait à présent dans un magasin de matelas, mais ce dont il avait vraiment envie, c'était de devenir apprenti charpentier, parce qu'il avait toujours été adroit de ses mains et aimait fabriquer des objets. Et votre famille ? demandai-je. Il éteignit son mégot, jeta un coup d'œil distrait autour de lui et consulta son portable. Il n'en avait pas, dit-il. Ses parents étaient morts lorsqu'il avait seize ans. Il ne précisa ni où ni comment. Il avait un frère aîné auquel il n'avait pas parlé depuis de nombreuses années. Il songeait parfois à reprendre contact, mais ne le faisait jamais. Et Rafi ? demandai-je. Je vous l'ai dit, c'est un con. La seule raison pour laquelle je le vois, c'est Dina. Si vous la rencontriez, vous ne comprendriez pas qu'une fille aussi belle ait pu sortir de ce babouin. Parlez-moi d'elle, dis-je, mais au lieu de répondre, il se détourna pour cacher la soudaine crispation de son visage, cela ne dura qu'une fraction de seconde, pendant laquelle tous ses traits s'effondrèrent et un autre visage apparut, qu'il gomma aussitôt d'un revers de manche. Il se leva, jeta quelques pièces de monnaie sur la table et cria au revoir à la serveuse qui lui sourit. Je vous en prie, dis-je, en tendant la main vers mon portefeuille. Tt, tt, fit-il, puis il attrapa son casque à la volée et l'enfila, et à cet instant, je ne sais pourquoi, je songeai à sa mère morte qui avait dû le baigner quand il était enfant, qui avait dû le prendre dans son berceau au cœur de la nuit et sentir ses lèvres humides sur son cou, démêler les petits doigts du bébé pris dans ses longs cheveux, lui chanter des chansons, imaginer son avenir et là, l'aiguille de mon esprit sautant un sillon, ce fut la mère de Daniel Varsky que je me mis à voir et, comme dans une image en miroir, c'était le fils qui était mort et la mère qui vivait toujours. Pour la première fois depuis les vingt-sept ans que j'écrivais à son bureau, l'énormité du chagrin de sa mère m'apparut, une fenêtre s'ouvrit brusquement et je contemplai l'indicible cauchemar de sa douleur. J'étais debout, à côté de la moto. Le vent était tombé. L'air embaumait le jasmin. C'est quoi, vivre après la mort de son enfant ? pensai-je. Je montai derrière Adam, serrant doucement sa taille dans mes mains, et chacune de mes mains était l'une des mains de ces mères, celle qui ne pouvait toucher son enfant parce qu'elle était morte et celle qui ne pouvait toucher son enfant parce qu'elle vivait toujours, puis nous arrivâmes dans la rue Ha'Oren.

Nous ne trouvâmes pas tout de suite la maison dont le numéro était caché sous le fouillis de vignes qui poussaient le long du mur d'enceinte. Il y avait un portail métallique fermé par une chaîne, mais au travers, à demi obscurcie par les arbres, nous aperçûmes une grande bâtisse de pierre aux volets verts presque tous fermés. Imaginer la jeune femme, Leah, vivant là lui conférait une dimension toute nouvelle, une profondeur que je n'avais pas pressentie. M'efforçant de voir dans le jardin poussiéreux, je fus remplie d'une tristesse qui venait du sentiment étrange de me trouver dans un endroit touché, fût-ce très indirectement, par Daniel Varsky : à l'intérieur de cette maison vivait une femme, du moins le croyais-je, qui l'avait autrefois connu et très probablement aimé. Qu'avait pensé la mère de Leah de la recherche de sa fille et qu'avait-elle éprouvé quand le bureau de l'homme, le père de son enfant, si brutalement arraché du monde, était arrivé chez elle, tel un gigantesque cadavre de bois ? Et comme si cela ne suffisait pas, je m'apprêtais maintenant à livrer son fantôme. J'envisageai d'inventer un prétexte, de dire à Adam que je m'étais trompée, que ce n'était pas la bonne adresse, mais avant que je puisse le faire, il trouva la sonnette sous le feuillage et la pressa. Le grincement métallique d'un timbre électrique se fit entendre. Quelque part, un chien aboya. N'obtenant pas de réponse, il sonna de nouveau. Vous avez peut-être un numéro de téléphone ? me demanda-t-il et comme je n'en avais pas, il appuya une troisième fois sur la sonnette ; l'absence du plus petit signe de vie, la totale immobilité des pierres, des volets et même des feuilles me firent l'effet d'un pur entêtement. On sait que vous devez venir ? Je mentis : Oui ; Adam secoua alors les barreaux du portail pour voir si la chaîne céderait. Je pense qu'il faudra que je revienne, commençais-je à dire quand un vieil homme apparut ou, plutôt, s'étira, telle une ombre derrière le mur, tenant à la main une élégante canne. Ken ? Ma atem rotsim ? Adam lui répondit en me désignant de la main. Je lui demandai s'il parlait anglais. Oui, dit-il, serrant le pommeau d'argent de sa canne qui, je le voyais à présent, représentait une tête de bélier. Leah Weisz habite-t-elle ici ? Weisz ? demanda-t-il. Oui, répondis-je, Leah Weisz, elle est venue me voir le mois dernier à New York pour récupérer un bureau. Un bureau ? répéta le vieillard, d'un air d'incompréhension. Adam, qui s'impatientait, s'adressa de nouveau à l'homme en hébreu. Lo, dit le vieillard en secouant la tête, lo, ani lo yodea klum al shum shulchan, Il ne sait rien de ce bureau, dit Adam, et le vieil homme assura sa position sur sa canne sans faire le moindre mouvement pour ouvrir le portail. On vous a peut-être donné une mauvaise adresse, me dit Adam. Il tira le billet froissé de Leah de son jean et le tendit à travers les barreaux. Sans hâte, le vieillard porta la main à sa poche de poitrine, déplia une paire de lunettes qu'il glissa sur son nez. Il lui fallut apparemment un long moment pour comprendre ce qui était écrit. Lorsqu'il eut fini de lire, il le retourna pour regarder l'autre côté. Voyant qu'il était vierge, il le retourna encore une fois. Ze ze o lo ? demanda Adam. Le vieillard replia soigneusement le papier et le lui rendit à travers les barreaux. C'est bien le 19, rue Ha'Oren, mais il n'y a personne de ce nom ici, dit-il, et je fus surprise d'entendre son accent, à la fois fluide et distingué.

Il me vint soudain à l'esprit qu'il y avait chez Leah Weisz quelque chose de rusé qui m'avait échappé. Qu'elle avait pu me fournir délibérément une fausse adresse, au cas où je me raviserais et tenterais de reprendre le bureau. Mais alors, pourquoi même donner une adresse ? Je n'avais pas posé de question et le fait qu'elle m'en ait laissé une m'avait paru, je m'en rendais compte maintenant, une sorte d'invitation. Le vieillard était en bras de chemise, une chemise méticuleusement repassée, et, derrière lui, la maison retenait son souffle sous les frondaisons. À quoi ressemblait l'intérieur, me demandai-je. À quoi ressemblait la bouilloire, et la tasse pour le thé, était-elle vieille et ébréchée, y avait-il des livres, qu'y avait-il, accroché aux murs de l'entrée ténébreuse, quelque chose de biblique, une petite gravure de la ligature d'Isaac, peut-être ? Le vieux me dévisageait de ses yeux bleus perçants, des yeux d'aigle apprivoisé, et je sentis qu'il était, lui aussi, intrigué par moi, comme s'il avait envie de me poser une certaine question. Même Adam parut le remarquer, et il nous regarda tous les deux, l'un après l'autre ; nous étions suspendus tous les trois dans le silence entourant la maison, puis Adam haussa les épaules, arracha avec les dents un autre morceau d'ongle, le recracha et se tourna vers la moto. Bonne chance, dit le vieillard dont la main se crispa sur les cornes enroulées du bélier d'argent, j'espère que vous trouverez ce que vous cherchez. Je ne sais pas ce qui me prit, Votre Honneur, je lâchai que je ne le voulais pas, le bureau, que je voulais seule-ment... je m'arrêtai parce que je ne pouvais pas dire ce que je vou-lais, et une ombre de tristesse passa sur le visage du vieil homme. Derrière moi, Adam mit le moteur en marche. Allons-y, dit-il. Je ne voulais pas partir encore mais je n'avais apparemment pas le choix. Je montai sur la moto. Le vieillard leva sa canne en signe d'adieu et nous démarrâmes.

Adam avait faim. Je me fichais bien de savoir où nous allions, du moment qu'il ne me ramenait pas à la pension. J'essayai de com-prendre ce qui s'était passé. Qui était Leah Weisz ? Pourquoi avais-je joyeusement gobé tout ce qu'elle m'avait raconté sans l'ombre d'une preuve ? J'avais si vite accepté de rendre ce bureau dans les formes duquel je m'étais coulée tout entière qu'on aurait pu croire que mon vœu le plus cher était d'en être enfin débarrassée. Il est vrai que je m'étais toujours considérée comme sa dépositaire ; tôt ou tard, me disais-je, quelqu'un viendrait le chercher ; en vérité, ce n'était qu'une fiction commode que je me racontais, une fiction pareille à tant d'autres, qui me dégageait de la responsabilité de mes décisions, qui leur conférait un aspect d'inéluctabilité ; dans le fond, j'avais toujours été convaincue que je mourrais assise à ce bureau, mon héritage et ma couche matrimoniale, alors pourquoi pas également mon cercueil ?

Adam m'emmena dans un restaurant de la rue Salomon qu'il connaissait bien. Les serveurs lui tapèrent dans le dos et me jetèrent un coup d'œil critique. Il fit un large sourire et ce qu'il leur dit les mit en joie. Nous nous installâmes près de la fenêtre. Dehors, sur un balcon surplombant la rue étroite, un homme assis sur un vieux matelas serrait son fils dans ses bras et lui parlait. Je demandai à Adam ce qu'il avait raconté à ses copains. Les lèvres à demi retroussées en un sourire, il regarda les autres clients autour de nous pour juger de leur réaction, comme s'il était entré en compagnie d'une célébrité, aussi absurde que cela puisse paraître. Avec un coup au cœur, je me rendis compte que je le trompais, mais c'était trop tard. Que pouvais-je dire : Personne ne lit ce que j'écris, je ne serai peut-être bientôt plus publiée ? Je leur ai raconté que vous écriviez sur moi, fit-il et il me décocha un autre grand sourire. Puis il claqua dans ses doigts et ses copains, hilares, nous apportèrent des assiettes remplies de nourriture, puis encore d'autres, après ça. Ils m'examinèrent de la tête aux pieds et je vis leurs yeux amusés, comme s'ils me sentaient prête à tout et savaient quelque chose sur leur ami que je ne savais pas. Ils nous observaient du fond du restaurant, se réjouissant de la chance de leur copain qui avait mis la main sur une femme plus âgée, une Américaine riche et célèbre, croyaient-ils, jusqu'au moment où Adam claquant de nouveau dans ses doigts, ils revinrent avec une bouteille de vin. Adam mangeait avec une telle voracité qu'on eût dit qu'il n'avait rien avalé depuis plusieurs jours et je prenais plaisir à le regarder, Votre Honneur, confortablement installée, un verre à la main, me délectant de sa beauté et de sa faim. Une fois terminé le repas (qu'il engloutit en grande partie), les serveurs posèrent l'addition devant moi et je vis qu'ils nous avaient choisi la bouteille de vin la plus chère. Tandis que je fouillais dans mon sac, m'efforçant de réunir le nombre exact de billets, Adam se leva pour les rejoindre en plaisantant et en mâchonnant un cure-dents. Quand je me levai à mon tour, je m'aperçus que le vin m'était monté à la tête. Je le suivis hors du restaurant, sachant qu'il sentait mes yeux fixés sur lui, sachant qu'il savait que je le désirais, mais j'aimerais dire pour ma défense, Votre Honneur, que ce n'était pas uniquement de la concupiscence que j'éprouvais pour lui, c'était aussi une sorte de tendresse, l'espoir de pouvoir peut-être atténuer la tristesse apparue sur le visage qu'il avait effacé d'un revers de manche. Il me fit un clin d'œil en me tendant le casque, mais c'est le jeune homme embarrassé et peu sûr de lui, derrière l'attitude bravache, qui me donna envie de l'inviter chez moi. Arrivés à la porte de la pension, alors que je tentais de trouver les mots, il m'annonça, avant que j'en aie eu le temps, qu'un ami de l'un des serveurs avait un bureau et que, si je le souhaitais, il m'emmènerait le voir demain. Il m'embrassa chastement sur la joue et démarra, sans préciser à quelle heure il viendrait me chercher.

Ce soir-là, je retrouvai le numéro de téléphone de Paul Alpers dans mon carnet d'adresses. Je ne lui avais pas parlé depuis de nombreuses années et lorsqu'il décrocha, après deux courtes sonneries, je faillis raccrocher. C'est Nadia, dis-je et, cela ne me paraissant pas suffisant, j'ajoutai, J'appelle de Jérusalem. Il resta un instant silencieux, comme s'il essayait de se replacer à l'endroit où le nom – le mien ou celui de la ville – lui rappelait quelque chose. Brusquement, il se mit à rire. Je lui dis que j'avais divorcé. Il me dit qu'il avait vécu plusieurs années avec une femme, à Copenhague, mais que c'était fini. Nous ne parlâmes pas longtemps, limités que nous étions par l'appel longue distance. Après nous être débarrassés des détails de nos vies respectives, je lui demandai s'il lui arrivait parfois de penser à Daniel Varsky. Oui, dit-il. J'ai failli t'appeler, il y a quelques années. On a découvert qu'il avait été détenu un moment sur un bateau. Un bateau ? répétai-je. Dans la cale, dit Paul, avec d'autres prisonniers. L'un d'eux avait survécu et, plusieurs années après, rencontra quelqu'un qui connaissait les parents de Daniel. Il a dit qu'ils l'avaient gardé plusieurs mois en vie. Paul, dis-je enfin, Oui, dit-il, et je perçus un bruit de briquet, puis l'entendis tirer sur sa cigarette. Il avait un enfant ? Un enfant ? fit Paul. Non. Une fille, demandai-je, d'une Israélienne avec laquelle il vivait, peu de temps avant sa disparition ? Je n'ai jamais entendu parler d'une fille, dit Paul. J'en doute vraiment. Il avait une petite amie à Santiago, et c'est pour ça qu'il revenait toujours quand il n'aurait pas dû. Je crois qu'elle s'appelait Inés. Elle était chilienne, c'est tout ce que je sais. Curieusement, ajouta-t-il, je ne l'ai pas rencontrée mais je me souviens tout à coup d'avoir rêvé d'elle, il y a quelque temps.

Tandis que Paul parlait, je réalisai avec une certaine surprise que sans la logique particulière de ses rêves je n'aurais pas connu Daniel Varsky et que, toutes ces années, quelqu'un d'autre que moi aurait écrit à son bureau. Après avoir raccroché, je fus incapable de dormir, ou peut-être ne voulais-je pas dormir, de peur d'éteindre la lumière et d'affronter ce que l'obscurité m'apporterait. Afin de m'empêcher de penser à Daniel Varsky ou, pire encore, à ma propre vie et à la question qui me torturait dès que je lâchais la bride à mes pensées, je me concentrai sur Adam. Je me mis à imaginer son corps avec un luxe extravagant de détails, et les choses que je lui ferais, celles qu'il ferait au mien même si, dans ces fantasmes, je m'octroyais un autre corps, celui que j'avais avant que les lignes du mien s'estompent, se déforment et s'éloignent de moi, celui qui existait à l'intérieur de moi. Je pris une douche à l'aube et, à sept heures précises, j'étais là, à l'ouverture du restaurant. Le visage de Rafi se rembrunit à ma vue et, se retirant derrière le bar, il se mit à essuyer des verres, laissant à l'autre serveur le soin de s'occuper de moi. Je m'attardai devant mon café et, découvrant que mon appétit était revenu, retournai deux fois au buffet. Rafi continuait à éviter mon regard. Ce n'est que quand je sortis qu'il courut après moi dans le hall. Mademoiselle ! appela-t-il. Je me retournai.

Il malaxa ses grosses mains et jeta un coup d'œil par-dessus son épaule pour s'assurer que nous étions seuls. S'il vous plaît, grogna-t-il, je vous le demande. Ne le fréquentez pas. Je ne sais pas ce qu'il vous dit, mais c'est un menteur. Un menteur et un voleur. Il vous utilise pour me ridiculiser. Je sentis la colère monter en moi et il dut s'en apercevoir, car il se hâta de s'expliquer. Il veut monter ma propre fille contre moi. Je lui interdis de le voir et il veut... commença-t-il, mais à cet instant, il aperçut, à l'autre bout du hall, le directeur de l'établissement qui s'approchait et il partit rapidement, tête baissée.

À partir de là, je m'attachai à séduire Adam. Il n'était, ce serveur, rien de plus qu'un insecte bourdonnant autour d'un désir que je ne contrôlais plus, que je ne souhaitais pas contrôler, votre Honneur, parce que c'était la seule chose qui vivait encore en moi et parce que, tant qu'elle me consumait, je n'avais pas à contempler le spectacle de ma vie si cruellement mis en lumière. Je prenais même un certain plaisir amusé au fait qu'il avait fallu un homme au moins deux fois plus jeune que moi, avec lequel je n'avais rien de commun, pour susciter en moi une telle passion. Je retournai dans ma chambre et attendis ; je pouvais attendre toute la journée et toute la nuit, je m'en fichais. Un peu avant la tombée du jour, le téléphone sonna et je décrochai à la première sonnerie. Il viendrait me chercher dans une heure. Peut-être savait-il que j'attendais depuis longtemps, mais ça m'était égal. J'attendis encore. Une heure et demie plus tard, il arriva et m'emmena dans une maison située dans une petite rue proche de Bezalel. Une guirlande d'ampoules colorées était suspendue dans le figuier et, dessous, des gens mangeaient autour d'une table. On fit les présentations, on apporta des chaises pliantes de l'intérieur et on dégagea un espace autour de la table déjà pleine. Une jeune fille en robe rouge légère et bottes montantes se tourna vers moi. Vous écrivez sur lui ? demanda-t-elle, incrédule. Je regardai Adam qui, assis de l'autre côté de la table, buvait une bouteille de bière, et ressentis un désir brûlant, doublé de la jouissance toute particulière de savoir que j'étais arrivée avec lui et que c'est avec moi qu'il repartirait. Je souris à la fille, puis me servis d'olives et de fromage salé. Ils avaient l'air bien sympathiques, ces gosses, c'étaient sûrement des gens qui n'auraient pas toléré parmi eux un menteur et un voleur ; Rafi était injuste envers lui. On apporta le dessert, puis le thé, après quoi Adam me signala d'un geste qu'il était temps de partir. Nous fîmes nos adieux et sortîmes avec un garçon aux longues dreadlocks blondes et aux fines lunettes. Il plongea dans une vieille Mazda couleur argent, baissa sa vitre et nous fit signe de le suivre. Mais lorsque nous arrivâmes chez lui, le bureau en question n'était pas là et j'attendis, pendant que le garçon aux dreadlocks et Adam se passaient un joint dans la minuscule cuisine maculée de taches, sous un calendrier de l'année précédente présentant des vues du mont Fuji. Ils discutèrent rapidement en hébreu, puis le garçon sortit et revint en faisant tinter un trousseau de clefs attaché à un porte-clefs en forme de Magen David[1] qu'il lança à Adam. Il nous raccompagna ensuite à la porte en envoyant un nuage de haschisch dans le couloir, et nous partîmes en direction d'un troisième lieu, un groupe d'immeubles donnant sur Sacher Park, construits dans la même pierre jaunâtre que tout le reste de la cité. Nous montâmes au quinzième étage, jetés l'un contre l'autre dans le minuscule ascenseur tapissé de miroirs. Le couloir était sombre, et tandis qu'Adam cherchait l'interrupteur à tâtons, je sentis un spasme de désir et faillis tendre le bras pour l'attirer à moi. Mais les néons bourdonnèrent et s'allumèrent en tremblotant à point nommé et, à l'aide des clefs qui se balançaient au bout de la petite Magen David, il ouvrit la porte du 15 B.

À l'intérieur aussi il faisait sombre, seulement j'avais perdu mon audace et attendis, les bras passés autour de la taille, que la lumière se fît ; nous nous trouvions dans un appartement rempli de lourds

---

1. Aussi appelée Étoile de David.

meubles foncés, incongrus dans l'aveuglante lumière du désert : cabinets de curiosités en acajou aux vitrines à petits carreaux, chaises gothiques à haut dossier, aux fleurons sculptés et au siège en tapisserie. Les stores métalliques descendus sur les fenêtres laissaient penser que celui ou celle qui vivait ici était parti pour une période de temps indéterminée. Il y avait à peine trente centimètres d'espace nu sur les murs, tant ils étaient encombrés de tableaux de fruits et de fleurs lourdement empâtés, de scènes pastorales si ténébreuses qu'elles semblaient avoir survécu à la fumée d'un incendie et de gravures de petits mendiants bossus ou d'enfants. Il y avait aussi, mélangées de façon surprenante au reste, des photos panoramiques agrandies de Jérusalem dans des cadres de plexiglas bon marché, comme si les habitants ne savaient pas que la vraie Jérusalem s'étendait juste de l'autre côté des stores, ou comme s'ils s'étaient juré de refuser la réalité extérieure, préférant continuer à rêver de Eretz Israël, ainsi qu'ils l'avaient fait dans le coin de Sibérie juive qu'ils habitaient avant de venir ici, parce qu'ils étaient arrivés trop vieux et ne savaient pas comment faire pour s'adapter à cette nouvelle latitude d'existence. Pendant que j'examinais les photos d'enfants aux couleurs délavées qui colonisaient le bahut – des toutpetits souriants, aux joues vermeilles, des garçons à l'air emprunté, le jour de leur bar-mitsvah, et qui avaient sans doute à cette heure des enfants – Adam disparut le long d'un couloir moquetté. Au bout de quelques minutes, il m'appela. Je suivis sa voix jusqu'à une petite pièce aux étagères garnies de livres de poche sur lesquels s'était déposée une épaisse couche de poussière, visible même à la lumière de la lampe.

Le voilà, fit Adam avec un grand geste de la main. C'était un bureau de bois blond dont le cylindre relevé dévoilait un motif de marqueterie compliqué ; son miroitement, protégé tout ce temps de la couverture de poussière uniforme, était déconcertant, comme si celui ou celle qui s'y était assis venait de se lever et de partir. Alors, dit-il, il vous plaît ? Je passai mon doigt sur les motifs, aussi lisses que s'il s'était agi d'un seul morceau de bois et non des centaines de pièces de Dieu sait combien d'essences différentes qui avaient été nécessaires pour créer cette éloquente géométrie de cubes et de sphères, de volutes tour à tour aplaties et distendues, d'espace replié sur lui-même avant de s'étirer brusquement pour dévoiler un fragment d'infini cachant une signification que l'artisan avait dissimulée sous une décoration d'oiseaux, de lions et de serpents. Allez-y, me dit-il, asseyez-vous. J'étais gênée et voulais protester que je ne pouvais pas plus travailler à un tel bureau que je ne pourrais écrire ma liste de courses avec un crayon ayant appartenu à Kafka, toutefois, ne voulant pas le décevoir, je me laissai tomber sur la chaise qu'il avait tirée. À qui appartient-il ? demandai-je. À personne, répondit-il. Mais sûrement les gens qui habitent ici… Ils n'habitent plus ici. Où sont-ils ? Ils sont morts. Alors pourquoi tout ceci est-il encore là ? Ça, c'est Yerushalayim, répondit Adam avec un sourire fat, ils reviendront peut-être. Envahie par une sensation de claustrophobie j'eus soudain envie de sortir de cet endroit, mais quand je me levai et m'écartai du bureau, le visage d'Adam s'allongea. Quoi ? Il ne vous plaît pas ? Si, si, dis-je, il me plaît beaucoup, Alors, quoi ? dit-il, Il doit coûter une fortune, dis-je, Il vous fera un bon prix, dit-il avec un grand sourire et quelque chose d'assoupi et d'aigu à la fois brilla dans ses yeux. Qui ? Gad. Qui est Gad ? Celui que vous venez de rencontrer, Qui est-il par rapport à eux ? Le petit-fils, dit-il. Et pourquoi ne veut-il vendre que le bureau ? Adam haussa les épaules et referma prestement le cylindre. Qu'est-ce que j'en sais ? dit-il, haussant de nouveau les épaules. Il n'a sans doute pas eu le temps de s'occuper du reste.

Il procéda à une visite approfondie des lieux, ouvrant les tiroirs du bahut et tournant la fine clef d'une vitrine pour examiner la petite collection d'objets se rapportant à la culture juive. Il utilisa les toilettes où il se soulagea en un long jet que j'entendis par la porte laissée entrouverte. Puis nous quittâmes l'appartement, qui retomba dans l'obscurité. En descendant dans l'ascenseur, nous continuâmes à parler du bureau et tandis que nous poursuivions la conversation dans un bar aux lumières tamisées, abordant d'autres sujets mais revenant sans cesse à celui du bureau, je commençai à éprouver l'excitation de la chose tacite que je nous croyais en train de négocier et dont le bureau, avec ses divers sens cachés, n'était qu'une substitution.

Les jours et les nuits qui suivirent, je vous en fais grâce, Votre Honneur, mais pas à moi.

Nous voici dans un luxueux restaurant italien ; Adam, qui porte la même chemise et le même jean depuis quatre jours, fait tinter son verre de bière contre mon verre de vin et me demande avec un sourire entendu si j'ai enfin écrit l'histoire dont il sera le héros. Quand nous partageons avec deux cuillers un tiramisu, dont je lui laisse manger la plus grosse part, il revient, tel un joueur d'orgue de Barbarie au répertoire limité, à la question du bureau. Après avoir évalué la situation, il pense qu'il pourra amener Gad à baisser un peu son prix, encore que, il ne faut pas l'oublier, il s'agisse d'une antiquité, d'un objet unique, l'œuvre d'un artiste qui, sur le marché libre, atteindrait plusieurs fois cette somme. J'entre dans son jeu, feignant d'être transportée d'admiration par ses talents de vendeur, tout en cherchant son pied sous la table. Tant que je m'autorise presque à croire à ce que je dis, ça va, du moins jusqu'au moment où je me rappelle soudain avec un haut-le-cœur que je ne sais même pas si j'écrirai de nouveau un jour.

Nous voici déjeunant dans le café de la Maison Ticho, dont Adam a entendu dire par l'un de ses copains que c'est le genre d'endroit qu'affectionnent les écrivains. Je porte une robe à fleurs tourbillonnante et une bourse à cordons en daim violet broché de fils d'or que j'ai achetées, la veille, après les avoir vues dans une vitrine. Il y a longtemps que je ne me suis rien acheté et je trouve étrange et excitant de les porter, comme si changer de vie n'était pas plus difficile que ça. Les bretelles de la robe ne cessent de tomber et je les laisse faire. Adam joue avec son téléphone, se lève pour passer une communication, revient et verse le reste de l'eau gazeuse dans mon verre. Quelqu'un, quelque part, lui a appris les rudiments de la galanterie, il s'en est emparé et les a remaniés pour les intégrer à son propre code fantaisiste. Lorsque nous marchons, il me précède toujours à grands pas. Mais quand nous atteignons une porte, il l'ouvre et attend le temps qu'il me faut pour arriver. Souvent, nous ne parlons pas. Ce n'est pas parler qui m'intéresse.

Nous voici dans un bar de la Heleni Ha'Malka. Surviennent des amis d'Adam, ceux que j'ai rencontrés autour de la table sous le figuier, la fille en robe rouge légère (aujourd'hui elle est jaune) et son amie à la large frange sombre. Elles m'embrassent sur la joue comme si j'étais l'une des leurs. L'orchestre se pavane sur l'estrade, les percussions se mettent à cogner et, aux premières notes de la guitare, la foule clairsemée applaudit, quelqu'un, derrière le bar, siffle ; tout en sachant que je ne suis pas l'une des leurs, que je suis une étrangère parmi eux, je déborde de gratitude à l'idée d'être acceptée aussi simplement. J'ai une furieuse envie de prendre la fille en robe jaune par la main et de lui chuchoter quelque chose à l'oreille, mais je ne trouve pas les mots justes. La musique devient plus forte et plus discordante, le chanteur du groupe hurle d'une voix rauque, et même si je ne souhaite pas me distinguer des autres, je ne peux m'empêcher de penser qu'il va un peu loin, qu'il exagère un tantinet, alors je me fraye un chemin vers le bar pour commander un verre. Quand je me retourne, la fille à la frange brune est à côté de moi. Elle me crie quelque chose mais la musique noie son filet de voix. Je crie, Quoi ? à mon tour, en essayant de lire sur ses lèvres, alors elle répète et se met à pouffer, il s'agit d'Adam, et je ne comprends toujours pas, alors, la troisième fois, elle se penche carrément à hauteur de mon oreille et crie, Il est amoureux de sa cousine, puis elle se redresse en couvrant son sourire, pour voir si j'ai entendu. J'inspecte la foule et lorsque mes yeux tombent sur Adam qui fait mine de brandir son briquet pendant que le chanteur fredonne langoureusement, je me retourne, renvoie à la fille son sourire et, avec un certain regard, lui dis que si elle croit connaître toute l'histoire, elle se trompe. Je m'éloigne. Je bois mon verre, puis un autre. Le chanteur se remet à hurler outrageusement, mais maintenant la musique devient plus sonore, plus éclatante, et soudain Adam me saisit la main par-derrière et m'entraîne dehors et je sais que je n'ai plus longtemps à attendre. Nous enfourchons sa moto – ce n'est plus rien pour moi de m'installer derrière lui et d'ajuster mon corps au sien – et je n'ai pas besoin de demander où nous allons, parce que j'irais n'importe où.

Nous voici de retour dans l'entrée en béton mal éclairée de l'appartement de Gad. Nous grimpons l'escalier et Adam chante d'une voix fausse tout en montant les marches deux par deux. Je suis hors d'haleine. À l'intérieur, rien n'a changé, sauf que Gad n'est pas là. Adam fouille dans les tiroirs et les étagères à la recherche de quelque chose, tandis que j'allume la chaîne stéréo et appuie sur PLAY, sûre que je suis de ce qu'il cherche et de ce qui va arriver. Le CD s'anime aussitôt, la musique s'échappe des haut-parleurs ; il est possible que je me mette à me dandiner ou à danser. Éteignez ça, me dit-il en arrivant derrière moi et avant même de le toucher, je le hume comme un animal. Pourquoi ? dis-je en me retournant avec un sourire charmeur. Parce que, dit-il, et je pense : C'est encore mieux en silence. Je lève les bras et prends son visage dans mes mains. Avec un gémissement, je presse mon corps contre le sien, cherchant avec mon pubis quelque chose de dur, j'ouvre les lèvres et les joins aux siennes, ma langue glisse à l'intérieur et goûte la chaleur de sa bouche ; j'étais affamée, Votre Honneur, je voulais tout, tout de suite.

Cela ne dure qu'un instant. Puis il me repousse sans ménagement. Bas les pattes, gronde-t-il. Sans comprendre, je m'approche de nouveau de lui. Il plaque la main sur mon visage et me renverse avec une telle force que je tombe en arrière sur le canapé. Il s'essuie la bouche du dos de la main, sa main qui, je le vois maintenant, tient les clefs de l'appartement rempli des meubles des gens morts. De très loin, me parvient l'intuition qu'ils ne sont pas morts, après tout. Vous êtes folle ? siffle-t-il entre ses dents, les yeux brillants d'hostilité et aussi de quelque chose de familier que je ne reconnais pas tout de suite. Vous pourriez être ma mère, crache-t-il, et je comprends alors que c'est du dégoût.

Je reste affalée sur le canapé, suffoquée et humiliée. Il s'apprête à partir, mais s'arrête à la porte. La bourse de daim violet gît dans l'entrée, où je l'avais laissée en entrant. Il la ramasse. Dans ses mains, elle devient ce qu'elle a toujours dû être sur moi : absurde et pathétique. Sans me quitter des yeux, il plonge la main dedans jusqu'au coude et fouille. Comme il ne trouve pas ce qu'il cherche, il la renverse et son contenu s'éparpille sur le sol. Vivement, il se penche et ramasse mon portefeuille. Puis il jette la bourse, la pousse d'un coup de pied hors de son chemin et, avec un dernier regard de répugnance dans ma direction, sort en claquant la porte derrière lui. Mon tube de rouge à lèvres continue de rouler sur le sol jusqu'au moment où il heurte le mur.

Le reste n'a que peu d'importance, Votre Honneur. Je veux juste dire que je fus complètement dévastée et que l'univers s'écroula enfin sur moi. Qu'était-il après tout ? Rien d'autre qu'un leurre que je m'étais inventé pour me fournir la réponse que j'étais incapable de donner moi-même, alors que je la connaissais depuis le début. Quand enfin je me secouai et, d'une main tremblante, remplis un verre d'eau au robinet de la cuisine, mes yeux tombèrent sur un petit vide-poches contenant quelques pièces de monnaie et les clefs de voiture de Gad. Je n'eus aucune hésitation. Je les pris, passai devant ma bourse au contenu éparpillé et quittai l'appartement. La voiture était garée de l'autre côté de la rue. Je l'ouvris et me glissai à la place du conducteur. Dans le rétroviseur, je vis mon visage bouffi par les larmes, mes cheveux emmêlés où le gris transparaissait. Je suis une vieille femme maintenant, me dis-je. Aujourd'hui, je suis devenue une vieille femme, et je faillis éclater de rire, d'un rire froid répondant au froid qui était en moi.

J'amenai la voiture jusqu'à la route en heurtant le trottoir. Je suivis une artère, puis une autre. Arrivée à un carrefour connu, je tournai vers Ein Karem. Je songeai au vieil homme qui habitait rue Ha'Oren. Je n'avais pas l'intention de lui rendre visite mais allai tout de même vers lui. Je perdis bientôt mon chemin. Les phares effleuraient le tronc des arbres, la route menait à la forêt de Jérusalem et s'affaissait d'un côté, plongeant à pic dans un ravin. Il aurait suffi d'un brusque changement de direction pour précipiter la voiture en bas, dans le noir. Les mains crispées sur le volant, j'imaginai les phares bondissant dans les ténèbres et les roues, dirigées vers le ciel, tournant en silence. Seulement je n'ai pas ce qui fait qu'une personne est capable de se détruire. Alors je continuai à rouler. Curieusement, je pensai à ma grand-mère que j'allais voir autrefois dans West End Avenue, avant sa mort. Je pensai à mon enfance, à ma mère et à mon père, disparus tous les deux à présent, et dont je ne peux pas plus refuser d'être l'enfant que je ne puis refuser les dimensions abominablement familières de mon esprit. J'ai cinquante ans, Votre Honneur. Je sais que plus rien ne changera pour moi. Que bientôt, peut-être pas demain ni la semaine prochaine, mais bientôt, certainement, les murs autour de moi et le toit au-dessus de ma tête s'élèveront de nouveau, exactement comme avant, et la réponse à la question qui les a démantelés sera fourrée dans un tiroir fermé à clef. Que je continuerai comme avant, avec ou sans le bureau. Comprenez-vous, Votre Honneur ? Voyez-vous que, pour moi, c'est trop tard ? Que deviendrais-je d'autre ? Qui serais-je ?

Il y a un instant, vous avez ouvert les yeux. Des yeux gris foncé, totalement éveillés, qui m'ont saisie et m'ont emprisonnée une seconde dans leur regard. Puis vous les avez refermés et vous êtes assoupi. Peut-être sentez-vous que j'arrive à la fin, que l'histoire qui fonce vers vous depuis le début va prendre le tournant et entrer enfin en collision avec vous. Oui, j'aurais voulu pleurer et grincer des dents, Votre Honneur, implorer votre pardon, mais ce qui en est sorti, c'est une histoire. J'aurais voulu être jugée sur ce que j'ai fait de ma vie, mais je serai jugée sur la façon dont je l'ai décrite. Cela vaut peut-être mieux, après tout. Si vous pouviez parler, peut-être diriez-vous que c'est toujours ainsi que ça se passe. Ce n'est que devant Dieu que nous nous présentons sans histoires. Seulement je ne suis pas croyante, Votre Honneur.

L'infirmière va bientôt vous administrer une nouvelle dose de morphine, elle touchera votre joue avec le naturel et la douceur de celle qui a construit sa vie sur le souci des autres. Elle a dit qu'on vous réveillerait demain, et demain est presque là. Elle a lavé le sang sur mes mains. Elle a pris une brosse dans sa sacoche et l'a passée dans mes cheveux, exactement comme le faisait ma mère. J'ai tendu le bras et immobilisé sa main. C'est moi qui… ai-je commencé à dire, mais me suis arrêtée.

Vous étiez là, cloué dans la lumière des phares, si immobile que dans la fraction de seconde qu'il me resta pour penser, je crus que vous m'attendiez. Puis le crissement des freins, le choc du corps. La voiture dérapa et cala. Ma tête heurta le volant. Qu'est-ce que j'ai fait ? La route était vide. Combien de temps se passa avant que j'entende le terrible gémissement de douleur et comprenne que vous étiez vivant ? Avant que je vous découvre recroquevillé dans l'herbe et prenne votre tête entre mes mains ? Avant le hurlement de la sirène, l'éclaboussure rouge des lumières et l'aube grise à travers la vitre dans laquelle je voyais pour la première fois votre visage ? Qu'est-ce que j'ai fait ? Qu'est-ce que j'ai fait ?

On s'attroupa autour de vous. On vous raccrocha à la vie comme un manteau tombé de sa patère.

Parlez-lui, me dit-elle en fixant l'électrode qui s'était détachée de votre poitrine. C'est bon pour lui de vous entendre. Bon ? C'est bon pour vous de parler, dit-elle. De quoi ? Parlez, peu importe.

Pendant combien de temps ? demandai-je, tout en sachant que je resterais assise auprès de vous aussi longtemps qu'on me le permettrait, jusqu'à ce que votre vraie femme ou votre maîtresse arrive. Son père est en route, dit-elle en fermant les rideaux autour de nous. Pendant mille et une nuits, pensai-je. Non, plus.

Trous de nage

Lotte se souvint de moi jusqu'à la fin. C'est moi qui, souvent, avais le sentiment de ne plus pouvoir me rappeler la personne qu'elle était autrefois. Ses phrases démarraient assez bien mais dérapaient très vite pour s'enliser dans l'oubli. Et elle ne me comprenait pas. Elle donnait parfois l'impression de comprendre, mais même si une certaine combinaison de mots sur laquelle j'étais tombé par hasard allumait une étincelle de sens dans son esprit, elle l'avait perdu l'instant d'après. Elle mourut très vite, sans souffrir. Le vingt-cinq novembre, nous célébrâmes son anniversaire. Je lui apportai un gâteau de la boulangerie qu'elle aimait, sur Golders Green, et nous soufflâmes les bougies ensemble. Pour la première fois depuis des semaines, je vis ses joues roses de plaisir. Le lendemain soir, elle fut prise d'une forte fièvre et respirait difficilement. Sa santé n'était pas bonne, Lotte était devenue très fragile ; dans les dernières années de sa vie, elle avait beaucoup vieilli. J'appelai notre médecin qui vint la voir à la maison. Son état empirant, on la conduisit à l'hôpital, quelques heures plus tard. La pneumonie se déclara rapidement et la terrassa. Dans ses dernières heures, elle demanda à mourir. Les médecins firent tout leur possible pour la sauver mais quand il n'y eut plus rien à faire, ils nous laissèrent en paix. Je montai à côté d'elle dans le lit étroit et lui caressai les cheveux. Je la remerciai de la vie qu'elle avait partagée avec moi. Je lui dis que nous avions été plus heureux que quiconque. Je lui racontai de nouveau l'histoire de notre première rencontre. Peu après, elle perdit conscience et s'éclipsa.

Une quarantaine de personnes vinrent au Highgate Cemetery, l'après-midi où je l'inhumai. Nous avions décidé, bien des années auparavant, d'y être enterrés ensemble, là où nous nous étions si souvent promenés, dans les allées envahies de végétation, en lisant les noms sur les pierres tombales écroulées. Ce matin-là, j'étais agité et nerveux. C'est seulement au moment où le rabbin commença à dire le Kaddish que je compris qu'une partie de moi croyait à la présence éventuelle de son fils. Pourquoi, sinon, aurais-je publié la petite notice nécrologique dans le journal ? Lotte n'aurait certainement pas été d'accord. Pour elle, la vie privée était justement cela. Les yeux embués de larmes, je scrutai les arbres à la recherche d'une silhouette dans le décor. Sans chapeau. Sans manteau, peut-être. Dessinée à la hâte, comme les maîtres se dessinaient parfois, cachés dans un coin obscur de la toile ou dissimulés dans la foule.

Trois ou quatre mois après la mort de Lotte, je recommençai à voyager, ce que je n'avais pu faire pendant sa maladie. La plupart du temps en Angleterre ou au pays de Galles, et toujours en train. J'aimais aller là où je pouvais marcher de village en village et coucher dans un endroit différent chaque soir. Me déplaçant ainsi, avec uniquement un petit sac à dos, j'éprouvais une sensation de liberté telle que je n'en avais pas connue depuis longtemps. De liberté et de paix. Mon premier voyage fut dans le Lake District. Un mois plus tard, je visitai le Devon. Du village de Tavistock, je me mis en marche à travers la lande de Dartmoor où je me perdis, avant de voir enfin les cheminées de la prison se dresser à l'horizon. Environ deux mois plus tard, je pris le train pour Salisbury afin de visiter Stonehenge. Debout parmi les autres touristes sous le monstrueux ciel gris, j'imaginai les hommes et les femmes du Néolithique dont la vie se terminait si souvent par un traumatisme crânien causé par un instrument contondant. Il y avait des détritus sur le sol, des emballages métalliques brillants, etc. J'entrepris de les ramasser et quand je me relevai, les pierres étaient encore plus grandes, plus effrayantes qu'avant. Je me mis également à peindre, un passe-temps qui datait de mes jeunes années et que j'avais abandonné en m'apercevant que je n'avais aucun talent. Mais le talent, vénéré pour toutes les promesses qu'il contient lorsqu'on est jeune, me paraissait finalement sans importance : je ne pouvais plus attendre aucune promesse, désormais, et je ne le souhaitais pas. Je m'achetai un petit chevalet pliant que j'emportais dans mes excursions et dépliais quand une vue me plaisait particulièrement. Parfois, quelqu'un s'arrêtait pour regarder ce que je faisais et nous trouvions le moyen d'engager la conversation ; il me vint alors l'idée qu'il était inutile de dévoiler à ces gens la vérité sur moi. Je disais que j'étais un médecin de campagne des environs de Hull, ou un aviateur qui avait piloté un Spitfire dans la bataille d'Angleterre et, en disant cela, je voyais le dessin des champs, au sol, qui s'étalait dans toutes les directions, tel un code. Il n'y avait rien de sinistre là-dedans, je ne souhaitais rien cacher, seulement le plaisir de me quitter et de devenir temporairement quelqu'un d'autre, puis un plaisir d'un ordre différent à voir le dos de l'inconnu disparaître peu à peu et à me couler de nouveau dans ma peau. Je ressentais quelque chose de semblable, les nuits où je me réveillais dans un petit hôtel et oubliais une seconde qui j'étais. Tant que mes yeux ne s'étaient pas suffisamment accommodés à l'obscurité pour distinguer les contours des meubles ou qu'il ne m'était pas revenu un détail de la journée précédente, je restais suspendu dans l'inconnu, l'inconnu qui, encore vaguement relié à la conscience, glisse si aisément vers l'inconnaissable. Une fraction de seconde seulement, une fraction de pure, de monstrueuse existence vierge de tout repère, d'une terreur absolument enivrante, presque aussitôt étouffée par l'emprise de la réalité dont je finis par trouver, dans ces moments-là, qu'elle m'empêchait de voir, comme un chapeau enfoncé sur les yeux, car tout en sachant que, sans elle, la vie serait pratiquement inhabitable, je lui en voulais cependant de tout ce dont elle me privait.

Une de ces nuits-là, m'éveillant avant de pouvoir me rappeler où je me trouvais, un signal d'alarme retentit. Ou plus exactement, c'est l'alarme qui m'avait réveillé, bien qu'il ait dû y avoir un intervalle entre l'arrêt de mon sommeil et la conscience d'un bruit assourdissant. Je me levai d'un bond, renversant avec le bras la lampe de la table de nuit. J'entendis l'ampoule qui explosait sur le sol et me souvins que j'étais dans le parc national des Brecon Beacons, au pays de Galles. Je cherchai l'interrupteur à tâtons et m'habillai dans une odeur de fumée âcre. Le long du couloir, la puanteur du feu était suffocante et j'entendais des cris venant des entrailles du bâtiment. Je trouvai tant bien que mal l'escalier. En descendant, je rencontrai d'autres personnes plus ou moins vêtues. Une femme tenait par la main une enfant pieds nus, une enfant totalement immobile et silencieuse, comme l'œil d'un cyclone. Dehors, un petit groupe de gens était assemblé sur le terrain communal, en face de l'établissement, certains, le visage extatique tourné vers le ciel et illuminé par le feu, d'autres toussant, courbés en deux. Ce ne fut que lorsque j'eus réussi à atteindre leur cercle que je me retournai pour voir. Les flammes consumaient déjà le toit et s'élançaient par les fenêtres du dernier étage. Le bâtiment, qui devait avoir plus de cent ans, était du faux Tudor, avec de grandes poutres de plafond en bois fabriquées, à en croire la brochure de l'hôtel, à partir des mâts de vieux navires de commerce. Il s'embrasa comme du bois sec. Impassible, l'enfant regardait calmement, la tête posée sur l'épaule de sa mère. Le portier de nuit apparut avec une liste des clients et commença l'appel. La mère de l'enfant répondit au nom d'Auerbach. Je me demandai si elle était allemande, juive même, peut-être. Elle était seule, il n'y avait ni mari, ni père et, l'espace d'un instant, tandis que l'incendie faisait rage, que les pompiers arrivaient avec leurs camions et que mes possessions – chevalet, tubes de peinture et les quelques vêtements que j'avais apportés – partaient en fumée, je m'imaginai plaçant une main sur l'épaule de la femme et la guidant, avec son enfant, loin du bâtiment en flammes. Je voyais l'expression de gratitude sur son visage à l'instant où elle se tournait vers moi et l'air placide, approbateur de l'enfant, toutes deux conscientes que mes poches étaient remplies de petits cailloux et que dorénavant, d'une forêt à l'autre, je les guiderais, je les protégerais et je veillerais sur elles comme sur les miens. Ce fantasme héroïque fut interrompu par un murmure d'excitation qui traversa le groupe à la vitesse de l'éclair : un client manquait à l'appel. Le portier parcourut de nouveau la liste, appelant chaque nom d'une voix forte et, cette fois, tous restèrent silencieux, frappés par la gravité de la tâche imminente et la chance qu'ils avaient d'être sains et saufs. Quand le portier arriva au nom de Rush, personne ne répondit. Ms. Emma Rush, répéta-t-il, mais il n'y eut pas d'écho.

Il fallut une heure pour venir à bout du feu et son corps fut découvert, puis porté devant l'hôtel, recouvert d'une bâche noire. Elle avait sauté du dernier étage et s'était brisé les vertèbres. Un seul client se souvenait d'elle et la décrivit comme une femme d'une cinquantaine d'années toujours équipée d'une paire de jumelles qu'elle utilisait vraisemblablement pour observer les oiseaux dans les vallées, les gorges et les bois des Brecon Beacons. Une ambulance partit à la morgue et une autre à l'hôpital, chargée de ceux qui avaient inhalé de la fumée. Le reste d'entre nous fut réparti dans des auberges des environs, à la lisière du parc. La dame Auerbach et son enfant furent assignées à Brecon et moi à Abergavenny, dans la direction opposée. La dernière chose que je vis d'elles fut les cheveux emmêlés de la fillette au moment où elle montait dans la fourgonnette. Le lendemain, un article parut dans le journal local disant que l'incendie était d'origine électrique et la victime, enseignante à l'école primaire de Slough.

Quelques semaines après la mort de Lotte, mon vieil ami Richard Gottlieb me rendit visite pour voir comment j'allais. Il était magistrat et, des années auparavant, nous avait convaincus, Lotte et moi, de faire nos testaments – ni elle ni moi n'avions jamais été prévoyants à cet égard. Il avait perdu sa femme quelques années plus tôt et avait rencontré quelqu'un d'autre, une veuve de huit ans sa cadette qui prenait soin de son apparence et ne s'était jamais laissée aller. Une force de la nature, dit-il tout en tournant le lait dans son thé, et je compris que ce qu'il voulait dire c'est qu'il est terrible de mourir seul, de vieillir, de s'embrouiller dans ses médicaments, de glisser dans la baignoire et de se fendre le crâne, que je devrais penser à mon avenir, à quoi je répondis que je voyagerais sans doute un peu au beau temps. Quoi qu'il en soit, il abandonna le sujet brièvement abordé. Avant de partir, il posa une main sur mon épaule. Voudrais-tu penser à modifier ton testament, Arthur ? Oui, d'accord, bien sûr, dis-je, même si à l'époque je n'en avais aucune intention. Vingt ans plus tôt, quand Lotte et moi avions établi nos testaments, nous nous étions tout légué l'un à l'autre. Au cas où nous serions morts tous les deux en même temps, nous avions réparti ce que nous possédions entre associations caritatives, nièces et neveux (les miens, naturellement ; Lotte n'avait pas de famille). Les droits des romans de Lotte, dérisoires, nous les laissions à notre bon ami Joseph Kern, un de mes anciens étudiants qui avait promis d'être son exécuteur littéraire.

Mais dans le train qui me ramenait du pays de Galles, avec mes vêtements qui sentaient encore la fumée et la cendre, la photo de l'enseignante de Slough me regardant dans les pages du journal plié sur mes genoux, ce fut comme si la porte de fer de la mort s'était soudain ouverte et à travers, l'espace d'un instant, j'aperçus Lotte. *Au plus profond d'elle-même,* dit le poème, *tellement la comblait sa grande mort, si neuve / qu'elle ne comprenait rien*[1]. Et à la voir ainsi, quelque chose céda en moi, une petite valve qui ne pouvait plus retenir une telle pression et je me mis à pleurer. Je pensai à ce que Gottlieb m'avait dit. Il était peut-être temps, après tout, de réviser.

1. *Orphée, Eurydice et Hermès*, poème de R.M. Rilke, trad. Lasne.

Ce soir-là, de retour à la maison, je dînai d'œufs au plat que je mangeai en écoutant les nouvelles. Plus tôt dans la journée, le général Pinochet avait été arrêté au London Bridge Hospital où il était en convalescence après une opération du dos. Un certain nombre d'exilés chiliens victimes de son régime de tortures étaient interviewés et on entendait un bruit de réjouissances, à l'arrière-plan. Le jeune Daniel Varsky me revint en mémoire de façon brève mais nette, tel que je l'avais vu, debout à notre porte. J'allumai la télévision pour suivre l'histoire et aussi, je suppose, pour voir si l'on signalerait l'incendie ou la femme de Slough – bien sûr, il n'en fut rien. Les images de Pinochet en uniforme militaire, saluant son armée et agitant la main au balcon de la Moneda, étaient ponctuées de séquences floues représentant un vieillard en chemise jaune canari, à moitié couché à l'arrière d'une voiture conduite par Scotland Yard.

Il y avait un vieux chat errant qui rôdait parfois dans notre jardin et venait volontiers mendier de la nourriture. La nuit, il hurlait comme un nouveau-né. Je laissai un bol de lait dehors pour qu'il sache que j'étais rentré. Cependant il ne vint pas ce soir-là, le lendemain matin, une mouche morte flottait ventre en l'air dans le bol. Dès qu'il fut neuf heures, je sortis notre vieux carnet d'adresses rempli de l'écriture de Lotte et trouvai le numéro de Gottlieb. Il répondit d'un air joyeux. Je lui racontai mon voyage dans les Brecon Beacons, mais pas l'incendie ; je ne voulais pas troubler le silence qui entourait l'événement, j'imagine, ni le trahir en le transformant en anecdote. Je demandai à Gottlieb si je pouvais passer le voir pour lui parler en tête à tête, il se montra enthousiaste, appela sa femme et, après quelques secondes de bruits étouffés, m'invita à venir prendre le thé l'après-midi même.

Je passai la matinée à lire Ovide. Je lis différemment aujourd'hui, plus méticuleusement, sachant que je revisite pour la dernière fois les livres que j'aime. Un peu après trois heures, je me mis en route à travers Hampstead Heath en direction de Well Walk, où habitait

Gottlieb. Les fenêtres étaient ornées de découpages faits par ses petits-enfants. Quand il m'ouvrit la porte, il avait les joues vermeilles et la maison embaumait le quatre-épices, comme ces sachets que les femmes mettent dans leurs tiroirs de lingerie. C'est gentil à toi d'être venu, Arthur, me dit-il, en me tapotant le dos et il me conduisit dans une pièce ensoleillée attenante à la cuisine, où la table était déjà mise pour le thé. Lucie entra me dire bonjour et nous parlâmes d'une pièce de théâtre qu'elle avait vue au Barbican, la veille au soir. Puis elle me demanda de l'excuser, disant qu'elle avait rendez-vous avec une amie, et nous laissa seuls. Lorsque la porte se fut refermée derrière elle, Gottlieb sortit ses lunettes d'un petit étui en cuir et les chaussa ; ses yeux, plusieurs fois agrandis, ressemblèrent tout à coup à ceux d'un tarsier. Pour mieux me voir, ne puis-je m'empêcher de penser, ou voir en moi.

Ce que je vais te dire te surprendra peut-être, commençai-je. J'en ai moi-même été surpris quand je l'ai découvert, quelques mois avant la mort de Lotte. Depuis, je n'ai pas réussi à me faire à l'idée que la femme avec laquelle j'ai vécu presque cinquante ans était capable de me cacher quelque chose de cette envergure, un secret qui, j'en suis certain, resta une partie vivante, obsédante de sa vie intérieure pendant toutes ces années. C'est vrai, dis-je à Gottlieb, que Lotte parlait rarement de ses parents assassinés dans les camps, ou de son enfance à Nuremberg, dont elle avait été exilée. La faculté, le talent, pourrait-on dire, qu'elle avait de garder le silence aurait sans doute dû m'alerter sur le fait qu'il existait éventuellement d'autres chapitres de sa vie qu'elle avait choisi de me taire, d'enfoncer au plus profond d'elle-même, telle une épave de bateau. Mais, vois-tu, la fin tragique de ses parents et la disparition de son ancien monde m'étaient connues. Elle avait réussi, au tout début de notre relation, à me livrer ces épisodes cauchemardesques de son passé sous la forme d'un théâtre d'ombres chinoises, sans jamais s'y attarder ni les révéler trop avant, et en s'arrangeant pour me faire comprendre que ce n'étaient pas des sujets que je devais m'attendre à la voir soulever, pas plus que je ne devais tenter de les soulever. Sa santé mentale, son aptitude à supporter la vie, non seulement la sienne mais celle que nous avions construite ensemble, dépendait de cette aptitude et de ma promesse solennelle d'interdire l'accès à ces souvenirs cauchemardesques, de les laisser dormir comme des loups dans leur tanière et de ne rien faire qui puisse menacer leur sommeil. Qu'elle rendait visite à ces loups dans ses rêves, qu'elle dormait avec eux et en parlait dans ses romans, mille et une fois transposés, je le savais pertinemment. J'étais son complice, sinon son partenaire dans ses silences. Et du coup, ils n'étaient pas ce qu'il est convenu d'appeler des secrets. Je dois également dire que, malgré mon adhésion aux termes de l'accord et mon désir de la protéger, malgré la compréhension et la compassion affectueuses que je désirais lui manifester, ainsi que mon sentiment de culpabilité d'avoir vécu une vie exempte de ces tourments et de ces souffrances, je n'étais pas toujours à l'abri du soupçon. J'avoue qu'il y eut des moments dont je ne suis pas fier, où je m'abaissai à imaginer qu'elle m'avait caché quelque chose dans le but délibéré de me trahir. Mais ces soupçons étaient petits et mesquins, ceux d'un homme qui craint que ses capacités (je peux, n'est-ce pas, te parler franchement de cela, dis-je à Gottlieb, tu sais ce que j'essaie d'exprimer), que ses capacités sexuelles, censées durer une décennie après l'autre, aient diminué dans l'estime de sa femme, qu'elle, qu'il trouve toujours magnifique, qui suscite toujours en lui le désir, ne soit plus excitée par son anatomie flasque et délabrée, évidente sous les couvertures, un homme qui, pour aggraver le problème, voit dans son désir pour de complètes inconnues – certaines de ses étudiantes ou les épouses de ses collègues – la preuve incontournable du désir que doit éprouver sa femme pour d'autres hommes que lui. Vois-tu, lorsque je doutais d'elle, c'était de sa loyauté que je doutais, toutefois j'aimerais dire pour ma défense que ça ne m'arrivait pas souvent, et aussi que respecter le droit de ta femme au silence comme j'essayais de le faire, étouffer ton propre besoin d'être rassuré, museler tes propres questions avant qu'elles surgissent et s'échappent de ta bouche, ce n'est pas toujours facile. Il faudrait être surhumain pour ne pas se demander, certaines fois, si elle n'avait pas introduit clandestinement dans ces formes supérieures de silence, celles sur lesquelles nous nous étions mis d'accord, bien des années plus tôt, d'autres formes plus vulgaires – appelons-les omissions ou même mensonges – afin de masquer ce qui, en réalité, revient à une trahison.

À cet instant, Gottlieb cligna des yeux et, dans le silence de cet après-midi ensoleillé, j'entendis ses cils plusieurs fois agrandis frotter contre ses verres de lunettes. À part cela, la pièce, la maison, la journée elle-même, semblaient s'être vidés de tout son, sauf celui de ma voix.

Je suppose qu'une autre chose avait jeté les bases de mon malaise, continuai-je, une chose concernant la vie de Lotte avant notre rencontre. Comme cela faisait partie de son passé, je ne me sentais pas le droit de l'interroger sur ce point, mais il m'arrivait parfois d'être frustré par sa réticence et de lui en vouloir d'exiger implicitement le silence, étant donné qu'à ma connaissance, il n'avait rien à voir avec son malheur. Naturellement, je savais qu'elle avait eu d'autres amants avant moi. Après tout, elle avait vingt-huit ans quand je l'ai rencontrée et vivait depuis de nombreuses années seule, sans personne au monde. C'était une femme bizarre à bien des égards, une femme différente de celles que beaucoup d'hommes de son âge auraient pu croiser, mais si mes propres sentiments peuvent ici servir d'exemple, il faut croire que cette particularité les attirait d'autant plus. J'ignore combien d'amants elle avait eus, je suppose toutefois qu'ils n'avaient pas été rares. J'imagine qu'elle gardait le silence sur eux, non seulement par souci d'occulter son passé, mais aussi pour ne pas éveiller ma jalousie.

Pourtant j'étais jaloux. Vaguement jaloux d'eux tous – des endroits où ils l'avaient touchée, de leur manière de le faire, de ce qu'elle avait pu leur dire d'elle-même, des rires qu'elle leur avait accordés – et atrocement jaloux de l'un d'eux, en particulier. Je ne savais rien de lui, sauf qu'il avait dû être le plus sérieux de tous, excessivement sérieux pour elle, puisque lui seul avait été autorisé à laisser une trace. Tu dois comprendre que dans la vie de Lotte, une vie réduite de façon à occuper le plus petit espace possible, il n'y avait quasiment aucune empreinte de son passé. Pas de photos, pas de souvenirs, pas d'objets de famille. Même pas de lettres, du moins à ma connaissance. Les rares meubles parmi lesquels elle vivait étaient de nature strictement pratique et n'avaient aucune valeur sentimentale pour elle. Elle y veillait ; c'était sa règle de vie, à l'époque. À l'exception du bureau.

Le terme bureau est un euphémisme. Le mot évoque un banal et modeste instrument de travail ou de vie familiale, un objet désintéressé, efficace, toujours disposé à offrir son dos à son propriétaire pour qu'il s'en serve et qui, lorsqu'on ne l'utilise pas, occupe l'espace qui lui est imparti en toute humilité. Eh bien, dis-je à Gottlieb, gomme tout de suite cette image. Le bureau était absolument différent de cela ; c'était une chose énorme, menaçante, qui écrasait les occupants de la pièce qu'il habitait, feignant d'être inanimé mais qui, telle une dionée, était prêt à bondir sur eux et à les digérer à l'aide de l'un de ses nombreux et terribles petits tiroirs. Tu crois peut-être que j'en fais une caricature. Je ne t'en blâme pas. Il t'aurait fallu voir le bureau de tes propres yeux pour comprendre que ce que je te dis est l'exacte vérité. Il occupait presque la moitié de la chambre de Lotte. La première fois qu'elle me permit de passer la nuit avec elle, dans ce pathétique petit lit tapi dans l'ombre du bureau, je me réveillai couvert d'une sueur froide. Il dressait au-dessus de nos têtes sa masse sombre et informe. Une nuit, je rêvai que j'ouvrais l'un des tiroirs et que j'y trouvais une momie purulente.

Tout ce qu'elle acceptait de dire, c'est que c'était un cadeau ; point n'était besoin ou, devrais-je plutôt dire, elle ne vit pas le besoin, ou résista au besoin, de dire de qui. Je ne savais pas ce qu'il était advenu de son amant. S'il lui avait brisé le cœur, ou elle le sien, s'il était parti pour toujours ou pouvait encore réapparaître, s'il était vivant ou mort. J'étais persuadé qu'elle l'avait aimé plus qu'elle ne pourrait jamais m'aimer, moi, et qu'un obstacle infranchissable s'était dressé entre eux. Ça me déchirait. Je rêvais que je le rencontrais dans la rue. Parfois, je lui attribuais un col avachi ou crasseux afin qu'il me laisse tranquille et me permette de fermer l'œil. Il m'apparaissait, le don de ce bureau, comme un cruel coup de génie, un moyen pour cet homme de revendiquer son territoire, de s'insinuer dans le monde inaccessible de l'imagination de Lotte de façon à la posséder, de façon que chaque fois qu'elle s'asseyait pour écrire, ce fût en la présence de son cadeau. Il m'arrivait de me retourner dans l'obscurité pour faire face à une Lotte endormie. Soit il s'en va, soit c'est moi qui pars, lui disais-je mentalement. Pendant ces longues nuits froides dans sa chambre, je ne faisais aucune distinction entre le bureau et lui. Mais je n'eus jamais le courage de parler. Au lieu de cela, je glissais une main sous sa chemise de nuit et me mettais à caresser ses cuisses tièdes.

Finalement, tout cela n'aboutit à rien, dis-je à Gottlieb, ou à presque rien. Avec chaque mois qui passait, j'étais plus sûr des sentiments de Lotte pour moi. Je lui demandai de m'épouser et elle accepta. Cet homme, quel qu'il fût, appartenait à son passé et, comme le reste, avait sombré dans les ténébreuses et inaccessibles profondeurs de son être. Nous avons appris à avoir confiance l'un en l'autre. Et pendant quasiment cinquante ans, les soupçons que je concevais quelquefois, l'idée ridicule qu'elle me trompait peut-être avec un autre homme, s'avérèrent infondés. Je ne crois pas que Lotte eût été capable de commettre un acte susceptible de menacer le foyer que nous avions si soigneusement construit ensemble. Je pense qu'elle savait qu'elle n'aurait pu survivre dans une autre vie, une vie aux modalités inconnues. Je ne pense pas non plus qu'elle aurait osé me faire du mal. Mes doutes finissaient toujours par tourner court sans la nécessité d'une confrontation et, dans mon esprit, les choses reprenaient leur cours normal.

Dans les tout derniers mois de la vie de Lotte, dis-je à Gottlieb, je découvris enfin qu'elle m'avait, toutes ces années, caché quelque chose d'énorme. Ce fut le résultat d'un pur hasard et j'ai souvent été frappé, depuis, par le fait qu'elle avait bien failli garder jusqu'au bout son secret. Pourtant, non, et je ne peux m'empêcher de croire que, finalement, bien qu'elle ait perdu l'esprit, elle choisit de ne pas le faire. Elle adopta une forme de confession qui lui convenait, qui, dans son esprit embrumé, faisait vaguement sens. Plus j'y réfléchis, moins j'y vois un acte désespéré, plus elle me paraît être l'aboutissement d'une logique biaisée. Elle trouva seule son chemin jusqu'à la magistrate. Dieu sait comment. Certains jours, elle ne trouvait même pas le chemin des toilettes. Pourtant, elle avait encore des instants de lucidité, pendant lesquels son esprit se recomposait brusquement, et j'étais alors comme un marin en mer qui, voyant soudain les lumières de sa ville illuminer l'horizon, se met à avancer furieusement vers la côte pour les voir disparaître, la minute d'après, et se retrouver seul dans des ténèbres sans fin. C'est sans doute dans l'un de ces instants, dis-je à Gottlieb, assis immobile sur sa chaise, que Lotte quitta le canapé où elle regardait la télévision et, pendant que l'infirmière était occupée à téléphoner dans une autre pièce, sortit sans bruit de la maison. Par un ancien réflexe, elle s'était souvenue d'emporter son sac à main pendu à la patère, dans l'entrée. Elle avait certainement pris le bus. Elle devait changer une fois, ce qui était trop compliqué pour elle, je ne peux donc qu'imaginer qu'elle s'était remise entre les mains du conducteur à qui elle avait demandé de lui indiquer sa route, comme nous le faisions quand nous étions enfants. Je revois ma mère me mettant dans le bus, dans Finchley Road, à l'âge de quatre ans, et priant le contrôleur de me déposer à Tottenham Court Road, où m'attendrait ma tante. Je me rappelle encore mon émerveillement en parcourant les rues trempées de pluie, ma vision de la nuque musculeuse du conducteur, le frisson de joie que me procurait le privilège de voyager seul, mêlé au frisson de peur engendré par l'impossibilité de croire qu'au terme de toutes ces manipulations apparemment fortuites de l'énorme volant noir, ma tante aux joues vermeilles et au curieux chapeau à bords rouges se matérialiserait vraiment. Peut-être Lotte éprouva-t-elle la même chose. Ou peut-être, déterminée comme elle devait l'être, ne ressentit-elle aucune crainte, et lorsque le conducteur lui signala son arrêt et lui dit quel bus prendre ensuite, sans doute lui adressa-t-elle un de ces grands sourires qu'elle réservait aux étrangers, comme si elle savait pouvoir passer à leurs yeux pour une femme ordinaire.

En racontant à Gottlieb ce qui s'était passé entre Lotte et la magistrate, puis en décrivant le certificat de l'hôpital et la mèche de cheveux que j'avais trouvée parmi les papiers, je ressentis une impression de soulagement, d'extraordinaire légèreté, à l'idée que je ne serais plus le seul dépositaire de son secret. Je lui dis que je voulais retrouver son fils. Gottlieb se redressa sur sa chaise et laissa échapper un long soupir. Maintenant c'était moi qui attendais la suite, sachant que je m'étais remis entre ses mains et que j'agirais strictement selon sa décision. Il enleva ses lunettes et ses yeux, soudain plus petits, redevinrent les yeux perçants du juriste. Il se leva, sortit de la pièce et revint une minute plus tard avec un bloc de papier, puis sortit le stylo qu'il gardait toujours dans sa poche. Il me demanda de lui répéter les indications portées sur le certificat de l'hôpital. Il me demanda également la date exacte à laquelle Lotte était arrivée à Londres avec le Kindertransport et l'adresse des endroits où elle avait habité avant de me rencontrer. Je lui livrai ce que je savais et il prit note de tout.

Lorsqu'il eut fini d'écrire, il posa le bloc sur la table. Et le bureau ? demanda-t-il. Qu'est-il advenu du bureau ? Un soir de l'hiver 1970, dis-je, un jeune homme, un poète chilien, sonna à notre porte. C'était un grand admirateur des romans de Lotte et il désirait la rencontrer. Pendant quelques semaines, il fit partie de sa vie. À l'époque, je ne comprenais pas ce qu'elle lui trouvait, elle, si secrète et introvertie, pour livrer autant d'elle-même. Je devins jaloux. Un jour, en revenant de voyage, je découvris qu'elle lui avait fait cadeau du bureau. Sur le moment, je fus perplexe. Le bureau auquel elle s'était accrochée, dont elle avait refusé de se séparer et qu'elle avait traîné après elle depuis que je la connaissais. Ce n'est que beaucoup plus tard que je compris que le jeune homme, Daniel Varsky, avait l'âge de l'enfant qu'elle avait abandonné. Combien il avait dû lui rappeler son fils et la vie qu'elle aurait eue avec lui. Combien ces journées passées avec Daniel avaient dû être émouvantes pour elle, d'une manière qu'il était loin de soupçonner. Lui aussi avait dû se demander ce qu'elle voyait en lui et pourquoi elle lui accordait une aussi grande part d'elle-même. Toutes ces années, elle avait été dominée par ce meuble monstrueux que son amant lui avait offert, au moyen duquel il l'avait liée à lui – à lui et, plus tard, au sombre secret de leur enfant qu'elle avait donné. Toutes ces années, elle avait supporté le bureau comme elle avait supporté son sentiment de culpabilité. Elle avait dû trouver juste, dans la mystérieuse alchimie des associations de l'esprit, de l'offrir enfin au garçon qui lui rappelait son fils.

Fatigué d'en avoir tant dit, je me tournai pour regarder par la fenêtre. Gottlieb s'agita sur sa chaise. Elles sont d'une autre étoffe que nous, fit-il à voix basse – il voulait parler, je pense, des femmes, de nos épouses, et j'approuvai d'un signe de tête, même si ce que j'aurais aimé dire, c'était que Lotte était faite de tout autre chose. Laisse-moi quelques semaines, me dit-il, je verrai ce que je peux faire.

Cet automne-là, les gelées furent tardives. Une semaine après avoir planté les bulbes de printemps, je fis mon sac, fermai la maison et pris le train pour Liverpool. Il avait fallu moins d'un mois à Gottlieb pour retrouver le nom du couple qui avait adopté l'enfant de Lotte et pour découvrir leur adresse. Un soir, il passa chez moi pour me remettre une feuille avec ces renseignements. Je ne lui demandai pas quels moyens il avait employés. Il avait ses méthodes ; son métier l'amenait à rencontrer des gens de tous les milieux, et comme il se dévouait volontiers pour les autres, nombreux étaient ceux qui avaient obtenu de lui des faveurs et il ne répugnait pas à en recueillir le fruit. Peut-être étais-je l'un de ceux-là. Es-tu sûr de vouloir le faire, Arthur ? me demanda-t-il en relevant une grosse mèche argentée sur son front. Nous nous trouvions dans le vestibule, où les nombreux chapeaux de paille inutilisés étaient alignés sur le mur, tels les costumes d'une vie différente, plus théâtrale. Dehors, le moteur de sa voiture tournait au ralenti. Oui, répondis-je.

Mais pendant plusieurs semaines, je ne bougeai pas. Restant en effet quelque part convaincu que toutes les traces de l'enfant avaient disparu, je ne m'étais pas vraiment préparé à recevoir le nom de ses parents, ceux avec lesquels il avait fait sa vie. Elsie et John Fiske. John, qu'on appelait peut-être couramment Jack, me dis-je, quelques jours plus tard, agenouillé parmi les hostas que j'éclaircissais, et je me représentai un homme corpulent appuyé au bar du pub, catarrheux chronique éteignant sa cigarette. Tout en séparant avec mes doigts les racines emmêlées, je me représentai également Elsie, vidant une assiette sale dans la poubelle, en robe de chambre, la tête encore pleine de bigoudis, éclairée par la lumière triste d'une aube de Liverpool. Il n'y avait que l'enfant que j'étais incapable de visualiser, un garçon qui aurait les yeux de Lotte, ou ses expressions. Son enfant ! pensai-je en plaçant mon sac à dos dans le filet au-dessus de mon siège, mais à l'instant où le train quittait Euston Station, je crus voir, dans les vitres d'un train qui passait, les visages tremblotants de ceux auxquels Lotte avait dit au revoir dans sa vie : son père et sa mère, ses frères et ses sœurs, ses camarades de classe, quatre-vingt-six enfants sans foyer, en route pour l'inconnu. Pouvait-on réellement la blâmer d'avoir rencontré, dans les profondeurs de son être, un refus – celui d'apprendre à marcher à un enfant, pour le regarder ensuite s'éloigner d'elle ?

D'une façon toute nouvelle pour moi, sa perte de mémoire, la perte de son intelligence, à la fin de sa vie, avait un sens, absurde : c'était un moyen pour elle de me quitter sans effort en s'éclipsant pendant une durée incalculable, chaque heure de chaque jour, afin d'éviter un adieu final insoutenable.

Ce fut pour moi le début, le début d'un voyage long et compliqué dont j'ignorais que j'allais l'entreprendre. Encore qu'une part de moi-même en fût peut-être consciente, après tout, car lorsque je fermai la porte de la maison, une vague de mélancolie me submergea, que je n'éprouve en général qu'au moment de partir pour un long voyage, un sentiment de vide, d'incertitude et de regret et quand, me retournant, je contemplai les fenêtres sombres de notre maison, je me dis qu'étant donné mon âge et toutes les choses susceptibles de me tomber sur la tête, il se pouvait que je ne la revoie plus. J'imaginai le jardin à l'abandon, retourné à l'état sauvage où nous l'avions vu, la première fois. C'était une pensée mélodramatique et je la rejetai, mais bien des fois, en chemin, je me rappelai l'avoir eue. Dans mon sac, parmi les vêtements et les livres que j'emportais habituellement, j'avais la mèche de cheveux, le certificat de l'hôpital et un exemplaire de *Fenêtres brisées*, destiné au fils de Lotte. Sur la quatrième de couverture, il y avait une photo d'elle et c'est à cause de la photo que j'avais choisi ce volume parmi tous ceux qu'elle avait écrits, et pas un autre. Là, elle ressemblait autant à une mère qu'il lui était possible, très jeune, le visage lisse et plein, le crâne pas encore visible sous les cheveux, comme c'est le cas dès l'âge de quarante ans, et j'avais pensé que c'était la Lotte que son fils aimerait sans doute voir, en admettant qu'il souhaite la voir. Mais chaque fois que je plongeais la main dans le sac, je rencontrais ses yeux de chien battu qui me dévisageaient et j'avais l'impression qu'elle m'admonestait, qu'elle me posait une question, ou encore qu'elle essayait de me donner des nouvelles de la mort. Ne pouvant plus supporter cette vue, je tentai de l'égarer au fond de mon sac et, n'y parvenant pas (elle ne cessait de revenir à la surface), j'appuyai un bon coup sur le livre et l'enterrai sous le poids des autres objets.

Le train entra en gare de Liverpool un peu avant trois heures de l'après-midi. Je regardais un vol d'oies traverser à tire d'aile le ciel gris fer quand nous nous enfonçâmes dans un tunnel pour ressortir sous le dôme de verre de Lime Street Station. L'adresse des Fiske que Gottlieb m'avait donnée était dans le quartier d'Anfield. J'avais projeté de passer devant la maison avant de me chercher un petit hôtel dans les environs pour la nuit, puis de me présenter le lendemain matin. Mais en remontant le quai, mes jambes me parurent lourdes et douloureuses, comme si j'étais venu de Londres à pied, alors que j'étais resté assis deux heures et demie dans le train sans rien faire. Je m'arrêtai pour changer mon sac d'épaule et, sans même lever les yeux, sentis le ciel plombé qui pesait, là-haut, sur le toit de verre, et lorsque les lettres du panneau indicateur à feuillets mobiles, au-dessus du quai, se mirent à ronronner et à cliqueter, que les horaires et les destinations se désintégrèrent, nous laissant, nous les nouveaux arrivants, en plan, une affreuse vague de claustrophobie m'envahit et je dus lutter de toutes mes forces pour résister à l'envie de me rendre au guichet et d'acheter un billet pour le prochain train à destination de Londres. Les lettres se remirent à bourdonner et, pendant un instant, je me figurai qu'elles épelaient en vrombissant le nom des gens. De quels gens, je n'en savais rien. Je dus rester assez longtemps immobile, car un employé de la compagnie de chemins de fer en uniforme à boutons dorés s'approcha de moi et me demanda si j'allais bien. Il est des moments où la gentillesse des gens ne fait qu'aggraver les choses parce qu'on se rend compte alors combien on a besoin de gentillesse et que la seule source de cette gentillesse est un inconnu. Réussissant à ne pas m'apitoyer sur mon sort, je le remerciai et poursuivis mon chemin, réconforté par la chance que j'avais de ne pas être obligé de porter un couvre-chef dans le genre du sien, une espèce de coquette boîte à visière brillante qui devait rendre infiniment plus difficile la bataille menée chaque jour pour garder sa dignité devant la glace. Ma satisfaction, cependant, ne dura que jusqu'au guichet des renseignements où je rejoignis la file de voyageurs qui mettaient à rude épreuve la patience de l'employée dont on aurait dit qu'elle avait fermé les yeux dans un endroit et, en les rouvrant, s'était retrouvée ici, dans cette petite baraque circulaire, à distribuer des renseignements sur Liverpool qu'elle ignorait posséder.

Il faisait presque nuit quand j'arrivai à l'hôtel. Les murs de la minuscule réception surchauffée étaient tapissés d'un papier à fleurs, des bouquets de fleurs en soie étaient disposés sur les petites tables entassées tout au fond et, sur un mur, bien que Noël soit encore éloigné de plusieurs semaines, était suspendue une grande couronne de fleurs en plastique qui donnait l'impression d'entrer dans un musée dédié à la mémoire d'une vie florale depuis longtemps éteinte. Une vague de la claustrophobie que j'avais ressentie à la gare me submergea de nouveau et lorsque la réceptionniste me demanda de remplir une fiche d'enregistrement, je fus à deux doigts d'inventer quelque chose, comme si prendre un faux nom et une fausse profession était susceptible de m'apporter le soulagement d'une dimension nouvelle, inexploitée. Ma chambre, qui donnait sur un mur de brique, reprenait en l'intensifiant le motif floral de l'entrée, si bien que pendant la minute où je me tins sur le pas de la porte, il me parut impossible de rester là. Sans la lourdeur de mes jambes et de mes pieds endoloris qui me faisaient l'effet de deux enclumes, j'aurais sans aucun doute tourné bride ; ce ne fut que l'épuisement qui m'incita à entrer et à m'écrouler dans le fauteuil recouvert d'un imprimé touffu de roses exubérantes et, pendant plus d'une heure, je fus incapable de refermer la porte derrière moi, de peur de me retrouver enfermé, seul, au milieu de toute cette vie artificielle totalement saturée. Entre ces murs prêts, me semblait-il, à se refermer sur moi, je ne pus m'empêcher de me demander, pas clairement, mais dans ce langage codé et fragmentaire des pensées qui peuplent notre for intérieur : De quel droit vais-je remuer une pierre qu'elle souhaitait laisser en place ? Alors monta en moi, comme un flot de bile, un sentiment que je tentai en vain de réprimer, un sentiment qui me disait que ce que je cherchais à faire, en réalité, c'était exposer sa faute au grand jour. L'exposer contre sa volonté, pour la punir. Et de quoi, pourriez-vous demander, punir la pauvre femme, de quoi ? La réponse qui me vient et qui n'est qu'une partie de la réponse, c'est que je voulais la punir de ce stoïcisme infernal qui l'avait empêchée d'avoir véritablement besoin de moi, de la façon la plus profonde dont une personne a besoin d'une autre, un besoin qui porte souvent le nom d'amour. Bien sûr, elle avait besoin de moi – pour maintenir un certain ordre, pour penser aux courses à faire, pour payer les factures, pour lui tenir compagnie, pour lui donner du plaisir et, à la fin, pour la baigner, l'essuyer et l'habiller, l'emmener à l'hôpital et, finalement, l'enterrer. Mais qu'elle ait eu besoin que ce soit *moi* qui effectue ces tâches et non un autre homme également amoureux d'elle, également prêt à tout, je n'en étais pas certain. On pourrait dire, je suppose, que je ne lui avais jamais demandé d'argumenter son amour, mais c'est que je ne m'en sentais pas le droit. Ou peut-être craignais-je que, honnête comme elle l'était, incapable de supporter le moindre mensonge, elle n'y parvienne pas, qu'elle bafouille et se taise, et alors, quel choix aurais-je eu, sinon de me lever et de partir pour toujours, ou de continuer sans rien changer, totalement conscient, désormais, que je n'étais qu'un exemple, là où il aurait pu y en avoir des dizaines ? Non que j'aie cru qu'elle m'aimait moins qu'elle n'aurait pu en aimer un autre (encore que, par moments, il me soit arrivé de le redouter). Ce dont je parle ou essaie maintenant de parler, c'est autre chose, c'est la conscience que son autosuffisance – la preuve qu'elle portait en elle qu'il lui était possible de résister seule à une indicible tragédie, que l'extrême solitude qu'elle avait érigée autour d'elle en se réduisant, en se repliant sur elle-même, en noyant un cri silencieux dans le poids d'un travail solitaire, représentait précisément ce qui lui permettait d'y résister – était la raison pour laquelle elle ne pouvait absolument pas avoir besoin de moi comme j'avais besoin d'elle. Peu importait le caractère sinistre ou tragique de ses histoires, l'effort qu'exigeait leur création ne pouvait être qu'une forme d'espoir, un déni de mort, un hurlement de vie face à l'anéantissement. Et je n'y avais pas ma place. Que j'existe ou non au rez-de-chaussée, elle aurait continué de faire ce qu'elle avait toujours fait, seule à son bureau, et c'est ce travail qui lui permettait de survivre, non pas mon affection ni ma compagnie. Tout au long de notre vie, j'avais clamé que c'était elle qui dépendait de moi. Elle qui avait besoin d'être protégée, qui était délicate et réclamait une attention constante. Mais en vérité, c'était moi qui avais besoin de sentir qu'elle avait besoin de moi.

Je réussis avec peine à me traîner jusqu'au bar de l'hôtel, où je commandai un gin tonic pour me calmer les nerfs. Les autres clients, ou plutôt clientes, étaient deux vieilles femmes, des sœurs, je pense, peut-être des jumelles, dangereusement frêles, aux mains déformées autour du verre. Dix minutes après mon arrivée, l'une d'elles se leva, d'une démarche si lente qu'on l'aurait crue en train d'exécuter une pantomime, laissant l'autre seule, jusqu'au moment où celle-ci quitta enfin sa place avec la même lenteur, comme dans une version hallucinée des von Trapp[1] sortant de scène au son de « So long, Farewell » ; en passant devant moi, elle tourna la tête à cent quatre-vingts degrés et m'adressa un grand sourire effrayant. Je lui rendis son sourire, l'importance des bonnes manières, aux dires de ma mère, étant inversement proportionnelle au désir que l'on a d'en faire usage ou, en d'autres termes, la politesse étant parfois la seule chose qui nous sépare de la folie.

Lorsque je remontai à la chambre vingt-neuf, une heure plus tard, l'air semblait s'être chargé d'une écœurante odeur florale. J'extirpai de mon sac l'adresse que Gottlieb m'avait donnée. Je

1. Famille autrichienne célèbre pour ses dons de choristes.

composai le numéro et une femme me répondit. Puis-je parler à Mrs. Elsie Fiske ? demandai-je. Elle-même. Vraiment ? faillis-je dire, car j'étais encore en grande partie persuadé que le travail de détective de Gottlieb aboutirait à une impasse, et que je rentrerais chez moi, à Londres, où m'attendaient mon jardin, mes livres et la compagnie réticente du matou, après avoir tenté en vain de retrouver le fils de Lotte. Allô ? fit-elle, Excusez-moi, dis-je, ceci va sûrement vous paraître bizarre. Je ne voudrais pas vous prendre au dépourvu, mais j'espérais discuter avec vous d'une affaire assez personnelle. Qui êtes-vous ? Je m'appelle Arthur Bender. Ma femme… tout ceci est vraiment très délicat, pardonnez-moi, je vous assure que je ne veux en aucune façon vous mettre mal à l'aise, mais il y a quelque temps, ma femme est morte et j'ai appris qu'elle avait eu un enfant dont je n'ai jamais rien su. Un garçon qu'elle a fait adopter en juillet 1948. Un lourd silence tomba à l'autre bout de la ligne. Je m'éclaircis la voix. Elle s'appelait Lotte Berg… commençai-je, mais elle m'interrompit. Que désirez-vous exactement, Mr. Bender ? Je ne sais ce qui me prit de parler aussi franchement, peut-être le ton de sa voix, la lucidité ou l'intelligence que je crus y déceler, toujours est-il que je dis la chose suivante : Si je devais répondre à cette question en toute honnêteté, Mrs. Fiske, je risquerais de vous garder toute la nuit au téléphone. Pour être aussi direct que possible, je suis venu à Liverpool en me demandant si je pourrais, sans abuser de votre gentillesse, solliciter une entrevue avec vous et, si vous en étiez d'accord, rencontrer votre fils. Il y eut un autre silence, un silence qui me parut interminable, tandis que la végétation se déployait et vagabondait sur les murs. Il est mort, dit-elle simplement. Il est mort depuis vingt-sept ans.

La nuit fut longue. La chaleur, dans la chambre, était insupportable et, de temps en temps, je me levais pour ouvrir la fenêtre, me rappelant aussitôt qu'elle était hermétiquement close. Je rejetai toutes les couvertures par terre et restai étalé sur le matelas, bras et jambes écartés, inhalant la chaleur du radiateur, une chaleur qui contaminait mes rêves, telle une fièvre tropicale. C'étaient des rêves au-delà du langage, des images grotesques de chair boursouflée, à vif, détrempée, suspendue à des filets noirs, et de sacs blancs sécrétant lentement des gouttes incolores qui résonnaient en tombant sur le sol, des images nées des cauchemars de mon enfance et enfin réapparues, encore plus terrifiantes qu'elles ne l'étaient alors, car je comprenais, dans cet état semi-hallucinatoire, qu'elles ne pouvaient être liées qu'à ma mort. Il nous faut établir certaines distinctions, me répétais-je sans cesse, enfin, pas moi, mais une voix désincarnée que je prenais pour la mienne. Un rêve, toutefois, se détachait de ce monstrueux défilé, un rêve très simple de Lotte sur une plage, dessinant, de son orteil osseux, de longues lignes dans le sable, tandis que je l'observais, appuyé sur les coudes, dans le corps d'un homme beaucoup plus jeune que moi dont je sentais, tel un halo à la lisière de cette journée ensoleillée, qu'il ne m'appartenait pas. Lorsque je m'éveillai, le choc de son absence me donna un haut-le-cœur. J'avalai de grandes lampées d'eau au robinet de la salle de bains et quand je tentai d'uriner, je ne fis que quelques gouttes, avec une sensation de brûlure comme si j'essayais d'évacuer du sable, alors brusquement, de nulle part, à la façon dont une nouvelle nous concernant arrive si souvent, je me rendis compte combien il était ridicule d'avoir consacré sa vie à l'étude des poètes dits romantiques. J'actionnai la chasse d'eau, pris une douche, m'habillai et réglai ma note d'hôtel. Lorsque le réceptionniste me demanda si j'avais été satisfait, je répondis oui en souriant.

Une longue marche dans les heures suivant l'aube, que je me rappelle à peine. Sauf que je me trouvai à hauteur de la maison avant neuf heures, alors qu'Elsie Fiske m'avait donné rendez-vous à dix. Toute ma vie, je suis arrivé trop tôt, réduit à patienter, mal à l'aise, à un coin de rue, devant une porte, dans une pièce vide, mais plus j'approche de la mort, plus j'arrive en avance, plus je me satisfais d'attendre, peut-être pour me donner l'illusion qu'il me reste trop de temps plutôt que pas assez. C'était une maison mitoyenne de deux étages, identique à toutes celles de la rue, à l'exception du numéro, près de la porte d'entrée : les mêmes banals rideaux de dentelle, la même rambarde métallique. Il bruinait et je fis les cent pas sur le trottoir d'en face pour me tenir chaud. Quelque chose, dans les rideaux de dentelle, me remplit d'un horrible sentiment de culpabilité. Le garçon était mort et l'histoire que j'avais demandé à Mrs. Fiske de me raconter ne pouvait que mal se terminer. Pendant toutes ces années, Lotte m'avait caché l'histoire de son enfant. Aussi profondément qu'il ait pu la hanter, il n'avait pas été autorisé à s'ingérer dans notre vie. Dans notre bonheur, devrais-je dire, car il était encore à nous. Comme un hercule soulevant un poids énorme, elle avait supporté seule son silence. C'était une véritable œuvre d'art, son silence. Et je m'apprêtais à le détruire.

À dix heures précises, je sonnai à la porte. Les morts emportent avec eux leurs secrets, dit-on. Ce n'est pas tout à fait vrai, n'est-ce pas ? Les secrets des morts ont un caractère viral et trouvent toujours le moyen de rester en vie chez quelqu'un d'autre. Non, je n'étais coupable que de précipiter l'inévitable.

Je crus voir bouger les rideaux, mais ce n'est qu'au bout d'un certain temps que quelqu'un vint ouvrir. Enfin, j'entendis des pas et la serrure tourna. La femme qui se tenait devant moi avait de très longs cheveux gris qui devaient lui tomber jusqu'au bas du dos quand ils étaient défaits, mais qu'elle avait nattés et relevés en chignon sur le sommet du crâne, dans le style d'une actrice tout juste sortie de scène après avoir joué du Tchekhov. Elle avait un port de tête très droit et de petits yeux gris.

Elle me fit entrer dans la salle de séjour. Je sus tout de suite que son mari était mort et qu'elle vivait seule. Quelqu'un qui vit seul a peut-être le sens des nuances, des tons, et des échos particuliers de ce genre d'existence. Elle désigna d'un geste le canapé à pompons décoré d'une multitude de coussins au crochet qui, autant que je sache, évoquaient tous, sans exception, diverses races de chiens et de chats. Quand je m'assis parmi eux, un ou deux glissèrent sur mes genoux et s'y blottirent. Je me mis à caresser la tête d'un petit chien noir empaillé. Sur la table, Mrs. Fiske avait disposé une théière et des sablés, mais pendant longtemps elle ne se leva pas pour servir, si bien que quand elle le fit, le thé était trop corsé. Je ne me rappelle plus comment nous engageâmes le dialogue. Tout ce dont je me souviens, c'est que je fis connaissance avec le petit chien empaillé, un épagneul quelconque, et que tout de suite après, Mrs. Fiske et moi étions en grande conversation, une conversation que nous attendions tous les deux depuis longtemps, sans en être ni l'un ni l'autre conscients. Il y avait très peu de choses (ou du moins, me sembla-t-il, assis dans cette pièce qui, je m'en aperçus très vite, était remplie de représentations félines et canines de toutes sortes, non seulement les coussins, mais les figurines encombrant les étagères et les peintures aux murs) que nous ne pouvions nous dire, même si nous choisissions de ne pas tout dire, et pourtant ce n'était pas de l'intimité qu'il y avait entre nous, certainement pas de la chaleur, quelque chose de plus extrême, en fait. Pas une fois nous ne nous adressâmes l'un à l'autre autrement que par Mr. Bender et Mrs. Fiske.

Nous parlâmes des maris et des femmes, de la mort de son mari, parti onze ans plus tôt d'une crise cardiaque pendant qu'il chantait *You'll never Walk Alone*[1] dans le stade de foot, des chapeaux, des écharpes et des chaussures des défunts qui réapparaissent sans cesse, de la puissance de concentration qui diminue, des lettres réexpédiées, des voyages en chemin de fer, des tombes sur lesquelles on va, des diverses façons dont la vie abandonne peu à peu le corps humain, du moins j'ai l'impression aujourd'hui que nous parlâmes de cela, mais il est possible, je le reconnais, que nous ayons discuté de la difficulté de cultiver la lavande dans un climat humide, et que tous ces autres sujets n'aient été que le message sous-jacent, clairement compris par Mrs. Fiske et moi-même. Je ne le crois pas

1. « Tu ne marcheras jamais seul », hymne et devise du Liverpool Football Club.

cependant, je ne crois pas que nous discutâmes tant soit peu lavande ou jardins. Le thé amer refroidit, malgré le couvre-théière. Quelques cheveux gris se détachèrent de la coiffure que Mrs. Fiske s'était faite plus tôt.

Vous devez bien comprendre, dit-elle enfin. J'avais déjà trente ans lorsque j'ai rencontré John ; quelques semaines auparavant, j'avais aperçu mon image reflétée dans une vitrine avant de pouvoir me composer un visage et ensuite, dans le bus qui me ramenait chez moi, j'avais fini par accepter certaines choses. Ce n'était pas une révélation, dit-elle, c'était plutôt que certains aspects de ma vie avaient atteint un point de non-retour, et l'image renvoyée par la vitre était la goutte d'eau qui fait déborder le vase. Peu de temps après, alors que j'étais en visite chez ma sœur, son mari ramena un ami du bureau. À un certain moment, John et moi nous retrouvâmes dans l'étroit couloir qui menait à la cuisine, en train d'essayer de passer l'un devant l'autre, de passer sans nous toucher, et il me demanda un peu gauchement s'il pourrait me revoir. Le premier soir où nous sortîmes ensemble, je fus troublée par le fait que, quand il riait, on voyait ses plombages, et aussi par le trou noir qui se formait au fond de sa gorge. Il avait une façon de renverser la tête en arrière et d'ouvrir la bouche pour rire, à laquelle j'eus un peu de mal à m'habituer. J'étais ce que l'on pourrait appeler du genre sérieux, dit Mrs. Fiske en regardant par la fenêtre, sérieux et timide, et malgré la musique de son rire, j'étais effrayée par ce que je croyais voir, là, au fond de sa gorge. Nous nous fîmes cependant peu à peu l'un à l'autre et nous mariâmes cinq mois plus tard, en présence d'un petit groupe de parents et d'amis dont beaucoup étaient surpris de se trouver là, ayant fini par penser que je resterais vieille fille, si je ne l'étais pas déjà à leurs yeux. J'expliquai clairement à John que je ne voulais pas perdre de temps avant d'essayer d'avoir un enfant. Nous essayâmes, mais ce ne fut pas facile. Lorsque je fus enfin enceinte… c'est drôle à dire… j'avais constamment la sensation d'une espèce de marée montante et descendante ;

quand la marée montait, l'enfant était en sécurité dans mon ventre et quand elle descendait c'est que l'enfant s'éloignait de moi, comme s'il voyait un objet brillant qui étincelait quelque part ailleurs, et tous mes efforts pour le garder furent vains. L'attraction de cette autre chose, de cette autre vie étincelante était trop irrésistible. Une nuit, au lit, pendant mon sommeil, je sentis la marée qui descendait pour de bon et quand je m'éveillai, j'étais en sang. Après ça, nous essayâmes de nouveau, seulement, au fond, je n'y croyais plus. Ce fut une période difficile pour moi et si normalement je riais peu, désormais je ne riais presque plus, je me rappelle cependant avoir pensé que le rire de John n'avait pas diminué. Non qu'il ne fût pas triste, simplement, il avait une nature gaie, il pouvait tourner la page et voir la vie sous un autre angle, une blague à la radio lui suffisait. Lorsqu'il riait en renversant la tête en arrière, le trou noir au fond de sa gorge me paraissait encore plus menaçant qu'avant, et un petit frisson me parcourait tout entière. Je ne voudrais pas vous donner une fausse impression. Il était d'un grand soutien et faisait de son mieux pour me remonter le moral. C'est dur à expliquer, dit Mrs. Fiske, mais le trou noir, dans sa gorge, n'avait rien à voir, ou très peu, avec John, c'est moi que ça concernait ; le fond de sa gorge était simplement l'endroit où se situait naturellement ce trou. Je me mis à détourner la tête quand il riait pour ne pas le voir, seulement, un jour, son rire s'arrêta net comme une lampe qu'on éteint et à l'instant où je me retournai, il avait la bouche hermétiquement fermée et une expression de honte sur le visage. Alors je me trouvai mauvaise, cruelle, vraiment, idiote et égocentrique et je fis en sorte que les choses changent entre nous. Peu à peu, nous nous autorisâmes une espèce de tendresse qui n'existait pas auparavant. J'appris à maîtriser certains sentiments, à ne pas céder à la première émotion venue, et je me souviens d'avoir pensé, à l'époque, que cette discipline était la clef de l'équilibre mental. Environ six mois plus tard, nous décidâmes d'adopter.

Mrs. Fiske se pencha en avant et remua ce qu'il restait de son thé comme si elle s'apprêtait à le boire, ou comme si les mots dont elle avait besoin pour finir son histoire se trouvaient parmi les feuilles de thé, au fond de la tasse en porcelaine. Elle parut toutefois se raviser, reposa la tasse sur la soucoupe et s'adossa de nouveau à sa chaise.

Ce n'est pas arrivé tout de suite, dit-elle. Nous avons dû remplir un nombre infini de formulaires, c'était le protocole. Un jour, une dame en tailleur jaune est venue chez nous. Je me revois contemplant son tailleur en pensant qu'il était semblable à un petit morceau de soleil et elle, à l'émissaire d'un climat où les enfants étaient prospères et heureux, et qu'elle était venue pour briller et voir comment c'était chez nous, comment nos murs sans couleur pourraient réfléchir une telle lumière, un tel bonheur. Je passai les jours précédant son arrivée à genoux, à briquer les planchers. Le matin de sa visite, je fis un gâteau, pour qu'il y ait dans l'air une odeur agréable. J'enfilai une robe de soie bleue et obligeai John à porter une veste en pied-de-poule qu'il n'aurait jamais choisie pour lui-même, parce que je trouvais que le style en était optimiste. Mais tandis que nous l'attendions assis, mal à l'aise, dans la cuisine, je m'aperçus que les manches, trop courtes, et la façon dont John, la tête rentrée dans les épaules, portait ce vêtement ridicule, révélaient en réalité notre extrême anxiété. Nous n'avions plus le temps de nous changer, le coup de sonnette retentit et elle entra avec, sous le bras, son sac en cuir verni contenant notre dossier, cette messagère jaune vif du royaume des ongles minuscules et des dents de lait. Elle s'assit à la table et je plaçai devant elle une tranche de gâteau à laquelle elle ne toucha pas. Elle nous donna plusieurs papiers à signer et entama son entretien. John, facilement intimidé par les représentants de l'autorité, se mit à bégayer. Moi, embarrassée et peu sûre, intimidée par le pouvoir qu'elle avait sur nous, je perdis le fil des réponses que j'essayais de lui fournir, je me troublai et me ridiculisai. Tandis qu'elle regardait autour d'elle, un petit sourire artificiel figé aux lèvres, je la vis frissonner et me rendis compte qu'il faisait froid chez nous. Je sus dès lors qu'elle ne nous donnerait pas d'enfant.

Après cela, je sombrai dans ce que l'on appelle, je crois, une dépression, bien que je n'en aie pas été consciente à l'époque. Lorsque j'émergeai, plusieurs mois plus tard, je m'étais habituée à l'idée d'une vie sans enfants. Puis, un jour où je séjournais chez ma sœur qui avait déménagé à Londres, je lisais le journal quand mon œil tomba sur une petite annonce en bas de page. J'aurais fort bien pu ne pas la voir, car elle ne contenait que quelques mots écrits en petits caractères. Mais je la vis : *Bébé de sexe masculin âgé de trois semaines adoptable immédiatement.* En dessous, il y avait une adresse. Sans hésiter, je pris une feuille de papier et rédigeai une lettre. Quelque chose s'empara de moi. Ma plume courait sur la page, s'efforçant de suivre les mots qui jaillissaient de moi. J'écrivis tout ce que j'avais été incapable de dire à la dame en jaune de l'agence d'adoption et, tandis que les mots s'envolaient de la pointe de mon stylo, je sus que l'annonce m'était exclusivement destinée. Le bébé m'était exclusivement destiné. Je postai la lettre sans rien dire à John. Je ne voulais pas le faire souffrir comme je l'avais déjà fait ; m'avoir soutenue au plus fort de ma dépression pour me voir de nouveau piégée par de faux espoirs serait plus qu'il n'en pouvait supporter. Or, je savais que ce n'était pas un faux espoir. En effet, en rentrant à Liverpool, quelques jours plus tard, une lettre m'attendait. Elle n'était signée que de ses initiales : L.B. Avant que vous appeliez, hier soir, je ne connaissais pas son nom. Elle me demandait de la rencontrer cinq jours plus tard, à quatre heures, le dix-huit juillet, dans la salle des billets de West Finchley Station. J'attendis que John parte au travail à huit heures pour me mettre en route. J'allais faire la connaissance de mon enfant, Mr. Bender. Celui que j'attendais depuis si longtemps. Pouvez-vous imaginer ce que je ressentais en montant dans ce train ? J'avais peine à rester assise. Je savais que je l'appellerais Edward, du nom d'un grand-père que j'avais adoré. Naturellement, il devait déjà en avoir un mais je ne songeai pas à le demander et elle ne me le dit pas. Nous échangeâmes très peu de choses. J'avais du mal à parler et elle aussi. Ou peut-être aurait-elle pu, en tout cas, elle ne le fit pas. Oui, je crois que c'était ça. Elle était étrangement calme… mes mains à moi tremblaient. Ce n'est que plus tard, pendant les premiers jours, dans la maison remplie d'odeurs de nouveau-né, que je pensai à cet autre nom caché, telle une ombre, sous celui que nous lui avions donné. Mais avec le temps, je l'oubliai ou, si je ne l'oubliai pas tout à fait, j'y pensais rarement sauf lorsque, entendant appeler un nom dans la rue, dans un magasin ou dans le bus, je me demandais si c'était celui-là.

Arrivée à Londres, je pris le métro jusqu'à West Finchley. C'était une journée chaude et ensoleillée et elle était seule dans la salle des billets. Elle me dévisagea sans bouger. J'avais l'impression qu'elle regardait en moi, sous ma peau. Son calme étrange, voilà ce qui me frappa. Un instant, j'envisageai la possibilité qu'elle ne soit pas la mère du bébé, seulement une remplaçante envoyée pour exécuter la triste tâche. Cependant, lorsqu'elle souleva la couverture, que je m'avançai et vis le visage du bébé, je sus qu'il ne pouvait être qu'à elle. Elle parla enfin, avec un très fort accent. Je ne savais pas d'où elle était originaire, d'Allemagne ou d'Autriche, peut-être, mais je compris que c'était une réfugiée. Le bébé dormait, ses petits poings fermés, serrés de chaque côté de son visage. Nous étions là, debout, dans la salle des billets déserte. Il n'aime pas quand le bonnet lui descend trop sur le front, dit-elle. C'étaient les premiers mots qu'elle m'adressait. Quelques secondes plus tard, de très longues secondes, elle dit, Si vous le mettez sur votre épaule après qu'il a mangé, il pleure moins. Et puis, Il a facilement froid aux mains. Comme si elle m'indiquait la façon de faire marcher une voiture au mécanisme compliqué, alors qu'en réalité, elle abandonnait son bébé. Par la suite, une fois le bébé installé chez nous depuis quelques semaines, je commençai à penser différemment. Je compris que ces maigres détails étaient les précieuses découvertes d'une femme qui avait étudié et essayé de comprendre le mystère de son enfant.

Nous nous assîmes côte à côte sur la dure banquette, dit Mrs. Fiske. Elle tapota le paquet avant de me le tendre. Je sentis le corps chaud de l'enfant à travers la couverture. Il se tortilla un peu, mais continua de dormir. Je croyais qu'elle allait me parler encore, elle n'en fit rien. Il y avait un sac par terre, qu'elle poussa du pied dans ma direction. Puis elle regarda par la fenêtre et vit, sur le quai, quelque chose qui parut la troubler, car elle se leva d'un bond. Moi, je restai assise, parce que mes jambes ne me portaient pas et que je craignais de laisser tomber le bébé. Et puis elle s'en alla, comme ça. Ce n'est qu'une fois à la porte qu'elle s'arrêta et se retourna. Je serrai très fort l'enfant contre ma poitrine. Je le sentis qui reniflait, alors je commençai à le bercer un peu et il se détendit et gazouilla même légèrement. Vous voyez ! avais-je envie de lui crier. Mais quand je relevai les yeux, elle avait disparu.

Je restai assise sans bouger, berçant le bébé et chantonnant doucement. J'inclinai ma tête vers la sienne pour lui cacher la lumière et lorsque j'appuyai mes lèvres sur son crâne, une bouffée tiède sembla se dégager de lui, je humai la douceur de sa peau, et aussi une odeur fétide, derrière ses oreilles. Il tourna brusquement le visage vers moi et ouvrit la bouche. Les yeux agrandis par le saisissement, il jeta les bras en l'air comme s'il voulait s'empêcher de tomber. Il se mit à pleurer. J'eus soudain chaud à la figure et me mis à transpirer. Je le secouai légèrement et ses cris redoublèrent. Je levai les yeux et là, derrière la vitre, se tenait un homme jeune vêtu d'un drôle de manteau assez misérable, au col de fourrure feutré. Il avait des yeux noirs très brillants. Un frisson me parcourut l'échine tandis qu'il nous considérait, le bébé et moi. Il nous regardait d'un air de loup affamé et je sus qu'il ne pouvait qu'être le père de l'enfant. L'instant sembla se prolonger, s'étirer comme un fil, pendant qu'un terrible désir ou un atroce regret bouillonnait en lui.

Puis un train entra en gare, qu'il prit seul, et c'est la dernière chose que je vis de lui. Quand vous avez appelé, hier soir, Mr. Bender, j'étais sûre que c'était lui. C'est seulement quand vous avez sonné que je me suis rendu compte que c'était impossible.

À ce moment-là, je me levai et demandai à Mrs. Fiske le chemin des toilettes. L'épagneul noir chuta sur le sol où il rebondit de manière déplaisante. La tête me tournait et je me sentais au bord du malaise. Je fermai la porte et me laissai tomber sur le siège. Dans la baignoire était installé un sèche-linge auquel étaient suspendues deux ou trois paires de collants dont les pieds marron, ratatinés, dégouttaient encore, et au-dessus, il y avait une fenêtre tout embuée d'humidité. Je m'imaginai m'échappant par là et descendant la rue en courant. Je me mis la tête entre les genoux pour arrêter le vertige. Pendant quarante-huit ans, j'avais partagé ma vie avec une femme capable de donner froidement son enfant à une inconnue. Une femme qui avait mis une annonce dans le journal pour son bébé – *son propre bébé* – comme on met un meuble en vente. J'attendis que cette nouvelle projette sa lumière, j'attendis de comprendre, de voir la porte s'ouvrir, j'attendis de pénétrer dans une vie saturée de vérité. Mais aucune révélation ne se produisit.

Ça va ? demanda Mrs. Fiske d'une voix qui arrivait de loin. Je ne sais pas comment je lui répondis, tout ce dont je me souviens, c'est que, quelques minutes plus tard, elle m'aidait à monter l'escalier jusqu'à une petite chambre avec un grand lit où je m'allongeai sans protester. Elle m'apporta un verre d'eau et lorsqu'elle se pencha pour le mettre sur la table de nuit, la vue de sa gorge me rappela ma mère. Puis-je vous poser une question ? dis-je. Elle ne répondit pas. De quelle façon est-il mort ? Elle soupira et pressa ses mains l'une contre l'autre. Ce fut un terrible accident, dit-elle. Puis elle me laissa, refermant la porte sans bruit derrière elle et c'est seulement alors, pendant que j'écoutais le bruit décroissant de ses pas dans

l'escalier et que la chambre se mettait lentement, presque paisiblement, à tourner, qu'il me vint à l'esprit que j'étais allongé dans sa
chambre, celle de l'enfant de Lotte.

Je fermai les yeux. Dès que ça ira mieux, me dis-je, je remercierai
Mrs. Fiske, je prendrai congé d'elle et rentrerai chez moi par le premier train pour Londres. Mais en même temps, je n'y croyais
guère. Une fois de plus, j'avais l'impression que je ne reverrais pas
de si tôt la maison de Highgate, si jamais je la revoyais. Le froid
avait fait son apparition, le matou devrait trouver sa nourriture
ailleurs. Les trous de nage gèleraient. Qu'est-ce qui dormait donc
là, sur le fond mou et visqueux, pour attirer ainsi Lotte, jour après
jour ? Chaque matin, disparaissant dans les profondeurs ténébreuses, elle descendait, telle Perséphone, toucher cette chose
sombre. Sous mes yeux ! Et je ne pouvais pas la suivre. Vous imaginez ce que je ressentais ? C'était comme si une petite déchirure
s'était produite dans le jour, et qu'elle seule s'y faufilait. Un plouf,
puis le silence, qui semblait devoir durer éternellement. Une espèce
de panique me gagnait peu à peu. Et juste à l'instant où j'étais
convaincu qu'elle s'était cogné la tête sur une pierre ou brisé la
colonne vertébrale, la surface s'ouvrait et elle réapparaissait, cli-
gnant les yeux pour en extraire l'eau, les lèvres bleues. Quelque
chose s'était régénéré. Sur le chemin du retour, nous parlions peu.
Le seul bruit était celui des feuilles et des brindilles qui craquaient,
tel du verre pilé, sous nos pieds. Je n'y suis pas retourné depuis
qu'elle est morte.

J'avais dû dormir plusieurs heures. Dehors, il faisait nuit. Je restai un moment immobile à contempler le rectangle de ciel muet.
Puis je me tournai vers le mur. Ce faisant, me revint une image de
Lotte dans le jardin. J'ignore la provenance de ce souvenir et je ne
suis même pas certain qu'il eût jamais existé. Elle se tient près du
mur, derrière la maison, sans savoir que je l'observe d'une fenêtre
du second étage. À ses pieds, brûle un petit feu qu'elle active à
l'aide d'un bâton ou peut-être du tisonnier, penchée sur son travail,

alourdie par la concentration, les épaules couvertes d'un châle jaune. De temps en temps, elle jette des feuilles de papier dans les flammes ou secoue un livre dont les pages tombent en voltigeant dans le feu. La fumée s'élève en une volute mauve. Ce qu'elle brûlait et pourquoi je l'observais en silence de la fenêtre, je ne saurais le dire, mais plus j'essayais de me rappeler, plus l'image devenait floue et plus j'étais agité.

Mes chaussures étaient alignées sous une chaise, alors que je ne me rappelais pas les avoir enlevées. Je les enfilai, lissai le couvre-lit en dentelle et descendis au rez-de-chaussée. Quand j'entrai dans la cuisine, Mrs. Fiske était debout, le dos tourné, devant la cuisinière. C'était l'heure de la journée, juste avant le crépuscule, où l'on ne pense pas encore à allumer la lumière. De la vapeur s'échappait de la marmite qu'elle touillait. J'écartai une chaise de la table et elle se retourna, le visage empourpré par la chaleur. Mr. Bender, dit-elle. Je vous en prie, dis-je, appelez-moi Arthur, ce que je regrettai immédiatement, sachant que c'était la distance existant entre nous qui lui permettait de parler si librement. Elle ne répondit pas et prit un bol sur une étagère, y versa une louche de soupe et s'essuya les mains sur son tablier de cuisine. Elle plaça le bol devant moi et s'assit de l'autre côté de la table, exactement comme le faisait ma mère. Je n'avais pas faim mais n'avais d'autre choix que de manger.

Après un long silence, Mrs. Fiske se remit à parler. Je pensais toujours qu'elle reprendrait contact, dit-elle. Évidemment, elle savait où nous habitions. Au début, j'étais terrifiée à l'idée de recevoir un coup de téléphone ou une lettre, ou de la voir simplement apparaître à la porte en disant qu'elle s'était trompée et qu'elle voulait reprendre Teddy. En le berçant pour qu'il s'endorme, le soir, ou immobile dans le noir, de peur de faire craquer le plancher et de le réveiller, je plaidais ma cause en silence. Elle l'avait abandonné ! Et je l'avais adopté. Je l'aimais comme mon propre enfant ! Et pourtant j'étais tourmentée par un sentiment de culpabilité. Il pleurait tellement, le visage convulsé, la bouche grande ouverte. Il était inconsolable, voyez-vous. Le médecin disait que c'étaient des coliques, mais moi je n'y croyais pas. Je pensais qu'il appelait sa mère. De temps en temps, exaspérée, je le secouais et lui criais d'arrêter. Il me regardait un instant et, surpris ou effrayé, se taisait. Dans ses yeux noirs, je voyais l'éclat dur d'un entêtement délibéré. Puis il se remettait à hurler encore plus fort. Il m'arrivait parfois de claquer la porte et de le laisser crier. Je m'asseyais alors là où je suis maintenant, les mains sur les oreilles, jusqu'au moment où je craignais que les voisins ne l'entendent et ne m'accusent de maltraitance.

Ni la lettre ni le coup de téléphone n'arrivèrent jamais, dit Mrs. Fiske. Et au bout de trois ou quatre mois, Teddy commença à moins pleurer. Nous découvrions des choses ensemble, de petits rituels et des chansons qui le calmaient. Une espèce de compréhension, ô combien fragile, naquit lentement entre nous. Il apprit à me sourire, d'un petit sourire oblique, bouche ouverte, mais qui me remplissait de joie. Je pris peu à peu de l'assurance. Pour la première fois depuis que je l'avais ramené à la maison, je me mis à le sortir dans son landau. Nous allions jusqu'au parc où il dormait à l'ombre des arbres pendant que je m'asseyais sur un banc, presque comme n'importe quelle autre mère. Presque, seulement, car, dans une petite alvéole bien cachée au creux de chaque jour – souvent au crépuscule ou quand, après avoir endormi le bébé, je me faisais couler un bain, mais d'autres fois sans prévenir, à l'instant précis où mes lèvres effleuraient sa joue –, le sentiment d'une malhonnêteté s'emparait de moi. Il se glissait autour de mon cou, telles deux minuscules mains froides, et en une seconde, gommait tout le reste. Au début, j'en fus désespérée, dit Mrs. Fiske. Je me haïssais de me comporter comme si j'étais sa vraie mère, ce qu'en cet instant d'effrayante lucidité, je savais que je ne pourrais jamais être. Pendant que je le faisais manger, que je lui donnais son bain ou que je lui lisais des histoires, une part de moi était toujours ailleurs, voyageant en tramway dans une ville étrangère sous la pluie, marchant le long d'une promenade brumeuse, au bord d'un lac de montagne si vaste qu'un cri se perdait avant d'atteindre l'autre rive. Ma sœur n'avait pas d'enfant, je ne connaissais pas beaucoup d'autres jeunes mères et, à celles que je connaissais, je n'aurais pas osé demander si elles éprouvaient ce genre de chose. Je me dis que cet échec était le mien, un échec lié au fait que je n'avais pas conçu Teddy moi-même mais qui, en dernier ressort, se résumait à une impuissance innée. Et pourtant, que pouvais-je faire d'autre que continuer d'essayer, malgré moi ? Personne n'était venu le chercher. Il n'avait que moi. Au prix d'un énorme effort, je lui prodiguais une atten-tion infinie afin d'y remédier. Teddy devint un enfant heureux sauf que, parfois, je voyais, ou croyais voir passer dans ses yeux un déses-poir très ancien, bien que je ne fusse jamais sûre, ensuite, que ce n'était pas simplement chez lui de la concentration ce qui, étrange-ment, crée toujours une vague impression de tristesse lorsqu'elle apparaît sur un visage d'enfant.

Je ne craignais plus à présent qu'elle vienne me le reprendre, dit Mrs. Fiske. Je le considérais comme mon propre fils, malgré les erreurs, malgré les moments d'inattention dont il me tirait avec une détermination croissante, mon impatience devant certains petits jeux qu'il voulait sans cesse recommencer, quel que fût l'ennui qui me paralysait de temps à autre après l'avoir habillé, lorsque la jour-née s'étendait de nouveau devant nous, tel un immense parc de sta-tionnement. Je savais qu'il m'aimait malgré tout cela, et quand il grimpait sur mes genoux et trouvait l'endroit où il était bien, je sentais que deux êtres ne pouvaient mieux s'entendre que lui et moi, et que c'était ça, après tout, être une mère et son enfant. Mrs. Fiske se leva pour enlever mon bol, le mit dans l'évier et regarda par la fenêtre le petit jardin, derrière la maison. Elle me semblait dans un état proche de la transe et je ne lui parlai pas, de peur de l'inter-rompre. Elle remplit la bouilloire, la posa sur la cuisinière et revint à la table. Je remarquai alors combien elle avait l'air fatigué. Elle plongea ses yeux dans les miens. Qu'êtes-vous venu chercher ici, Mr. Bender ?

Interloqué, je ne répondis pas tout de suite.

Parce que si vous êtes venu pour découvrir quoi que ce soit à propos de votre femme, je ne peux pas vous aider, dit-elle.

Il y eut un long silence. Puis elle dit : Je n'ai plus jamais eu de nouvelles d'elle. Elle n'a jamais écrit. Il m'arrivait de penser à elle. Je regardais le bébé dormir et je me demandais comment elle avait pu faire ce qu'elle avait fait. Ce n'est que plus tard que je compris qu'être mère, c'est une illusion. Aussi vigilante soit-elle, finalement, une mère ne peut protéger son enfant – ni de la douleur, ni de l'horreur, ni du cauchemar de la violence, ni des trains plombés filant dans la mauvaise direction, ni de la perversité des inconnus, ni des trappes, ni des abîmes, ni des incendies, ni des voitures sous la pluie, ni du hasard.

Avec le temps, je pensai de moins en moins à elle. Mais quand il mourut, elle m'assaillit de nouveau. Il avait vingt-trois ans quand c'est arrivé. Je me dis que, dans tout l'univers, elle seule était capable de sonder la profondeur de mon chagrin. Je me rendis compte alors que je me trompais, dit Mrs. Fiske. Elle ne pouvait pas savoir. Elle ne connaissait absolument rien de mon fils.

Je parvins, je ne sais comment, à me rendre à la gare. J'avais du mal à penser clairement. Je repris le train pour Londres. À chaque arrêt, je voyais Lotte sur le quai. Ce qu'elle avait fait, le sang-froid avec lequel elle avait agi, me remplissait d'horreur, une horreur amplifiée par le fait que j'avais vécu si longtemps avec elle sans avoir la moindre idée de ce dont elle était capable. Tout ce qu'elle m'avait dit, je devais maintenant le considérer sous ce jour nouveau.

Ce soir-là, en rentrant à Highgate, je découvris qu'une vitre avait été brisée dans le séjour. Du trou béant irradiait un magnifique et délicat réseau de craquelures. Le spectacle était impressionnant et un sentiment d'admiration mêlée de crainte s'empara de moi. Par terre, à l'intérieur, parmi les débris de verre, je trouvai une pierre de la grosseur du poing. L'air froid s'engouffrait dans la pièce. C'était l'immobilité particulière de la scène qui me troublait, cette immobilité qui suit un acte de violence. Enfin, je vis une araignée qui traversait très lentement le mur et le charme fut rompu. J'allai chercher le balai. Lorsque j'eus fini de nettoyer, je scotchai une feuille de plastique sur le trou. Je gardai la pierre, que je posai sur la table du séjour. En arrivant, le lendemain, le vitrier secoua la tête et parla de jeunes voyous, de délinquants, c'était la troisième fenêtre qu'ils cassaient dans la semaine ; l'idée me vint alors, avec un coup au cœur, que j'avais souhaité que cette pierre me soit destinée, que ce soit l'œuvre de quelqu'un qui voulait jeter une pierre dans *ma* fenêtre, seulement dans la mienne et pas dans une autre. Quand le petit pincement de regret fut passé, je me mis à en vouloir au vitrier à la voix tonitruante et joviale. Ce n'est qu'après son départ que je sentis combien j'étais seul. Les pièces m'aspiraient et semblaient me reprocher de les avoir quittées. Tu vois, paraissaient-elles dire. Tu vois ce qui arrive ? Non, je ne voyais pas. J'avais l'impression de moins en moins comprendre. Il me devenait difficile de me rappeler… enfin, pas de me rappeler, mais de *croire* ce que je me rappelais de ce que Lotte et moi faisions dans ces pièces, comment nous passions nos journées, où et comment nous nous asseyions. Je m'installai dans mon vieux fauteuil et essayai de faire surgir Lotte, telle qu'elle s'asseyait en face de moi. Mais tout devint absurde. Le plastique ondulait sur le trou béant et l'extraordinaire pan de verre craquelé restait suspendu dans le vide. Un pas lourd, un coup de vent et tout, sans doute, tomberait en mille morceaux. Le lendemain, lorsque le vitrier revint, je le priai de m'excuser et sortis dans le jardin. Lorsque je rentrai, la vitre était de nouveau entière et le vitrier souriait devant son œuvre.

Je réalisai alors ce qu'au plus profond de moi j'avais toujours compris : que je ne pourrais jamais la punir autant qu'elle s'était punie elle-même. Que c'était moi, après tout, qui avais refusé d'admettre à quel point je savais. L'acte d'amour est toujours une confession, a écrit Camus. Mais la fermeture silencieuse d'une porte l'est aussi. Un cri dans la nuit. Une chute dans l'escalier. Une toux dans l'entrée. J'avais passé ma vie à tenter de m'introduire par l'imagination dans sa peau. À pénétrer par l'imagination dans son deuil. Tenté et échoué. Seulement – comment dire ? – peut-être voulais-je échouer. Parce que ça me permettait de continuer. Mon amour pour elle était un échec de l'imagination.

Un soir, la sonnette retentit. Je n'attendais personne. Je n'attends plus rien ni personne. Je posai mon livre, non sans en marquer d'abord soigneusement la page à l'aide d'un signet. Lotte reposait toujours ses livres à plat, le dos en l'air et, au début, je lui disais que j'entendais le petit cri aigu du dos qui se brisait. C'était une plaisanterie, mais par la suite, quand elle quittait la pièce ou s'endormait, je prenais son livre et y glissais un marque-page, jusqu'au jour où elle le ramassa, en arracha le marque-page et le jeta par terre. Ne fais plus jamais ça, me dit-elle. Je sus alors que c'était un endroit de plus lui appartenant qui m'était désormais interdit. À partir de ce moment-là, je ne lui demandai plus ce qu'elle lisait. J'attendais qu'elle m'en parle de son plein gré… une phrase qui la touchait, un passage brillamment écrit, un personnage campé de façon vivante. Tantôt, cela venait, tantôt non. Ce n'était pas à moi de l'interroger.

Je parcourus les quelques mètres de couloir qui menaient à la porte. Des malfrats, me dis-je, le mot du vitrier me revenant en mémoire. Mais à travers l'œilleton, je vis qu'il s'agissait d'un homme dans mes âges, en costume. Je demandai qui était là. Il s'éclaircit la voix de l'autre côté de la porte. Mr. Bender ? fit-il.

C'était un petit homme, vêtu avec une élégance discrète. Sa seule parure était une canne à pommeau d'argent. Il y avait peu de chance qu'il soit là pour me matraquer ou me voler. Oui ? dis-je, debout dans l'embrasure de la porte. Je m'appelle Weisz, dit-il. Pardonnez-moi de ne pas avoir d'abord téléphoné. Mais il ne fournit aucune raison. J'aimerais m'entretenir de quelque chose avec vous, Mr. Bender. Si ce n'est pas abuser de votre amabilité – il plongea le regard à l'intérieur de la maison – puis-je entrer ? Je lui demandai l'objet de sa visite. Un bureau, dit-il.

J'en eus les jambes coupées. J'étais paralysé, certain que ce ne pouvait être que lui : celui qu'elle avait aimé, dans l'ombre duquel j'avais vivoté avec elle.

Dans une espèce de rêve, je le conduisis dans la salle de séjour. Il avançait sans hésiter, comme s'il connaissait les lieux. Une sensation de froid s'insinua en moi. Pourquoi n'avais-je jamais imaginé qu'il était peut-être déjà venu ici ? Il se dirigea tout droit vers le fauteuil de Lotte et attendit. Je lui fis signe de s'asseoir, tandis que mes jambes se dérobaient sous moi. Nous nous faisions face, moi dans mon fauteuil, lui dans celui de Lotte. Comme cela avait toujours été, me dis-je.

Je suis désolé de vous importuner, dit-il. Mais il parlait avec un calme qui démentait ses paroles, une assurance presque intimidante. Il avait un accent israélien, atténué, pensai-je, par des voyelles et des intonations venues d'ailleurs. Il paraissait approcher des soixante-dix ans, peut-être même les avait-il dépassés, il aurait donc eu quelques années de moins que Lotte. Une idée me vint alors à l'esprit. Pourquoi n'avais-je pas déjà deviné ? Il était l'un des enfants du Kindertransport dont elle avait eu la charge ! Un garçon de quatorze ou quinze ans. Seize au plus. Au début, ces années avaient dû beaucoup compter. De moins en moins, cependant, avec le temps. Lorsqu'il avait dix-huit ans, elle devait en avoir vingt et un ou vingt-deux. Il y avait entre eux un lien indéfectible, un langage commun, un monde perdu, condensé en quelques brèves syllabes qui, prononcées par l'un, étaient aussitôt comprises par l'autre. Ou pas de langage… un silence qui remplaçait tout ce qui ne pouvait s'exprimer à haute voix.

Son apparence était impeccable : pas un cheveu de travers, pas une peluche sur son costume sombre. Jusqu'aux semelles de ses chaussures qui ne semblaient pas le moins du monde éraflées, comme s'il touchait à peine le sol. Quelques minutes seulement de votre temps, dit-il. Je vous promets ensuite de vous laisser tranquille.

Tranquille ! criai-je presque. Vous qui m'avez tourmenté toutes ces années ! Mon ennemi, celui qui occupait un coin de la femme que j'aimais, un coin d'elle, une espèce de trou noir qui, par le jeu de quelque sorcellerie que je ne compris jamais, contenait l'essentiel d'elle-même.

J'ai du mal à expliquer mon travail aux autres, dit-il. Je n'ai pas l'habitude de parler de moi. Mon activité a toujours consisté à écouter. Les gens viennent me voir. Au départ, ils ne s'expriment guère, mais les mots sortent peu à peu. Ils regardent par la fenêtre, à leurs pieds puis, à un certain moment, dans la pièce, derrière moi. Ils ne rencontrent jamais mes yeux. Parce que s'ils venaient à se souvenir de ma présence, ils risqueraient de ne pas pouvoir prononcer les mots. Ils se mettent enfin à parler et je refais avec eux le chemin de leur enfance, avant la guerre. Entre leurs paroles, je vois la façon dont la lumière tombait sur les lames du plancher. La façon dont il alignait ses soldats de plomb sous l'ourlet du rideau. Dont elle disposait les tasses à thé de sa dînette. Je suis là, avec lui, sous la table, continua Weisz. Je vois les jambes de sa mère qui se déplacent dans la cuisine et les miettes de pain que le balai de la femme de ménage a oubliées. Leurs enfances, Mr. Bender, car ce ne sont que ceux qui étaient enfants qui viennent me voir aujourd'hui. Les autres sont morts. Lorsque j'ai monté mon affaire, dit-il, c'étaient surtout des amants. Ou des maris qui avaient perdu leur femme, des femmes qui avaient perdu leur mari. Des parents, aussi. Quoique très peu… la plupart auraient trouvé mes services intolérables. Ceux qui venaient parlaient à peine, juste assez pour décrire le lit d'un petit enfant ou la commode dans laquelle il rangeait ses jouets. Tel un médecin, j'écoute en silence. Il y a cependant une différence : après les paroles, je fournis une solution. C'est vrai, je ne peux pas ramener les morts à la vie. Mais je peux ramener le fauteuil dans lequel ils s'asseyaient autrefois, le lit où ils dormaient.

J'étudiais ses traits. Non, me dis-je. Je m'étais trompé. Ça ne pouvait pas être lui. J'ignore comment je le sus, mais en le dévisageant, je le sus. Et, à ma grande surprise, j'eus dans la bouche le goût amer de la déception. Nous aurions pu nous dire tant de choses.

Chacun d'entre eux est saisi de stupéfaction, poursuivit Weisz, quand enfin je leur présente l'objet dont ils ont rêvé pendant la moitié de leur vie, qu'ils ont investi du poids de leur nostalgie. C'est comme un choc physique. Ils ont enroulé leur mémoire autour d'un vide et voilà que l'objet manquant est réapparu. Ils n'en croient pas leurs yeux, c'est comme si je leur apportais l'or et l'argent volés par les Romains lorsqu'ils détruisirent le Temple, il y a deux mille ans, les objets sacrés qui, pillés par Titus, disparurent mystérieusement de manière à rendre totale la perte cataclysmique, de manière à ce qu'il ne reste plus de preuve empêchant un juif de transformer un lieu en un espoir qu'il puisse emporter avec lui, où que le porte son errance, jusqu'à la fin des temps.

Nous restâmes silencieux. Cette fenêtre, dit-il enfin en regardant derrière moi, Comment a-t-elle été cassée ? Je fus surpris. Comment le savez-vous ? Pendant une ou deux secondes, je me demandai s'il n'y avait pas en lui quelque chose de sinistre qui m'avait échappé. La vitre est neuve, dit-il, et le mastic est frais. Quelqu'un a jeté une pierre dedans, dis-je. Ses traits accusés s'adoucirent et prirent une expression pensive, comme si mes paroles avaient réveillé en lui un souvenir. Cela ne dura qu'un instant et il reprit la parole :

Mais le bureau, voyez-vous… il est différent des autres meubles. Je reconnais qu'il m'a parfois été impossible de retrouver la table, le coffre, ou le fauteuil que mes clients recherchaient. La piste aboutissait à une impasse. Ou n'existait pas du tout. Les objets ne durent pas éternellement. Le lit dans lequel un homme se souvient que son âme fut bouleversée est, pour un autre, juste un lit. Et quand il est abîmé ou passé de mode, ou ne lui est plus utile, il s'en débarrasse. Seulement, avant de mourir, l'homme dont l'âme a été bouleversée a besoin de s'allonger une dernière fois dedans. Alors il vient me voir. Il a un certain regard et je le comprends. Donc, même si le lit n'existe plus, je le retrouve. Vous comprenez ce que je dis ? Je le lui présente. Par magie, si nécessaire. Et si le bois n'est pas exactement celui de son souvenir, si les pieds sont trop gros ou trop fins, il ne le remarquera que l'espace d'un instant, un instant de saisissement et d'incrédulité, puis son souvenir sera envahi par la réalité du lit qu'il a devant les yeux. Parce qu'il a davantage besoin que ce soit le lit où elle dormait autrefois avec lui, qu'il n'a besoin de connaître la vérité. Vous saisissez ? Et au cas où vous me demanderiez, Mr. Bender, si je me sens coupable, si j'ai le sentiment de le tromper, la réponse est non. Parce qu'au moment où cet homme caresse les montants, pour lui, il n'existe aucun autre lit au monde.

Weisz se passa la main sur le front et se pétrit la tempe. Je voyais à présent combien il avait l'air fatigué, malgré la vivacité de son regard.

Mais celui qui recherche ce bureau-ci ne ressemble pas aux autres, dit-il. Il n'a pas la capacité d'oublier un tant soit peu. Sa mémoire ne peut être encombrée. Plus le temps passe, plus son souvenir se précise. Il est capable d'examiner les fils de laine d'un tapis sur lequel il s'est assis étant enfant. Il est capable d'ouvrir le tiroir d'un bureau qu'il n'a pas vu depuis 1944 et en recenser le contenu dans sa totalité. Son souvenir est pour lui plus réel, plus net que la vie qu'il mène, qui devient, elle, de plus en plus vague à ses yeux.

Vous ne sauriez imaginer combien il me poursuit, Mr. Bender. Combien il m'appelle, encore et encore. Combien il me tourmente. Pour lui, j'ai voyagé de ville en ville, j'ai mené des enquêtes, j'ai téléphoné, j'ai frappé à des portes, j'ai exploré toutes les sources possibles. Sans jamais rien trouver. Le bureau – énorme, seul de son espèce – avait simplement disparu, parmi tant d'autres objets. Mais il ne voulait rien savoir. Tous les deux ou trois mois, il me téléphonait. Ensuite une fois par an, toujours le même jour. Toujours avec la même question : Nou[1] ? Rien ? Et toujours je lui donnais la même réponse : Rien. Puis vint une année où il ne m'appela pas. Et je songeai, non sans un certain soulagement, qu'il était peut-être mort. Un jour, une lettre de lui arriva, écrite à la date où il appelait habituellement. Un anniversaire, en somme. Et je compris alors qu'il ne pouvait pas mourir avant que j'aie retrouvé le bureau. Qu'il désirait mourir et qu'il ne le pouvait pas. Je pris peur. Je voulais en finir avec lui. De quel droit m'accablait-il de cela ? De la responsabilité de sa vie si je ne le trouvais pas, et de sa mort, dans le cas contraire ?

Et pourtant j'étais incapable de l'oublier, dit Weisz, en baissant la voix. Alors je me suis remis à chercher. Un jour, il n'y a pas longtemps, j'ai reçu une indication. Une minuscule bulle d'air remontée du fond d'un océan où, à des lieues de profondeur, quelque chose respire. Je l'ai suivie et elle m'a conduit à une autre. Et encore une autre. Soudain, la piste revivait. Cela fait des mois que je la suis. Et enfin elle m'a mené ici, à vous.

Weisz me regarda et attendit. Je m'agitai sous le poids de la nouvelle que j'avais à lui annoncer, à savoir que le bureau qui nous avait hantés tous les deux était parti depuis longtemps. Mr. Bender… commença-t-il. Il appartenait à ma femme, dis-je, d'une voix réduite à un chuchotement. Mais il n'est plus ici. Cela fait vingt-huit ans qu'il n'y est plus.

Sa bouche se crispa et un frémissement brouilla ses traits, pour disparaître aussitôt, ne laissant qu'une expression douloureusement vide. Nous restâmes silencieux. Au loin, les cloches de l'église sonnèrent.

1. « Et alors ? » en hébreu.

Elle vivait seule avec le bureau quand je fis sa connaissance, dis-je à mi-voix. Il la dominait et occupait la moitié de la pièce. Weisz inclina la tête, ses yeux noirs et lisses étincelèrent : lui aussi le voyait se dresser devant lui. Lentement, comme à l'encre noire, avec des lignes simples, je lui dessinai un portrait du bureau et de la pièce sur laquelle il régnait. Et tandis que je parlais, quelque chose se passa. Je percevais quelque chose qui planait à la lisière de mon entendement et que la présence de Weisz rendait plus proche, quelque chose que je devinais mais que je ne pouvais vraiment saisir. Il aspirait l'air autour de lui, chuchotai-je, m'efforçant d'accéder à une compréhension juste hors de ma portée. Nous vivions dans son ombre. C'était comme si elle m'avait été prêtée des profondeurs de ses ténèbres, dis-je, auxquelles elle appartiendrait toujours. Comme si... et à cet instant, un éclair incandescent brilla en moi, et lorsqu'il s'éteignit et que tout redevint noir, je ressentis le soudain apaisement de la lucidité. On eût dit que la mort elle-même vivait dans cette pièce minuscule avec nous, menaçant de nous écraser, murmurai-je. La mort qui investissait tous les coins de la pièce et nous laissait si peu d'espace.

Il me fallut longtemps pour lui raconter l'histoire. L'intense expression de déplaisir que je voyais dans ses yeux et la façon dont il m'écoutait, comme s'il voulait se rappeler chaque mot, me poussaient à continuer, jusqu'au moment où j'arrivai à l'épisode de Daniel Varsky qui avait sonné à notre porte, un soir, qui avait torturé mon imagination, puis avait disparu aussi vite qu'il était venu en emportant avec lui le terrible et despotique bureau. Lorsque j'eus fini, nous demeurâmes tous les deux silencieux. Puis je me souvins de quelque chose. Excusez-moi une minute, dis-je, et je passai dans l'autre pièce où j'ouvris le tiroir de mon bureau et en sortis le petit journal intime noir que j'avais gardé pendant près de trente ans, rempli de l'écriture minuscule du jeune poète chilien. Quand je revins dans le séjour, Weisz regardait d'un air absent à travers la vitre remplacée par le vitrier. Au bout d'un instant, il se tourna vers moi. Mr. Bender, connaissez-vous le rabbin du premier siècle, Yochanan ben Zacchai ? De nom, seulement, répondis-je. Pourquoi ? Mon père était spécialiste d'histoire juive, dit Weisz. Il écrivit de nombreux livres que je lus dans leur intégralité, des années plus tard, après sa mort. J'y retrouvai les histoires qu'il me racontait autrefois. L'une de ses préférées était celle de ben Zacchai, déjà vieux à l'époque où les Romains assiégèrent Jérusalem. Lassé des partis en guerre à l'intérieur de la ville, il mit en scène sa propre mort, dit Weisz. Les porteurs le firent sortir une dernière fois par les portes de la cité et le déposèrent dans la tente du général romain. En échange de sa prophétie prédisant la victoire romaine, il fut autorisé à se rendre à Yavne et à y ouvrir une école. Plus tard, dans cette petite ville, il reçut la nouvelle de l'incendie de Jérusalem. Le Temple avait été détruit. Les survivants avaient été envoyés en exil. Dans sa grande douleur, il se dit : Qu'est-ce qu'un juif sans Jérusalem ? Comment peut-on être un juif sans nation ? Comment faire un sacrifice à Dieu si l'on ne sait pas où Le trouver ? Dans les vêtements déchirés du deuil, ben Zacchai retourna à son école. Il annonça que le tribunal qui avait brûlé à Jérusalem ressusciterait là, dans la ville endormie de Yavne. Qu'au lieu d'offrir des sacrifices à Dieu, désormais les juifs Le prieraient. Il ordonna à ses élèves de rassembler plus de mille ans de loi orale.

Jour et nuit, les savants discutaient des lois et leurs discussions devinrent le Talmud, continua Weisz. Ils étaient si absorbés par leur travail que, parfois, ils oubliaient la question que leur avait posée leur professeur. Qu'est-ce qu'un juif sans Jérusalem ? Ce n'est que plus tard, quand mourut ben Zacchai, que sa réponse se révéla peu à peu, à la façon d'une énorme fresque qui ne commence à prendre un sens que lorsqu'on s'en éloigne : Faites de Jérusalem une idée. Faites du Temple un livre, un livre aussi gros, aussi sacré et enchevêtré que la ville elle-même. Enroulez un peuple autour de la forme de ce qu'il a perdu et laissez chaque chose refléter la forme absente. Par la suite, son école fut connue sous le nom de la

Grande Maison, selon la phrase du Livre des Rois : *Après qu'elle eut brûlé avec le reste de Jérusalem, son école y fut appelée la Grande Maison.* Deux mille ans ont passé, me disait mon père, et aujourd'hui chaque âme juive est construite autour de la maison qui brûla dans cet incendie, si vaste que nous ne pouvons, autant que nous sommes, nous en rappeler qu'un minuscule fragment : un motif dans le mur, un nœud dans le bois d'une porte, une réminiscence de la façon dont la lumière tombait sur le sol. Mais si tous les souvenirs juifs étaient réunis, tous les fragments sacrés, jusqu'au dernier, joints en un seul, la Maison serait reconstruite de nouveau, dit Weisz, ou plus exactement un souvenir de la Maison, si parfait qu'elle serait essentiellement celle des origines. C'est sans doute ce que l'on veut dire quand on parle du Messie : un assemblage parfait des parties infinies de la mémoire juive. Dans le monde de l'au-delà, nous vivrons tous dans le souvenir de nos souvenirs. Mais ce ne sera pas pour nous, disait mon père. Ni pour toi, ni pour moi. Nous vivons, chacun, pour préserver notre fragment, dans un état de regret perpétuel et d'aspiration à un lieu dont nous savons simplement qu'il a existé parce que nous nous rappelons une serrure, un morceau de carrelage, un seuil usé sous une porte ouverte.

Je tendis le carnet à Weisz. Ceci vous aidera peut-être, lui dis-je. Il le tint un instant dans le creux de sa main, comme s'il en mesurait le poids. Puis il le glissa dans sa poche. Je le reconduisis à la porte. Si je peux faire quoi que ce soit pour vous en retour, dit-il. Mais il ne me donna ni sa carte ni aucun moyen de le joindre. Nous nous serrâmes la main et il se retourna pour partir. Quelque chose me saisit alors et, incapable de me maîtriser, je lui criai : C'est lui qui vous a envoyé ? Qui ? demanda-t-il. L'homme qui a donné à Lotte le bureau. C'est ainsi que vous m'avez trouvé ? Oui, dit-il. Je fus pris d'une quinte de toux et ma voix sortit comme un pitoyable croassement. Et il est toujours… ? Je ne pus me résoudre à prononcer les mots.

Weisz me dévisagea. Mettant sa canne sous son bras, il sortit de sa poche de poitrine un stylo et un petit étui en cuir contenant un bloc de papier. Il y écrivit quelques mots, plia la feuille en deux et me la tendit. Puis il se dirigea vers la rue, mais après avoir fait un pas, s'arrêta, se retourna et leva la tête vers les fenêtres de la mansarde. Il n'a pas été difficile à trouver, dit-il tranquillement, une fois que j'ai su où chercher.

Les phares d'une voiture sombre garée devant une maison voisine s'allumèrent, illuminant le brouillard. Au revoir, Mr. Bender, dit-il. Je le suivis des yeux tandis qu'il descendait l'allée et se glissait à l'arrière de la voiture. Je tenais entre mes doigts le papier plié, avec le nom et l'adresse de l'homme que Lotte avait autrefois aimé. Je regardai les arbres aux branches noires de pluie dont elle avait contemplé le sommet de son bureau. Que pouvait-elle bien y lire ? Que voyait-elle dans le réseau de lignes noires imprimé sur le ciel, quels échos, quels souvenirs, quelles couleurs que je ne pouvais voir ? Ou refusais de voir ?

Je mis le papier dans ma poche, rentrai et fermai doucement la porte derrière moi. La température s'était rafraîchie et je pris mon pull-over à la patère de l'entrée. Je disposai quelques bûches dans la cheminée, froissai une feuille de papier journal et m'accroupis pour souffler sur le feu jusqu'à ce qu'il prenne. Je mis de l'eau à bouillir pour le thé, versai un peu de lait dans le bol du matou et le laissai dehors, dans la flaque de lumière projetée par la cuisine. Je posai avec soin le papier plié sur la table, devant moi.

Et quelque part, l'autre alluma sa lampe. Mit de l'eau à bouillir pour le thé. Tourna la page d'un livre. Ou le bouton de la radio.

Nous en aurions eu des choses à nous dire, lui et moi. Nous qui avions contribué à son silence. Lui qui n'avait pas osé le briser et moi qui m'étais incliné devant les frontières établies, les murs érigés, les espaces délimités, qui me détournais et ne posais jamais de questions. Qui, chaque matin, la voyais disparaître, sans rien faire, dans les profondeurs noires et glacées, en prétendant que je ne savais pas nager. Qui signai un pacte d'ignorance et étouffai ce qui bouillonnait en moi pour que la vie puisse continuer comme avant.

Pour que la maison ne soit pas inondée, que les murs ne s'écroulent pas sur nous. Pour que nous ne soyons pas envahis, écrasés, ou vaincus par ce qui peuplait les silences autour desquels nous nous étions si délicatement, si ingénieusement construit une vie.

Je restai assis là de longues heures, jusque dans la nuit. Le feu était bas. Quel prix nous avions payé pour les énormes quantités de nous-mêmes étouffées dans l'obscurité. Enfin, un peu avant minuit, je pris le papier plié sur la table. Sans hésiter, je le jetai dans la cheminée. Il noircit et s'enflamma dans le feu ronflant soudainement ressuscité, puis se consuma en un instant.

Weisz

Devinette : Une pierre est jetée à Budapest, un soir d'hiver de 1944. Elle vole dans les airs en direction de la fenêtre illuminée d'une maison où un père, assis à son bureau, écrit une lettre, une mère lit et un garçon rêve d'une course en patins à glace sur le Danube gelé. La vitre éclate, le garçon se couvre la tête, la mère hurle. En cet instant, la vie qu'ils connaissent cesse d'exister. *Où atterrit la pierre ?*

Quand je quittai la Hongrie, en 1949, j'avais vingt et un ans. J'étais maigre, partiellement oblitéré, effrayé à l'idée de rester immobile. Au marché noir, je transformai un anneau d'or trouvé sur un soldat mort en deux caisses de saucisse, les deux caisses de saucisse en vingt flacons de médicament et les vingt flacons en cent cinquante paquets de bas de soie. Je les expédiai en conteneur, avec d'autres articles de luxe qui deviendraient mon moyen d'existence dans ma seconde vie, celle qui m'attendait dans le port de Haïfa, comme une ombre attend sous un rocher, à midi. Dans le conteneur, parmi les autres articles, il y avait cinq chemises de soie taillées exactement à mes mesures, avec mon monogramme brodé sur la poche de poitrine. J'arrivai à bon port, mais pas le conteneur. Le douanier turc qui se tenait au pied du mont Carmel affirma n'en posséder aucune trace. Derrière moi, les bateaux se balançaient sur les vagues. Une ombre grêle sortit furtivement de dessous un rocher, près de l'énorme pied droit du Turc. Une femme vêtue d'une robe en tissu fin embrassait à genoux le sol desséché en pleurant. Peut-être avait-elle trouvé son ombre sous une autre pierre. Je vis un éclat dans le sable et ramassai une demi-lire. Une demie peut devenir une peut devenir deux peut devenir quatre. Six mois plus tard, je sonnai à la porte d'une maison. L'homme qui y habitait avait invité son cousin, et son cousin, qui était mon ami, m'avait emmené avec lui. Quand l'homme vint ouvrir, il portait une chemise de soie avec, cousues au-dessus de la poche de poitrine, mes initiales. Sa jeune femme apporta du café et du halva sur un plateau. Lorsque l'homme tendit le bras pour allumer ma cigarette, la soie de sa manche m'effleura le bras et nous fûmes alors comme deux personnes appuyant de chaque côté d'une vitre.

Mon père était historien. Il écrivait, assis à un énorme bureau muni de nombreux tiroirs, et quand j'étais très jeune, je croyais que deux mille ans étaient entreposés dans ces tiroirs, de la même façon que Magda, l'intendante, entreposait la farine et le sucre dans le garde-manger. Un seul des tiroirs avait une serrure et, pour mes quatre ans, mon père me remit la petite clef de laiton. Je n'en dormis pas de la nuit, essayant de penser à ce que je pourrais mettre dans le tiroir. La responsabilité était écrasante. Mentalement, je passai et repassai en revue mes plus précieuses possessions mais elles m'apparaissaient soudain inconsistantes et terriblement insignifiantes. Pour finir, je fermai à clef le tiroir vide et n'en soufflai jamais mot à mon père.

Avant de tomber amoureuse de moi, ma femme tomba amoureuse de cette maison. Un jour, elle m'amena dans le jardin du couvent des Sœurs de Sion. Nous prîmes le thé sous la loggia et elle se noua un foulard rouge autour de la tête – son profil, sur le fond de cyprès, remontait aux temps anciens. C'était la seule femme de ma connaissance qui ne désirât pas ramener les morts à la vie. Je sortis mon mouchoir blanc de ma poche et le posai sur la table. Je me rends, murmurai-je. Mais mon accent était encore très prononcé. Tu te rappelles quoi ? demanda-t-elle. Ensuite, nous revînmes à pied au village et, en chemin, elle s'arrêta devant une grosse bâtisse de pierre aux volets verts. C'est là, dit-elle en pointant le doigt, sous ce mûrier, que nos enfants joueront un jour. Elle ne faisait que badiner, mais quand je me retournai pour voir ce qu'elle pointait du doigt, je vis luire un éclair dans l'ombre des branches basses du vieil arbre, et j'eus mal.

Mon affaire s'agrandissait, celle que j'avais entreprise avec une chaise percée en noyer sculpté, achetée à vil prix au douanier turc. Plus tard, il me vendit une table à rallonges, une pendule de cheminée en porcelaine, une tapisserie flamande. Découvrant que j'avais certains talents, j'étendis mes compétences. Des ruines de l'histoire je sortis une chaise, une table, une commode. Je me fis un nom, sans oublier pour autant l'éclair sous le mûrier. Un jour, je me rendis de nouveau à la maison, frappai à la porte et offris à l'homme qui vivait là une somme d'argent qu'il ne pouvait refuser. Il m'invita à entrer. Dans sa cuisine, nous nous serrâmes la main. À mon arrivée, me dit-il, le sol était encore jonché de coques de pistaches, celles que l'Arabe avait mangées avant de fuir avec sa femme et ses enfants. À l'étage, dit-il, je découvris la poupée de la petite fille, avec de vrais cheveux, qu'elle avait amoureusement tressés. Je la gardai un certain temps mais un jour, les yeux de verre se mirent à me regarder d'une façon étrange.

Après cela, l'homme me laissa parcourir la maison qui deviendrait la nôtre, celle de ma femme et la mienne. Je visitai les pièces une à une, à la recherche de La pièce. Aucune ne m'allait. Puis, en ouvrant une porte, je la trouvai.

Quand je retournai à Budapest, dans la demeure où j'avais grandi, la guerre était terminée. La maison était d'une saleté repoussante. Miroirs fracassés, taches de vin sur les tapis et, sur un mur, quelqu'un avait dessiné au charbon de bois un homme en train de sodomiser un âne. Pourtant, jamais elle n'avait été autant ma maison que dans cette profanation. Sur le sol de sa penderie saccagée, je découvris trois cheveux de ma mère.

J'amenai ma femme dans la maison qu'elle avait aimée avant de m'aimer. C'est la nôtre, lui dis-je. Nous sillonnâmes les couloirs. Une maison construite de façon à ce que les gens puissent s'y perdre. Aucun de nous deux ne mentionna le froid. Je ne demande qu'une chose, dis-je. Quoi ? demanda-t-elle, éperdue, hors d'haleine. Laisse-moi une pièce. Quoi ? demanda-t-elle encore, plus faiblement. Une pièce pour moi seul, dans laquelle tu n'entreras jamais. Elle regarda par la fenêtre. Le silence se dévida entre nous.

Quand j'étais enfant, j'avais toujours envie d'être dans deux endroits à la fois. Cela devint une obsession. J'en parlais sans cesse. Ma mère en riait mais mon père, qui transportait avec lui deux mille ans partout où il allait, comme d'autres transportent une montre de poche, considérait cela différemment. Dans mon désir enfantin, il voyait les symptômes d'une maladie héréditaire. Assis près de mon lit, déchiré par une toux dont il ne pouvait se défaire, il me lisait les poèmes de Juda Halevi. Avec le temps, ce qui avait débuté comme un caprice se transforma en une croyance profonde : allongé dans mon lit je sentais mon autre moi descendre une rue vide, dans une ville étrangère, embarquer sur un bateau, à l'aube, ou rouler à l'arrière d'une voiture noire.

·

Ma femme mourut et je quittai Israël. Un homme peut être en beaucoup plus d'endroits que deux. J'emmenai mes enfants de ville en ville. Ils apprirent à fermer les yeux en voiture et en train, à s'endormir dans un lieu et à se réveiller dans un autre. Je leur appris que quelle que soit la vue de la fenêtre, le style d'architecture, la couleur du ciel, le soir, la distance entre soi-même et soi-même est immuable. Je les faisais toujours dormir ensemble dans une seule chambre. Je leur appris à ne pas avoir peur lorsqu'ils se réveillaient en pleine nuit sans savoir où ils étaient. Du moment que Yoav appelait et que Leah répondait ou que Leah appelait et que Yoav répondait, ils pouvaient se rendormir sans avoir besoin de savoir. Un lien spécial se développa entre eux, mon fils unique et ma fille unique. Pendant leur sommeil, je déplaçais les meubles. Je leur appris à ne faire confiance qu'à eux-mêmes. Je leur appris à ne pas avoir peur lorsqu'ils s'endormaient avec la chaise dans un endroit et, au réveil, la découvraient dans un autre. Je leur appris que peu importe où l'on place une table, contre quel mur on pousse le lit, pourvu que l'on mette toujours les valises sur le dessus de la penderie. Je leur appris à dire, Nous partons demain, de la façon dont mon père, un historien, m'avait appris que l'absence des choses est plus utile que leur présence. Encore que, bien des années plus tard, un demi-siècle après sa mort, perché au sommet d'une digue et contemplant le courant sous-marin, je pensai, Utile à quoi ?

Il y a maintenant bien longtemps, à l'époque où je montais mon affaire, je reçus un coup de téléphone d'un vieil homme. Il avait besoin de mes services et mentionna une connaissance commune qui lui avait donné mon nom. Il me dit qu'il ne voyageait plus ; en réalité, il quittait rarement la pièce où il vivait, au bord du désert. Il se trouva que, devant passer non loin de la ville où il habitait, je lui dis que je lui rendrais visite en personne. Nous bûmes le café.

Dans la pièce, il y avait une fenêtre et, sur le sol, juste dessous, une demi-lune sombre due au fait qu'on avait oublié, pendant des années, de fermer la fenêtre quand il pleuvait. L'homme me vit regarder la tache. Ma vie n'a pas toujours été celle-ci, dit-il. J'ai vécu de façon différente, dans d'autres pays. J'ai rencontré beaucoup de gens et découvert que chacun d'eux avait sa propre façon de faire face à la réalité. L'un a besoin de justifier un plancher taché par la pluie, dans une maison au bord du désert, dit-il. Alors que, pour un autre, la contradiction elle-même est la forme que prend la justification. J'acquiesçai d'un signe de tête et bus mon café. Mais tout ce que je compris, c'était que son regret était un plancher taché par la pluie qui tombait dans une ville où il n'était pas allé depuis des années.

Mon père a disparu il y a cinquante ans, dans une marche de la mort vers le Reich. Aujourd'hui, je suis assis dans sa chambre, à Jérusalem, une ville qu'il n'avait fait qu'imaginer. Son bureau est enfermé dans un garde-meuble, à New York, et c'est ma fille qui en a la clef. Je reconnais que je n'avais pas prévu cela. J'avais sous-estimé son courage et sa volonté. Son ingéniosité. Elle pensait ainsi me renier. Dans ses yeux, je vis une dureté que je n'avais jamais vue auparavant. Elle était terrifiée, mais elle avait pris sa décision. Il me fallut un peu de temps, cependant je ne tardai pas à saisir la signification de son geste. Je n'aurais pu inventer une fin plus adéquate. Elle avait trouvé une solution pour moi, bien que ce ne fût pas celle qu'elle ou moi avions prévue.

Le reste fut simple. Je pris l'avion pour New York. De l'aéroport, je pris un taxi pour me rendre à l'adresse à laquelle j'avais envoyé ma fille récupérer le bureau. Je parlai au concierge de l'immeuble. C'était un Roumain et je n'eus aucun mal à me faire comprendre de lui. Je lui donnai cinquante dollars pour se rappeler le nom de l'entreprise qui avait déménagé le bureau. Il resta muet. Je lui en offris cent et il ne se rappelait toujours pas. Pour deux cents dollars, la mémoire lui revint avec une incroyable netteté ; il chercha même le numéro de téléphone. J'appelai, de sa petite loge misérable en sous-sol, où ses vêtements de ville pendaient à un tuyau. On me passa le directeur. Bien sûr que je me souviens, dit-il. La dame avait parlé d'un bureau, alors j'ai envoyé deux hommes qui faillirent en avoir les reins brisés. Je lui dis que je désirais savoir où envoyer le pourboire qu'ils méritaient. Le directeur me donna son nom et son adresse. Puis il m'indiqua l'adresse du garde-meubles où ses hommes avaient transporté le bureau. Le Roumain m'appela un autre taxi. La locataire qui possédait ce bureau, me dit-il, elle est partie en voyage. Je sais, dis-je. Comment le savez-vous ? Elle est venue me voir, répondis-je et, à ce moment-là, le chauffeur de taxi démarra, laissant le Roumain immobile de surprise sur le trottoir.

Le garde-meubles était situé près du fleuve. Je sentais l'odeur de la vase et, dans le ciel gris sale, les mouettes étaient emportées par le vent. Dans le secrétariat, tout au fond, je découvris une jeune femme qui se vernissait les ongles. En me voyant, elle revissa le bouchon du flacon. Je m'assis sur la chaise placée de l'autre côté de la table. Elle se redressa et baissa le son de la radio. L'un des conteneurs qui se trouvent dans cet entrepôt est enregistré sous le nom de Leah Weisz, dis-je. Il ne contient qu'un bureau. Je vous donne mille dollars si vous me permettez de m'y asseoir une heure.

Elle n'aura pas d'enfants, ma fille. Je le sais depuis longtemps. Les seules choses qu'elle laissa jamais s'échapper d'elle, ce furent des notes. Elle a commencé étant enfant : *pling, plong, pling, plong*. Rien d'autre ne peut sortir d'elle. Mais Yoav… quelque chose reste sans réponse chez Yoav, et je sais qu'il existera une femme pour lui, beaucoup de femmes peut-être, dans lesquelles il se répandra pour chercher la réponse. Un jour, un enfant naîtra. Un enfant issu de l'union d'une femme et d'une énigme. Une nuit, tandis que le bébé dormira dans la chambre, sa mère sentira une présence derrière la fenêtre. Tout d'abord, hagarde dans sa robe de chambre tachée de lait, elle pensera qu'il n'y a là que son propre reflet. Mais un instant plus tard, elle la sentira de nouveau et, soudain effrayée, elle éteindra toutes les lumières et se précipitera dans la chambre du bébé. La porte-fenêtre de la chambre sera ouverte. Sur la pile de minuscules vêtements blancs, elle trouvera une enveloppe avec le nom de l'enfant, écrit d'une petite écriture sage. À l'intérieur de l'enveloppe, elle trouvera une clef et l'adresse d'un garde-meubles, à New York. Et dehors, dans le jardin ténébreux, l'herbe trempée se redressera lentement, effaçant les pas de ma fille.

J'ouvris la porte. La pièce, sans fenêtres, était glaciale. Une seconde, je crus voir mon père penché, sa plume courant sur la page. Mais l'énorme bureau était seul, muet et plein d'incompréhension. Trois ou quatre tiroirs pendaient, grands ouverts, tous vides. Toutefois, celui que j'avais fermé à clef étant enfant l'était toujours, soixante-six ans plus tard. Je tendis la main et passai les doigts sur la surface sombre du bureau. Il y avait deux ou trois égratignures, mais à part cela, ceux qui s'y étaient assis n'avaient laissé aucune marque. Je connaissais bien cet instant. Combien de fois l'avais-je observé chez d'autres, et pourtant, à présent, il me surprit presque : la déception, puis le soulagement de quelque chose qui disparaissait enfin.